NOMADISMES
DES ROMANCIÈRES
CONTEMPORAINES DE LANGUE FRANÇAISE

Presses Sorbonne Nouvelle
8 rue de la Sorbonne - 75005 Paris
Tel : 00 33 (0)1 40 46 48 02 - Fax : 00 33 (0)1 40 46 48 04
Courriel : psn@univ-paris3.fr

http://psn.univ-paris3.fr

Illustration de couverture :
Nancy Holt
SUN TUNNELS, 1973-76
Great Basin Desert, Utah
The tunnels are aligned with the sunrises and sunsets on the solstices
© ADAGP, Paris 2008

Mise en page : Laurent Tournier

Audrey Lasserre et Anne Simon (éds)

NOMADISMES DES ROMANCIÈRES
CONTEMPORAINES DE LANGUE FRANÇAISE

Presses
Sorbonne
NOUVELLE

Les actes du   colloque « Nomadismes des romancières contemporaines de langue française » ont été soutenus par le Conseil Scientifique et l'École Doctorale 120 « Littérature française et comparée » de l'université Sorbonne nouvelle – Paris 3, par la Direction Scientifique du CNRS et la Mission pour la place des femmes au CNRS, et par l'UMR 7171 « Écritures de la modernité ». Que soient ici remercié(e)s les représentant(e)s de ces institutions qui se sont investi(e)s dans ce projet.

« Je ne prétends pour ma part avancer
qu'en écrivant. »

Assia DJEBAR, *Les Alouettes naïves*

Women's Land

L'ouvrage que l'on va lire est issu d'un colloque international et pluri-disciplinaire qui s'est tenu à l'université Sorbonne nouvelle-Paris 3 en janvier 2007. Sociologues, philosophes et critiques littéraires des États-Unis, de Grande-Bretagne et de France se sont joint(e)s à plusieurs écrivaines[2] pour examiner la question des nomadismes d'un certain nombre de roman-cières contemporaines de langue française.

Cette réflexion a débouché sur un constat partagé qui, pour n'être pas alarmiste, n'en est pas moins préoccupant. En effet, on taxe encore fréquem-ment ces romancières d'intimisme, de clôture narrative sur la sphère du privé et du corporel, de focalisation sur l'affect, le familial ou le psychique. Héritière d'une culture éditoriale où la créatrice était reliée à l'épistolaire, à la romance et au foyer, de combats pour se trouver « une chambre à soi », voire d'une conception essentialisante de « l'écriture féminine », aujourd'hui

---

1 Gilles Deleuze et Félix Guattari, 1980 [1976], « Introduction : Rhizome », in *Capitalisme et Schizophrénie 2 : Mille plateaux*, Paris, Minuit, coll. « Critique », p. 9.

2 Nous employons le féminin des termes « écrivain » et « auteur », puisque nous estimons que l'emploi spécifique (« Marguerite Duras est un *écrivain* français ») comme généri-que (« *L'auteur* jouit d'un prestige social ») du masculin, supposé neutre, est une fiction. Pour le terme « auteur », un choix devait être fait entre « autrice » dont la suffixation est régulière, et « auteure », évitant l'euphonie. Nous avons décidé d'user de ce dernier terme. Toute dénomination étant une prise de position théorique, nous avons laissé les auteur(e)s user des termes qu'ils ou elles jugent adéquats à leur discours, que ce soit dans leurs contributions ou leurs notices.
Sur ce sujet, voir Audrey Lasserre, 2006, « La disparition : enquête sur la "féminisation" des termes auteur et écrivain », in *Le Mot juste*, Johan Faerber, Mathilde Barraband, Aurélien Pigeat (dir.), Paris, Presses Sorbonne nouvelle, p. 51-68 ; Marina Yaguello, 2002 [1978], *Les Mots et les Femmes*, Paris, Payot ; Claudie Bodino, 2001, *Politique de la langue et différence sexuelle : la politisation du genre des noms de métier*, Paris, L'Har-mattan, p. 37-50.

remise en cause, l'analyse des productions contemporaines témoigne encore d'une histoire littéraire où le « *tota mulier in utero*[3] » reste de mise. Pourtant, l'ouvrage présent voudrait le montrer, que ce soit d'un point de vue textuel, générique, social ou politique, cette réduction de la littérature contemporaine féminine à l'auto-enfermement ne rend pas compte d'un champ créatif beaucoup plus complexe. Déclassements par le haut ou le bas ; métissages identitaires et transgressions sociales ; traversées d'espaces démultipliés, qu'ils soient géographiques, corporels ou politiques ; attachement aux déplacements stylistiques et à la reformulation de genres diversifiés ; tentatives de reconfiguration d'un champ éditorial et critique encore nettement focalisé sur les productions masculines ou franco-françaises, sont autant de signes d'un nomadisme généralisé indiquant une volonté de décentrement des questionnements et des enjeux traditionnels. Pour mettre au jour ce déplacement permanent des problématiques, il importait de puiser directement à la source féconde de la création contemporaine : à la table ronde du colloque, qui a réuni des écrivaines aussi différentes et passionnantes que Maïssa Bey, Régine Detambel, Pierrette Fleutiaux ou Zahia Rahmani, a répondu en écho notre désir de placer cet ouvrage sous le signe de la production vive, sans laquelle l'activité critique n'aurait pas lieu d'être. Quatre écrivaines ont généreusement répondu à l'appel, fournissant des inédits sur leur conception personnelle du nomadisme littéraire qui inaugureront chaque partie de ce recueil : les échanges difficiles mais féconds entre deux langues, deux cultures, deux territoires (Vénus Khoury-Ghata), l'ubiquité autorisée par les paradoxes de la mémoire et de la temporalisation, par les transferts permanents entre réel et imaginaire (Annie Ernaux), l'arrachement à l'enracinement généalogique permettant la (re)naissance de soi (Régine Detambel), ou l'embarquement dans la « caravane des phrases » et le voyage au long cours sur l'océan de la page (Pierrette Fleutiaux), témoignent de *façons* (au sens de façonnage) multiples et de déterritorialisations diversifiées.

De fait, le pluriel liminaire associé au terme « nomadisme » vise à une première mise en garde : l'objectif de ce recueil n'est pas d'enfermer des romancières différentes les unes des autres dans « un » genre féminin les conduisant à une production univoque en son fond, mais, à partir d'un axe directeur central, de marquer la pluralité des trajectoires scripturales empruntées. On aurait aimé que le parti pris d'un ouvrage centré exclusivement

---

3   Voir Christine Détrez et Anne Simon, 2006, *À leur corps défendant : les femmes à l'épreuve du nouvel ordre moral*, Paris, Seuil.

sur la production féminine contemporaine n'aille pas de soi ; de fait, il ne correspond pas, pour les organisatrices du colloque comme pour l'ensemble des participant(e)s, à une prise de position essentialisante visant à regrouper les écrivaines sous l'angle de leur sexuation, mais à un constat politico-social qui n'en finit pas de durer, sous des formes plus ou moins larvées. Les récurrentes couvertures médiatiques sur les « nouvelles barbares[4] » ou les « scandaleuses[5] », buissons[6] stéréotypés masquant une forêt constituée d'arbres divers ; le fait que quelques grands noms soient parvenus à se faire une place dans le champ institutionnel, parfois non sans ambivalence – qu'Assia Djebar soit femme *et* algérienne a pu jouer un rôle dans son élection à l'Académie française, sa double appartenance à une « minorité » académicienne permettant d'élire une seule personne pour le prix de deux... – ne doivent pas leurrer le public. Delphine Naudier comme Christine Détrez le marquent chacune dans la partie « Champs littéraires », l'écriture, la publication, la diffusion de la production féminine restent encore majoritairement soumises à des modalités et des impératifs éditoriaux inégalitaires[7]. Les champs éditoriaux, qu'ils soient « franco-français » ou « périphériques », termes révélateurs, sont constitués de routes répertoriées, de points de passages obligés, de panneaux indicateurs, mais aussi de croisements, de traverses et de détours, d'oasis et de déserts... Dominique Combe relève ainsi, en revenant sur le parcours de l'écrivaine Régine Robin, que la catégorie complexe des « écritures migrantes », originaire du Québec, peine en France à s'imposer, et avec elle les dimensions plurielles des problématiques de l'exil et

---

4   *Nouvel Observateur*, 26 août 1999.

5   Titre d'une série d'entretiens réalisés par France Inter lors de l'été 2001. Voir Audrey Lasserre, 2005, « Mauvais genre(s) : une nouvelle tendance littéraire pour une nouvelle génération de romancières (1985-2000) », in *Premiers romans (1945-2003)*, Marie-Odile André et Johan Faerber (dir.), Paris, Presses Sorbonne nouvelle, p. 59-70.

6   Sur la différence de traitement médiatique entre écrivains et écrivaines, les secondes étant fréquemment envisagées non pas individuellement, mais sous un vocable commun aguicheur, voir Shirley Jordan, 2004, introduction de *Contemporary French Women's Writing : Women's Visions, Women's Voices, Women's Lives*, Amsterdam and New York, Peter Lang.

7   Voir un autre article de Delphine Naudier, 2004 : « Annie Ernaux : un engagement littéraire et une conscience féministe », in *Annie Ernaux, une œuvre de l'entre-deux*, études réunies par Fabrice Thumerel, Arras, Artois Presses Université, p. 212. Analysant le cas des *Armoires vides*, la sociologue relève que « les éditions Flammarion refusent le manuscrit parce qu'il n'était pas une autobiographie entrant dans leur collection portant sur le vécu, le témoignage », thèmes naturellement (c'est-à-dire culturellement...) associés aux écrivaines.

de l'altérité. Se fondant sur de nombreux entretiens menés *in situ*, Christine Détrez rappelle, quant à elle, qu'il n'est tout simplement pas évident, quand on est algérienne, de quitter la sphère du foyer pour celle de l'écriture, voire de traverser la Méditerranée, tant sur le plan concret que symbolique. À partir de l'exemple précis du roman policier revitalisé par Fred Vargas, Séverine Gaspari montre que l'entrée en littérature de l'écrivaine s'effectue dans un champ littéraire dévolu, en tout cas en France, au masculin, et que des transversales disciplinaires, entre science (histoire et archéozoologie en l'occurrence) et création, sont susceptibles de fluidifier les frontières du paysage académique. Il ne pouvait être question d'ignorer l'ensemble de cette cartographie éditoriale, pour des raisons de principe qui nous auraient plutôt portées à associer écrivains et écrivaines dans un même ouvrage. Comme l'exemplifie l'article final de Delphine Naudier, il était selon nous important, à l'intérieur de ce regroupement essentiellement arbitraire et socialement pertinent, de mettre en relief la diversité des productions assumées par des femmes afin de les sortir de leur « assignation à résidence », qu'elle soit « sexuée », identitaire ou nationale, et de rendre compte des stratégies que certaines déploient pour se défaire de ces marqueurs inhibiteurs.

À partir de ce panorama socio-historique, il devenait possible, dans une seconde partie consacrée aux voix et à leurs dévoiements, d'opérer un travail de sonde sur les positionnements du ou des *sujet(s)* de l'écriture. Anne Simon montre comment le genre autobiographique se trouve déplacé et renouvelé par Annie Ernaux, grâce à une dialectique entre exposition de soi, dénégation et retrait qui conduit à une démultiplication des identités. La polyphonie et la question des voix narratives sont bien sûr au centre de cet examen du sujet écrivant. Analysant l'utilisation d'une voix narrative omnisciente et démiurgique dans les romans de Nancy Huston, Diana Holmes donne toute sa valeur au choix assumé du récit, d'une écriture transitive à visée universelle. Anne Mairesse, se penchant sur Anne Garréta et Lydie Salvayre, examine quant à elle les « traversées du genre » que mettent en œuvre ces romancières, pour faire saillir les fonctions, les objectifs mais aussi les valeurs sociales et symboliques d'un recours à un narrateur masculin ou inidentifiable quant au genre (*gender*). L'analyse de cet impact des stéréotypes sociaux et des modalités contemporaines d'exhibition du moi permet à Éliane DalMolin de clore cette partie, par un retour sur les échanges, tantôt féconds, tantôt aporétiques, entre téléréalité et écriture fictionnelle chez Annie Ernaux, Lydie Salvayre et Amélie Nothomb.

La troisième partie, consacrée aux régressions et progressions (avancées symboliques mais aussi déplacements physiques) engendrées par le désir de transgression, s'attache plus spécifiquement à l'analyse du *corps* du sujet, qu'il soit narrant et/ou narré. Car il n'est pas toujours facile, ou permis, ou licite, de mouvoir ce corps qu'on souhaiterait nomade, d'appartenir à plusieurs champs, spatiaux ou symboliques, différents... Le déplacement peut être un luxe, et s'arracher au figement imposé par les normes d'ici ou d'ailleurs reste le premier mouvement à opérer, peut-être le plus difficile. Au-delà du corps, la transgression des catégories, qu'elles soient philosophiques, cognitives ou sociales, peut se révéler le point de départ, ou l'aboutissement, d'un geste créatif subversif. Comme en témoigne l'article d'Audrey Lasserre à propos des *Prostituées philosophes* de Leslie Kaplan, les pratiques littéraires transgressives sont les « outils » d'une pensée nomade, luttant de fait contre la réduction des possibles et l'altération de la circulation du sens au moyen d'une multiplicité (histoires singulières, détails, questionnements ouverts et incitatifs sans cesse revitalisés) irréductible et emblématique. Néanmoins Armelle Le Bras-Chopard montre, à propos de Catherine Millet, à quel point l'« échappée belle » contemporaine de la sexualité au féminin n'en finit pas de s'embourber dans les ornières des routes séculairement tracées par la culture occidentale. Quant au départ géographique et physique, il est loin d'être évident : en témoignent, au niveau thématique et structurel, les analyses de Shirley Jordan sur l'inhospitalité et l'enlisement dans l'œuvre de Marie NDiaye ou celles de Simon Kemp sur la notion de *homeland* chez Marie Darrieussecq. Chez Marie NDiaye, la fin de l'errance n'est qu'un vœu pieu, débouchant sur un scénario d'exclusion réitéré, sur un retour au foyer impossible ou invivable – immobilisme à grand pas qui n'est pas sans faire penser, mais de façon négative, à la définition deleuzienne du nomadisme. Chez Marie Darrieussecq de même, l'exploration du monde peut déboucher sur une fuite, le retour au pays natal sur un exil ; mais le dépaysement et l'arrachement à l'appartenance géographique n'en restent pas moins positifs[8], permettant l'accès à une identité indépendante de tout ancrage paralysant.

---

8   Voir aussi Anne SIMON, « Déterritorialisations de Marie Darrieussecq », in *Space, Place and Landscape : Women and Environments in Contemporary French Culture*, Marie-Claire BARNET et Shirley JORDAN (éd.), numéro special de *Dalhousie French Studies*, à paraître en 2008.

Errances, fuites, course éperdues, stases mortifères : dans la dernière partie, Aline Bergé-Joonekindt analyse le perpétuel déséquilibre de l'apatride chez Zahia Rahmani. Elle montre cependant que, par-delà peurs et malheurs, le nomadisme choisi peut venir contrer l'exil subi, *via* une écriture qui arpente un impossible ici comme un impossible ailleurs, créant ce que Charles Bonn nomme une « parole déplacée », une parole « non-licite[9] »... qui n'en finit pas moins par être écrite et publiée. Le nomadisme ne s'est donc pas perdu au long de notre parcours : les géo/graphies des romancières renvoient, pour reprendre la belle expression de Nicolas Bouvier, à un « usage du monde » particulier. Le nomade est un transhumant, pas un touriste : il ne se meut pas pour le simple plaisir du voyage et du dépaysement sans risque. Mireille Calle-Gruber le suggère, le nomade a un but, la fructification (du bétail, de lui-même), sa vie se trace d'un point de départ à un point d'arrivée, qui échangent leurs statuts sur le(s) chemin(s) du retour. Son corps va et vient, réinventant sans cesse son itinéraire en fonction des aléas climatiques, géographiques, politiques ou personnels rencontrés. L'analyse des *Marches de sable* d'Andrée Chedid le confirme, le nomadisme s'avère un parcours de longue haleine, un cheminement raisonné, un rythme permanent. Les écrivaines nomades, ces femmes qui marchent[10] au fil de leur œuvre, ces femmes qui filent leur œuvre pour reprendre la formule d'André Benhaïm à propos d'Assia Djebar « interlope » et « vagabonde », ne dérogent pas à la règle de ce désenracinement, de ce fécond arrachement.

De cet avant-propos aux derniers mots du volume, nous souhaitions avant tout placer les présentes contributions sous le signe d'une marche ouverte, menant vers ces « nouveaux départs » évoqués par Mireille Calle-Gruber, vers de nouveaux parcours encore inexplorés.

---

9 Charles BONN, 2004, *Migrations des identités et des textes entre l'Algérie et la France, dans les littératures des deux rives*, Paris, L'Harmattan, p. 12.

10 Cf. Malika MOKKEDEM, 1997 [1990], *Les Hommes qui marchent*, Paris, Grasset et Fasquelle.

Champs littéraires

Nomadisme littéraire

Vénus Khoury-Ghata

Je dois mon écriture à deux langues : l'arabe maternel et le français appris dans les livres. Deux langues visibles l'une à travers l'autre, fondues l'une dans l'autre jusqu'à ne plus savoir si telle tournure ou telle métaphore vient de l'arabe ou du français. Deux langues comme deux oasis séparés par un désert traversé chaque fois que je prends la plume. Des traversées avec un balluchon pareil à celui du bédouin nomade qui emporte le strict nécessaire pour sa survie.

Née entre deux langues qui n'ont aucune parenté entre elles, si différentes que le beau dans l'une peut ne pas l'être dans l'autre, je fais du nomadisme comme d'autres accomplissent leur périple quotidien entre leur domicile et leur lieu de travail.

L'arabe : ma maison. Le français : mon lieu de travail.

Née dans ces deux langues, allant de l'une à l'autre dans ma seule tête, avec l'impression de devoir payer une taxe à chaque passage des frontières, une sorte d'impôt constitué des manques et des rajouts. Que de phrases qui ne passent pas la rampe, à jeter par-dessus mon épaule, que de mots à rajouter à ma pensée arabe pour que cette pensée puisse être formulée en français.

Deux langues comme deux oasis aux coutumes différentes. L'arabe riche en métaphores et en adjectifs : le français qui s'est élagué avec le temps, devenue maigre la langue douée d'un appétit d'ogre de Rabelais.

Je fais du nomadisme, allant de l'une à l'autre sur la même page et dans la même phrase, les tournures de l'arabe à la phrase française, la pensée arabe ample, vagabonde, serrée pour pouvoir être aux normes de la phrase française connue pour sa sobriété.

Je creuse, creuse à la recherche d'une eau faite de leurs deux saveurs, de leurs deux odeurs.

De roman en roman et de recueil de poèmes en recueil, j'essaie de planter dans la langue française les ferments de la langue arabe, réunissant l'excessif et l'austère, le vague et le précis, donnant à mon écriture le souffle de ce vent propre au désert : le *Khmasin*.

J'ai quitté une langue qui m'habitait pour une langue qui m'habite. Je suis atteinte de strabisme littéraire, regardant une langue, je continue à loucher vers l'autre. Et cet entêtement à trouver le mot juste qui a la même sonorité dans les deux langues avec l'impression que ce mot exprime mieux ma pensée dans ma langue maternelle que dans ma langue acquise.

L'arbre pour moi est plus arbre, plus feuillu quand il s'appelle *Chajarat*. La tristesse est plus intense quand elle s'appelle *Hozn*. La mer plus vaste quand elle s'appelle *Bahr*. J'essaie de trouver le mot le plus près de la chose, celui qui reflète mieux qu'un autre mon enfance dans mon village, pour y retrouver la puissance des femmes près du feu, l'eau, les herbes qu'elles accommodaient comme je le fais des mots arabes et français mélangés à quantité égale pour une nourriture écrite.

Mon problème : comment accorder le français cérébral à l'arabe pétri de sentiments ? Comment assagir le côté baroque de ce dernier sans le défigurer ?

À mes va-et-vient entre deux langues à couler dans un même moule, à ce nomadisme entre deux oasis reliés par un désert, vient s'ajouter un autre nomadisme dû à mes lectures dans les deux langues, avec la tentation de réunir dans une famille des écrivains venus des deux côtés de la Méditerranée alors que rien ne les prédisposait à cette parenté.

L'Égyptien Naguib Mahfouz prix Nobel pour l'ensemble de son œuvre et Zola : deux portraitistes impitoyables de la société, des personnages qui vont jusqu'au bout de leur passion, de leur destruction avec en arrière-plan les mœurs de ces sociétés. Céline et Élias Khoury qui ont dépouillé la langue de ses oripeaux pour la descendre dans la rue, Proust et Ala' al Aswani (auteur de *L'Immeuble Yacoubian*), Alberto Manguel et Borgès, etc.

Mon nomadisme entre deux langues a forgé une langue mitoyenne, une langue autre, pratiquée par d'autres écrivains souvent francophones, des alchimistes de l'écriture (nous créons une matière qui n'existait pas avant nous) qui doit autant à l'écrit qu'à l'oral.

Écritures migrantes : Régine Robin

Dominique COMBE, *Université Sorbonne Nouvelle-Paris 3, UMR 7171 et Wadham College*

L a littérature « française de France[1] », surtout au XXe siècle, compte de nombreux écrivains venus d'« ailleurs », nés hors de France et, parfois hors de la culture française, qui sont autant d'exilés, de réfugiés, de nomades, d'errants, d'immigrés – de *migrants*, pour employer un terme neutre et moins ethnocentrique. Ils ont en commun d'avoir adopté la langue française, et parmi eux figurent nombre d'écrivaines : Andrée Chedid, Vénus Khoury-Ghata, Mona Lattif-Ghattas, Joyce Mansour, Nancy Huston, sans parler d'Assia Djebar, de Malika Mokkedem, de Ken Bugul, originaires quant à elles d'anciennes colonies… Nathalie Sarraute, elle-même, de langue maternelle russe, n'est-elle pas née en Russie? Ces écrivaines, assimilées par l'institution littéraire du « centre », ne manifestent pas moins leur « différence culturelle » – et sexuelle – « périphérique ». Sans entrer dans l'interminable controverse sur leur appartenance au « champ littéraire » hexagonal, ni sur leur classification comme « francophones », il faut reconnaître que ces écrivaines contribuent en tout cas activement à la francophonie, ou plutôt aux francophonies plurielles, au sens le plus large. Dans l'Europe francophone, le phénomène n'est pas moins évident, en Belgique et surtout en Suisse, qui a une très ancienne tradition de cosmopolitisme. Mais il y a bien également, en France, une littérature « issue de l'immigration », maghrébine ou africaine principalement, qu'on tente, difficilement il est vrai, de distinguer des littératures francophones (roman « beur » / roman maghrébin).

---

1 « Vous êtes des Français de France, nous des Français de langue et par la langue seulement » (Charles Ferdinand RAMUZ, 1992 [1924], « Lettre à Bernard Grasset », *Deux lettres*, Lausanne, L'Âge d'Homme, coll. « Poche Suisse », p. 32).

Cet état de fait n'est évidemment pas propre à la littérature « française » ni à la francophonie. La « République des lettres » est elle aussi « mondialisée[2] » ce qui remet clairement en question l'appartenance nationale. La littérature britannique est largement une littérature du *Commonwealth* (« monde anglophone »), largement écrite aujourd'hui par des écrivains originaires du subcontinent indien, de la Jamaïque ou de Trinidad, d'Afrique du Sud, d'Australie, du Canada. Salman Rushdie a reçu le très prestigieux *Booker Prize* en 1981 pour *Les Enfants de Minuit*, avant de faire l'objet de la fameuse *fatwa*, pour *Les Versets sataniques*. De la même façon, la littérature hispanique ou lusophone se joue parfois loin de Madrid, de Barcelone ou de Lisbonne. On s'intéresse depuis quelques années, en Allemagne, aux écrivains d'origine turque. À bien y réfléchir, ce qu'on appelle la littérature « allemande » a largement été faite par des germanophones, issus notamment de l'Empire austro-hongrois (Rilke, Kafka, Canetti, etc.).

La composante migratoire de l'écriture pose, du reste, un problème de fond, car certaines littératures francophones n'existent que dans – et parfois par – l'exil (Haïti, Liban et plus encore Égypte), surtout quand il s'agit de femmes, confrontées, plus encore que les hommes, à toutes les censures. Dans tous les cas, la double appartenance culturelle et le bilinguisme sont une source de création en même temps que de « schizophrénie », comme l'avait montré, il y a déjà longtemps, Albert Memmi dans le *Portrait du colonisé*[3]. Telle est la situation de Leïla Sebbar, de Marie NDiaye ou de Nina Bouraoui, ayant « l'origine en partage[4] » entre le Maghreb ou l'Afrique et la France, c'est-à-dire quant aux langues l'arabe, le berbère, le français, le wolof ou telle autre langue africaine. Il en est de même des romancières antillaises, partagées entre le créole et les cultures européennes. Nomades ou migrantes, ces écrivaines le sont dans la mesure où elles ne cessent de circuler d'une culture à l'autre, bien qu'elles restent profondément attachées à la langue française. Si Paris, traditionnellement, accueille nombre de ces écrivaines, ou encore Bruxelles, Genève ou Beyrouth, c'est aujourd'hui Montréal qui est la ville des migrant(e)s francophones par excellence, même si le phénomène est loin d'être aussi développé qu'à Toronto ou à New York,

---

2   Pascale CASANOVA, 1999, *La République mondiale des Lettres*, Paris, Seuil.

3   Albert MEMMI, 1985 [1957], *Portrait du colonisé suivi de Portrait du colonisateur*, Paris, Gallimard, coll. « Folio actuel ».

4   Daniel SIBONY, 1991, *Entre-deux, l'origine en partage*, Paris, Seuil, coll. « Points ».

pour la langue anglaise. La métropole/mégalopole est riche de ces écrivaines de toutes origines.

Régine Robin et « le deuil de l'origine »

Parmi ces migrant(e)s, il y a une « maudite Française », Régine Robin. Née à Paris en 1939 dans une famille juive polonaise ayant fui le nazisme, avec un père stalinien qui rompt avec le parti communiste en 1956, professeure en lycée à Dijon puis à Nanterre, elle s'est installée à Montréal pour enseigner la sociologie à l'UQAM dans les années soixante-dix. Régine Robin – nom de plume qui est aussi le nom de son premier mari – s'appelle Arivka (Rébecca), traduit ou plutôt transposé en Régine, et Ajzertejn, que son propre père avait fait transformer officiellement en Aizertin. Régine Robin a donc un itinéraire assez semblable à celui de Georges Perec, à qui elle a consacré un très bel essai dans *Le Deuil de l'origine*[5]. Toute l'œuvre – et la vie – de Régine Robin est en effet une longue anamnèse en direction de l'Origine et de la langue à jamais perdue : le yiddish de ses parents et de ses proches, exilés de Pologne ou victimes de la Shoah, autour de quoi elle construit sa réflexion d'historienne, de sociologue et de philosophe sur la mémoire (de là vient le titre *Le Roman mémoriel*[6]), mais aussi de romancière-autobiographe. Régine Robin, pour qui le yiddish est langue maternelle au sens propre, élevée dans la musique de cette langue, l'a réapprise pour en étudier la littérature (*L'Amour du yiddish*[7]), et pour la traduire (David Bergelson, Moïshe Kulbak). Comme Naïm Kattan, issu du judaïsme irakien arabophone, émigré à Paris, à Montréal et, pour finir, à Ottawa (voir *Adieu Babylone*[8] et *Le Réel et le Théâtral*[9]), l'itinéraire de Régine Robin l'a conduite d'Est en Ouest, à la recherche d'une identité multiple et insaisissable, qui s'exprime dans ses essais et récits de fiction, mais aussi, aujourd'hui, dans une œuvre multimédia et hypertextuelle, qui utilise toutes les ressources d'internet, auxquelles elle a consacré un essai, *Le Golem de l'écriture : de*

---

5   Régine ROBIN, 2003 [1993], *Le Deuil de l'origine*, Paris, Kimè : DO.

6   Régine ROBIN, 1989, *Le Roman mémoriel : de l'histoire à l'écriture du hors-lieu*, Montréal, Le Préambule : RM.

7   Régine ROBIN, 1984, *L'Amour du yiddish. Écriture juive et sentiment de la langue*, Paris, Éditions du Sorbier.

8   Naïm KATTAN, 2003 [1976], *Adieu Babylone, mémoires d'un juif d'Irak*, Paris, Albin Michel.

9   Naïm KATTAN, 1971, *Le Réel et le Théâtral*, Paris, Denoël.

l'autofiction au Cybersoi[10] en 1997. On peut consulter son blog[11], qui permet de reconstruire sa biographie et de la « fictionnaliser », à la manière du travail photographique de Sophie Calle, ou de la *Tentative d'épuisement d'un lieu parisien*[12] de Georges Perec :

> La première rubrique renvoie à une construction autobiographique par fragments : bouts de souvenirs, parcours et pérégrinations à travers le monde, méditations sur l'origine, le déracinement. C'est mon double qui est au clavier, cette Rivka qu'il me faut apprendre à mieux connaître[13].

Son œuvre est délibérément polyphonique, dans le sens bakhtinien du terme – la référence à Bakhtine est d'ailleurs omniprésente dans son œuvre –, en ce qu'elle mêle étroitement l'essai universitaire à l'œuvre « biofictionnelle ». Impossible de distinguer le genre académique du genre littéraire, l'autobiographie de la fiction (*La Québécoite*[14], *L'Immense Fatigue des pierres*[15]), la fiction de la poésie, puisque le récit s'infléchit souvent en poèmes qui sont autant de pauses dans la narration. C'est ainsi que la thèse de 1989, *Le Roman mémoriel*, se présente comme une réflexion très approfondie sur la « mémoire identitaire » dans l'histoire, à partir de l'expérience personnelle et familiale de Régine Robin. Traversée des langues et des cultures – français, anglais, espagnol, russe, allemand, yiddish, hébreu (*L'Amour du yiddish*, 1984) –, son œuvre est aussi une traversée des savoirs – histoire (*La Société française en 1789 : Semur en Aixois*, 1970) et histoire littéraire (biographie de Kafka[16], études sur Canetti et Perec réunies dans *Le Deuil de l'origine* en 1993), linguistique (*Histoire et Linguistique*, 1973), sociologie et analyse politique (*Le Cheval blanc de Lénine*, 1979) :

> 25 ans de recherche, ponctués par une errance existentielle, par une mobilité linguistique, du français à l'anglais, du russe à l'allemand en

---

10 Régine Robin, 2005 [1997], *Le Golem de l'écriture : de l'Autofiction au Cybersoi*, Montréal, XYZ.

11 Régine Robin, page consultée le 05/09/2007, « Page des papiers perdus », http://www.er.uqam.ca/nobel/r24136/

12 Georges Perec, 1982 [1975], *Tentative d'épuisement d'un lieu parisien*, Paris, Christian Bourgois.

13 Régine Robin, 2000, « Le texte cyborg », in *Études françaises : Internet et littérature : nouveaux espaces d'écriture*, sous la dir. de Régine Robin, vol. 36, n° 2, p. 28. Article consultable à l'adresse http://www.erudit.org/revue/etudfr/2000/v36/n2/005262ar.pdf.

14 Régine Robin, 2003 [1983], *La Québécoite*, Montréal, XYZ : Q.

15 Régine Robin, 2005 [1999], *L'Immense Fatigue des pierres*, Montréal, XYZ.

16 Régine Robin, 1989, *Kafka*, Paris, Belfond, coll. « Les Dossiers Belfond ».

passant par le yiddish, une mobilité et une articulation des savoirs (histoire, linguistique, sociologie, littérature), par des déplacements géographiques (de l'Europe à l'Amérique du Nord) et une volonté de traverser les disciplines, de les faire dialoguer, parfois grincer, dans leur spécificité, les conflits qui les opposent les unes aux autres. (*RM* : 27)

Et au centre de cette œuvre polyphonique, l'absence de lieu autre que la langue, les langues elles-mêmes, qui seules offrent « l'hospitalité[17] ». L'exil et l'errance rendent particulièrement apte à méditer, de manière centrale, la question de la langue et du « sentiment de la langue » – qui est le sous-titre de *L'Amour du yiddish* –, comme en témoigne la conclusion du *Deuil de l'origine* :

Langue perdue, langue méconnue, langue inconnue, langue en lieu et place d'une autre, troisième langue, langue pure, langue fondamentale, langue de fond, langue maternelle, simplement quelque chose des « lointains fabuleux » qui s'inscrit dans l'œuvre, dans un travail d'écriture toujours à côté de, pas tout à fait sur le trait, décalé, décentré. (*DO* : 233)

L'œuvre romanesque est à la mesure de cette errance, à travers le *patchwork* des lieux, surtout des villes. Ainsi, à propos de la Québécoite : « Elle sentirait qu'elle ne pourrait jamais tout à fait habiter ce pays, qu'elle ne pourrait jamais tout à fait habiter aucun pays. » (*Q* : 152) *La Québécoite* relate trois histoires évidemment très autobiographiques, d'une écrivaine d'origine française hantée par le souvenir de sa première vie, parisienne, qui doit s'adapter à une nouvelle vie à Montréal, dans trois quartiers différents. Accueillie par une vieille tante juive d'origine ukrainienne, Mime Yente, le personnage central, double de l'auteure, rêve d'écrire un *best-seller* sur le comédien juif polonais Loewy, qui avait marqué Kafka. Sont parcourus successivement trois grands quartiers de la ville : Snowdon, quartier juif d'Europe centrale, Outremont, où réside la bourgeoisie francophone, le marché Jean-Talon, quartier italien et d'immigration. Comme dans *La Vie mode d'emploi*, le roman est une sorte de quadrillage géographique, social et sentimental de la métropole, opérant d'incessants rapprochements avec les lieux parisiens (rue Monge, quartier latin) souvent décrits par Perec, et qui sont aussi ceux de Régine Robin dans sa première vie, vers lesquels elle revient régulièrement – ne serait-ce que pour ses activités universitaires. À chacun de ces espaces, dont elle fait en quelque sorte l'inventaire – sous la forme éminemment perecquienne de listes de lignes et de stations de métro, de noms de

---

17　Edmond Jabès, 1991, *Le Livre de l'hospitalité*, Paris, Gallimard.

rues, de noms propres, etc. – correspondent des modes de vie, à chaque fois liés à des relations amoureuses. Le roman se construit selon la technique du collage et du montage des textes mêmes de l'auteure[18], de ceux des écrivains qu'elle aime, de ceux qu'elle saisit sur le vif, dans la rue. Il y a également trois hommes : un Juif anglophone professeur d'économie à l'université Concordia (« Snowdon »), un haut fonctionnaire à Québec (« Outremont »), un immigré paraguayen fuyant les prisons de Stroessner (« Jean-Talon »). Le tout dans une fiction minimale, sans aucune péripétie, où l'essentiel réside dans l'atmosphère des lieux, longuement décrits et souvent ressaisis par des pauses lyriques, dans la typographie aérée du poème, sous la forme d'inventaires et de recensions, et dans la mémoire des personnages associée à ces lieux, dans un échange incessant entre l'Amérique et l'Europe, qu'il s'agisse de Paris ou de la Pologne, dont les parents du personnage principal sont originaires. De la même façon, le recueil de nouvelles *L'Immense Fatigue des pierres* met en relation une fille émigrée de Paris et installée à Tel-Aviv avec sa mère, vivant à New York. Ce partage de l'espace géographique et romanesque, entre des lieux hétérogènes que relie le dialogue par l'écriture (la fille écrit à sa mère, ou lui téléphone) et, surtout, la mémoire et l'imagination (la fille envisage de s'installer à New York, où elle se projette dans une nouvelle vie d'immigrée), est caractéristique de la fiction selon Régine Robin, écrivaine-voyageuse par excellence, qui, du reste, n'hésite à célébrer le *no man's land* des aéroports et des chambres d'hôtel où elle passe une bonne partie de sa vie.

Si la Québécoite se sent partout en exil, comme le dit l'un des poèmes, sur lequel s'ouvre la deuxième partie, « Outremont », « en exil dans sa propre langue » (*Q* : 95), Régine Robin s'est pourtant si bien intégrée au champ littéraire et intellectuel « québécois » – ou plutôt montréalais (la distinction est d'importance) – qu'elle n'est plus véritablement perçue comme française, ou comme québécoise d'origine française, mais comme « migrante », ayant elle-même contribué à diffuser ce mot et à transformer ce champ, en échappant au nationalisme. Rien à voir avec le temps où le breton Louis Hémon donnait à la littérature « canadienne française » son mythe fondateur avec *Maria Chapdelaine*. Reconnue comme historienne et comme sociologue, elle a été consacrée par l'institution littéraire québécoise avec le prestigieux prix du Gouverneur général pour son essai *Le Réalisme socialiste : une esthétique*

---

18 Notons que Régine Robin réemploie fréquemment ses propres textes.

impossible[19] et par le prix Spirale de l'essai pour *Le Golem de l'écriture : de l'autofiction au Cybersoi* (1997). Son roman figure parmi les vingt-cinq textes majeurs de la littérature dite « québécoise », retenus par un collectif d'universitaires québécistes, aux côtés de ceux d'Anne Hébert et de Gabrielle Roy[20].

Les « Écritures migrantes »

Au-delà de l'évidente présence massive des « femmes nomades » dans les littératures francophones, il faut remarquer que la catégorie des « écritures migrantes » semble relativement peu employée par la critique française – tout comme, d'ailleurs, celle de littératures « postcoloniales » empruntée aux Anglo-saxons, même si celle-ci gagne peu à peu du terrain, notamment en littérature comparée. Il est, à cet égard, significatif qu'un ouvrage porte sur les « nomadismes » et non pas sur les « migrations » ou les « migrantes ». Le thème des nomadismes, il faut le reconnaître, est beaucoup plus suggestif, il sollicite bien mieux l'imaginaire, connotant les espaces infinis des déserts, les Touaregs, etc. Nomades et nomadismes sont plus répandus dans la critique et la théorie littéraire françaises, sans doute sous l'influence de la pensée rhizomatique de Gilles Deleuze, entre autres. Mais à la différence de *postcolonial*, l'expression *écritures migrantes* n'est pas traduite de l'anglais, elle s'est imposée *en français*, non pas d'ailleurs en France ni en Europe, mais outre-Atlantique, au Québec. Quitte d'ailleurs à s'étendre ensuite, une fois n'est pas coutume, au monde anglo-saxon, rejoignant d'autres catégories comme *world fiction, world literature*, qui ne faisaient du reste que reprendre l'idée goethéenne d'une *Weltliteratur*, elle-même reprise par Milan Kundera.

C'est en effet à Montréal que l'expression « écritures migrantes » s'est imposée dans le discours critique, à l'occasion notamment de la parution en 1983 du « roman » *La Québécoite*, suivi en 1999 d'un recueil de nouvelles, que l'auteur nomme « biofictions » : *L'Immense Fatigue des pierres*. Dans une importante postface à une réédition du roman, en 1993, Régine Robin revient sur la réception du livre comme d'un roman « ethnique », à une époque où le multiculturalisme – depuis lors reconnu par la constitution canadienne – n'était pas encore entré dans les mœurs :

---

19 Régine Robin, 1986, *Le Réalisme socialiste, une esthétique impossible*, Paris, Payot, coll. « Aux origines de notre temps »

20 Daniel Chartier, 2004, *La Littérature québécoise en 10, 25, et 100 grandes œuvres*, Québec, Nota Bene.

> Il s'agit d'un roman écrit par un écrivain qui n'est pas né au Québec, qui
> vient donc d'ailleurs, qui, tout en écrivant en français, a peut-être laissé
> derrière lui une autre langue, maternelle, vernaculaire ou autre encore.
> Un écrivain qui a donc un autre pays d'origine et qui a eu à se battre avec
> lui-même pour s'adapter à ce nouveau pays. (*Q* : 208)

Le qualificatif d'écrivain « migrant », qui a fait l'objet d'un colloque organisé par le magazine *Vice-versa* à l'université Concordia en 1985, est, depuis
lors, âprement discuté. Le risque est grand d'enfermer auteurs et œuvres
dans une communauté qui pourrait vite se révéler un ghetto, par l'ethnici-
sation du débat. Qu'y a-t-il de commun entre Dany Laferrière, né en Haïti,
partageant son temps entre Montréal et la Floride, et Ying Chen, d'origine
chinoise, si ce n'est le fait de venir d'une autre culture et d'écrire en français?
Existe-t-il des critères fiables pour définir un(e) écrivain(e) « migrant(e) »,
comme ceux que propose Daniel Chartier dans son dictionnaire? C'est
pourquoi le critique Gilbert Dupuis préfère aujourd'hui employer l'adjectif « transmigrant(e) ». Les polémiques, parfois violentes, tournent toujours
autour de la question des identités nationales – québécoise, canadienne
et autres. Qu'est-ce en effet qu'être un écrivain « québécois », « néo-québécois », « ethnique »? L'expression est symptomatique de la profonde transformation de la société québécoise depuis une vingtaine d'années, qui explique d'ailleurs partiellement l'échec des deux referendums de 1981 et 1995.
Certes, le Québec et le Canada en général sont depuis le XVIIe siècle des terres d'immigration. Tous les Canadiens sont des immigrés, à l'exception des
« peuples autochtones ». Toute la question est de savoir quand ils ont é/immi-
gré. La littérature « canadienne française », puis la littérature « québécoise »,
est par nature « migrante » ou nomade avant de se sédentariser pour devenir
« nationale ». Désormais, surtout à Montréal, la société québécoise n'est plus
majoritairement issue des lointains descendants des « Canadiens français »
– ceux-là même qui ont mené le combat nationaliste et souverainiste dans
les années soixante. Il faut donc compter avec les populations « ethniques »
des « néo-québécois » qui, lorsqu'ils sont francophones, viennent d'Haïti, du
Liban, du Maghreb ou d'Afrique, mais aussi avec les non-francophones originaires d'Italie d'Amérique latine, d'Asie. Ces communautés produisent à leur
tour des littératures minoritaires (sinon mineures) qui revendiquent bientôt
leur spécificité – et parfois leur hostilité – vis-à-vis de la littérature domi-
nante. Depuis la Révolution tranquille, celle-ci s'intitule elle-même « québécoise », quitte d'ailleurs à annexer les autres littératures francophones du
Canada (Acadie, Ontario, etc.), vis-à-vis desquelles elle s'érige à son tour en

« centre ». Produites par des écrivains installés depuis longtemps et parfois nés au Québec, publiées et lues au Québec, les œuvres migrantes sont à la fois à l'intérieur et à l'extérieur du champ littéraire québécois : « entre-deux », et même « entre-trois », comme dans La *Québécoite* : « Désormais le temps de l'ailleurs, de l'entre-trois langues, de l'entre-deux alphabets, de l'entre-deux mers, de l'entre-deux mondes, de l'entre-deux logiques, l'entre-deux nostalgies. » (*Q* : 69) On remarque qu'une romancière comme Marie-Céline Agnant, dans les histoires littéraires, figure aussi comme romancière « haïtienne ». Mais que reste-t-il de la littérature « haïtienne » si l'on en retire les « migrants » ? *La Québécoite* a été classé parmi les vingt-cinq « grandes œuvres » les plus représentatives de l'histoire littéraire au Québec aux côtés, pour ce qui est des femmes, de *Kamouraska* (1970) et des *Poèmes* (1990) d'Anne Hébert, de *Bonheur d'occasion* (1945) de Gabrielle Roy, d'*Une Saison dans la vie d'Emmanuel* (1965) de Marie-Claire Blais, du *Survenant* (1945) de Germaine Guèvremont, d'*Angéline de Montbrun* (1884) de Laure Conan. Elles échappent en tout cas bien évidemment à l'idéologie de la « québécitude »[21] – « pur sirop d'érable » – qui a pu guetter certains intellectuels ultranationalistes. *La Québécoite* s'oppose ainsi « à une essentialisation, à une substantialisation des cultures, des langues et des écritures que ce soit par le biais du nationalisme ou par le biais de la "propriété culturelle". Chacun pour soi ! » (*Q* : 218). Tout comme en Angleterre ou aux États-Unis, la littérature féminine, dite « québécoise », ne saurait se réduire aux œuvres – certes capitales – de Gabrielle Roy, d'ailleurs franco-ontarienne, d'Anne Hébert, ou plus récemment de Nicole Brossard ou d'Hélène Dorion, de lointaine ascendance française. La littérature « québécoise », c'est aujourd'hui aussi celle d'auteur(e)s de toutes origines : Marie-Céline Agnant (haïtienne), Mona Latif-Ghattas (libano-égyptienne), Ying Chen (chinoise), etc. – y compris de langue anglaise.

Cette présence massive de l'altérité, des différences culturelles dans la « parole immigrante », fait éclater l'identité québécoise et l'enrichit :

> La parole immigrante inquiète. Elle ne sait pas poser sa voix. Trop aiguë, elle tinte étrangement. Trop grave, elle déraille. Elle dérape, s'égare, s'affole, s'étiole, se reprend sans pudeur, interloquée, gonflée ou exsangue tour à tour. La parole immigrante dérange. Elle déplace, transforme, travaille le tissu même de cette ville éclatée. Elle n'a pas de lieu. Elle ne peut que désigner l'exil, l'ailleurs, le dehors. Elle n'a pas de dedans. Parole

---

21 Régine Robin invente « québécité », par analogie avec le très senghorien « francité ».

vive et parole morte à la fois, parole pleine. La parole immigrante est insituable, intenable. Elle n'est jamais où on la cherche, ou on la croit. Elle ne s'installe pas. Parole sans territoire et sans attache, elle a perdu ses couleurs et ses tonalités. (*Q* : 204-205)

La pensée et l'œuvre de Régine Robin, attirant l'attention sur cette parole « immigrante », affiche sa volonté de désenclaver la littérature, de la sous-traire à la logique identitaire, de l'universaliser en l'ouvrant sur une « esthé-tique du Divers » et sur la « créolité ». En croisant la pensée de Deleuze, de Derrida, de Blanchot, elle développe une véritable philosophie des « écritu-res migrantes ». Au-delà de l'histoire, personnelle et collective, c'est bien de la condition de l'homme en exil qu'il s'agit. À travers les références à Perec, à Jabès, la fascination pour le yiddish et l'hébreu, et l'activité inlassable de la traductrice, c'est la théologie et la philosophie du judaïsme que l'œuvre laïque – pour ne pas dire athée – de Régine Robin ne cesse de questionner, pour reprendre le mot de Jabès.

Le problématique nomadisme des romancières algériennes

Christine Détrez, *ENS-LSH*

L e terme de nomadisme semble devenu, comme les mots hybridité et métissage, des incontournables de la pensée « postcoloniale », notamment contre l'image figée, passive et muette véhiculée par les discours coloniaux sur l'Autre[1]. L'enquête[2] que nous menons sur les romancières algériennes permet d'interroger cette notion de nomadisme, et ce plus spécifiquement dans son sens de déplacement, non seulement d'un point de vue métaphorique, mais également en revenant au sens propre du terme : peut-on réellement parler de « nomadisme », ou même plus simplement de déplacement, pour les romancières algériennes, compte tenu des conditions structurelles de l'espace qui leur est ouvert ? L'espace et sa répartition en territoires féminins ou masculins sont particulièrement importants dès que l'on aborde les questions genrées, sans pour autant être des spécificités de la culture musulmane[3]. Mais l'espace est multidimensionnel et polysémique : à l'examen des contraintes de l'espace genré s'ajoute, dans le cas des romancières, la nécessaire prise en compte de l'espace éditorial, condition même de possibilité d'un éventuel nomadisme…

---

1 Voir Saïd EDWARD, 1980, *L'Orientalisme : l'Orient créé par l'Occident*, Paris, Seuil, ou Homi BHABHA, 2005 [1994], *The Location of Culture*, New York, Routledge.

2 L'enquête consiste en effet à associer étude des textes et entretiens sociologiques avec les romancières afin de retracer leurs conditions et trajectoires d'écriture. Cet article s'inscrit dans le cadre d'une recherche collective, financée par le Fond de solidarité prioritaire MSH-MAE, Maghreb France, « Écrire sous/sans voiles : Femmes, écritures et Maghreb », dirigé par Christine DÉTREZ.

3 Voir à ce sujet Christine DÉTREZ et Anne SIMON, 2006, *À leur corps défendant : les femmes à l'épreuve du nouvel ordre moral*, Paris, Seuil.

L'édition en Algérie,
ou les conditions concrètes du nomadisme

Entre l'Algérie et la France[4], les frontières éditoriales semblent encore bien étanches, et ce dans les deux sens : il est ainsi extrêmement difficile pour un auteur algérien publié en France, qu'il soit homme ou femme, d'être diffusé en Algérie, les lois de l'édition étant ce qu'elles sont. Comme l'explique Marie Virolle :

> il faut souligner l'inquiétant, grave et permanent blocage de la circulation des textes publiés en France, *vers* l'Algérie. […] En effet, les grandes maisons d'édition françaises, qui ont publié des auteurs algériens aujourd'hui connus, reconnus mondialement et dont les œuvres ont été traduites en diverses langues, ont la plus grande difficulté à accepter que des éditeurs algériens reproduisent ces textes. Ces grandes maisons ne concèdent pas de rachat de droits, mais ne supporteraient en aucun cas qu'il y ait un « piratage » du texte. […] La plupart de ces éditeurs ne veulent voir en l'Algérie qu'un marché pour leurs produits, et non pas un pays producteur de richesses intellectuelles qui voudrait pouvoir s'approprier ou se réapproprier ses potentialités créatives. Le cas de l'Algérie n'est d'ailleurs pas unique, il s'agit d'un rapport Nord/Sud assez classique, et toute l'Afrique francophone, notamment, est concernée par cette injustice[5].

Bien plus, pour les rares livres qui passent la frontière, leurs prix les rendent inabordables pour le lecteur algérien, compte tenu des surtaxes des livres à l'importation. Mais la réciproque est également vraie : il est quasiment impossible pour un auteur algérien publié en Algérie, qu'il soit homme ou femme, d'être lu en France, étant donné l'absence de diffusion en dehors du pays. La Méditerranée semble ainsi infranchissable, et même les tentatives de coédition sont très rares et périlleuses : les éditions Marsa ont ainsi dû renoncer à leur tentative d'édition simultanée en France et en Algérie, et le partenariat Barzakh/Éditions de l'Aube est fragile. À ces difficultés de diffusion s'ajoutent les embûches mêmes au moment de l'édition. Les possibilités offertes à l'édition francophone sont extrêmement limitées, compte tenu de l'organisation problématique du secteur éditorial en Algérie et de la faible demande, pour laquelle se conjuguent les effets de divers facteurs :

---

4   Nous renvoyons pour cette partie de notre article au mémoire de maîtrise réalisé par Claire BELET-MAZARI, à paraître aux éditions Marsa.

5   Marie VIROLLES, « La circulation des textes littéraires algériens : clivages et apories », à paraître aux éditions Marsa.

une pratique de lecture de presse davantage que de livres, les effets de la campagne d'arabisation, et une place minoritaire laissée à la culture. Une de nos enquêtées, journaliste et romancière, met ainsi l'accent sur l'indigence des pages culture des quotidiens de presse (hormis *El Watan*, et la critique de Boudjedra dans *La Voix de l'Oranie*), ayant elle-même démissionné du quotidien *Liberté* après la suppression de sa page culture. Analysant les critiques littéraires de la presse, Claire Belet-Mazari montre par ailleurs que l'accent est surtout mis sur la facilité de lecture de l'ouvrage.

L'édition en Algérie a longtemps été monopolisée par l'édition nationale (la SNED jusqu'en 1984, ENAL jusqu'en 1997, ENAG, ANEP...). Celle-ci favorisait peu les inédits, au profit le plus souvent d'édition de classiques français, ou d'édition d'auteurs algériens édités en France. Ce n'est ainsi qu'en 1989 que paraîtra à l'ENAG une réédition d'un roman de Bourboune, suivi de l'œuvre complète de Mouloud Feraoun (sortie au Seuil dans les années soixante et soixante-dix) et, en 1992, le roman d'Assia Djebar, *Loin de Médine*, auparavant publié par Albin Michel en 1991. D'après Hadj Miliani[6], le seul auteur inédit édité par l'ENAG serait une femme, Leïla Hamoutène. À partir des années quatre-vingt, puis à nouveau au cours des années quatre-vingt-dix, apparaissent des maisons d'éditions privées. L'absence de subventions rend cependant les possibilités de survie de l'édition privée francophone très aléatoire[7]. Les maisons privées (par exemple Bouchène, Laphomic, Dahlab qui apparaissent timidement dans les années quatre-vingt et Les Andalouses, Casbah, Marinoor, Chihab, Marsa, Barzakh dans les années quatre-vingt-dix) ne peuvent survivre avec un catalogue de littérature uniquement, et publient dès lors beaucoup de livres scolaires, de livres pratiques ou de livres

---

6　Miliani Hadj, 2002, *Une Littérature en sursis ? Le Champ littéraire de langue française en Algérie*, Paris, L'Harmattan, coll. « Critiques littéraires », p. 50.

7　Comme le souligne Claire Bélet-Mazari, après s'être investis dans le secteur éditorial public de manière exagérée, ce qui a encouragé la médiocrité des publications, les pouvoirs publics s'en détournent aujourd'hui, laissant les petits éditeurs privés émergeants face à de réelles difficultés financières. En effet, il existe bien un fonds d'aide à la création, mais celui-ci est géré de manière opaque par une structure bureaucratique du ministère de la Communication et de la Culture. De plus, il n'existe en Algérie ni tradition de mécénat, ni tissu d'entrepreneurs privés tournés vers un investissement dans la production et la diffusion artistique. Néanmoins, elle se fait écho de ce qui pourrait paraître un nouvel engouement pour le livre, souligné par la création de l'Association des libraires algériens, en 2000, et la réouverture, la même année, du Salon international du livre d'Alger. On peut aussi souligner le rôle des revues *Étoiles d'Encre* et d'*Algérie Littérature Action*.

religieux. La littérature francophone ne constituait ainsi que 8 % du catalogue des éditions Casbah, condamnée néanmoins à la fermeture, tout
comme Dahlab, Laphomic ou Marinoor… La diversification éditoriale est,
dans les faits, une des garanties de survie : les éditions Barzakh, qui ne
publiaient que de la littérature, après avoir frôlé la faillite, ont également dû
ajouter au catalogue des livres scolaires, ce que certains puristes ne sont pas
sans leur reprocher…

Mais publier en France quand on est une femme algérienne n'est pas sans
contrainte : ainsi, Christiane Chaulet-Achour évoque, dans *Noūn*[8], la mode
des maisons d'éditions françaises qui se doivent d'avoir « leur » Algérienne.
Cet engouement mène évidemment à des horizons d'attente bien détermi-
nés, qui peuvent fonctionner comme autant de ghettos : l'exotisme des *Mille
et une nuits*, ou, variations sur le mode du témoignage, le livre « sur la condition de la femme » ou sur la décennie noire du terrorisme en Algérie. Si ces
horizons d'attente touchent les écrivains hommes et femmes, ces dernières
sont bien évidemment prises comme témoins privilégiées de la situation
de la femme, forcément victime, opprimée, enfermée et voilée. De même,
publier en France, et donc être lue par des Français, peut amener à l'inflation du paratexte : notes de bas de page, glossaires, mots en italique expli-
qués dans le corps du texte, fonctionnent comme autant de traductions des
mots ou traditions arabes auprès du destinataire « territorial ».

À ces difficultés de déplacements éditoriaux, où, comme on le voit, la
Méditerranée semble difficile à franchir, s'ajoutent les entraves propres au
« nomadisme » des femmes algériennes, même romancières[9]…

Le nomadisme ou comment se déplacer…

Éditer quand on est une femme en Algérie revient à se déplacer, que ce
soit symboliquement ou concrètement.

Métaphoriquement, le déplacement produit par l'écriture peut être entendu
comme une sortie de sa place, et de la place laissée aux femmes, considérées

8   Christiane CHAULET-ACHOUR, 1999, *Noūn : algériennes dans l'écriture*, Biarritz, Atlantica-
    Séguier.
9   Les entretiens qui servent de matériau à notre enquête ont été réalisés avec de roman-
    cières algériennes habitant en Algérie, publiant en France dans des maisons à compte
    d'éditeur ou à compte d'auteur, à Alger à compte d'éditeur, ou dans une grande ville
    que nous appellerons R*** à compte d'auteur. D'autres entretiens ont été menés éga-
    lement avec des romancières algériennes habitant en France et publiant en France à
    compte d'éditeur ou à compte d'auteur. L'anonymat des auteures est respecté.

comme mineures par le Code de la Famille datant de 1984. Une de nos enquêtées évoque ainsi son époux : « le soir c'est mon mari, le jour il est mon père. » Le déplacement que constitue la prise même de parole est devenu un thème commun des ouvrages sur la littérature féminine algérienne. Ainsi, selon Monique Gadant,

> parler de soi, parler en public (écrire) en termes personnels est, pour une femme, une double transgression : en tant qu'individu abstrait alors qu'elle est en réalité l'objet même de tous les interdits, celle dont on ne doit pas parler, celle qu'on ne doit pas voir, celle qu'on n'est pas censé connaître, qui doit passer inaperçue. Aussi la femme qui parle d'elle-même parle du privé, du monde secret que l'homme ne doit pas dévoiler. La femme est celle qui n'a pas parole et qui n'a pas de nom, celle que les hommes ne doivent pas évoquer en public autrement que par l'impersonnel « comment va ta maison ? » Si elle s'empare de l'écrit, elle s'emparera de la parole et menacera la règle de la séparation des sexes (*infiçal*), condition d'existence de la société. Elle violera la Loi que les hommes eux-mêmes doivent respecter. Il est donc interdit deux fois à la femme de parler (d'elle)[10].

Certaines romancières, de même, insistent sur la nécessité de prendre un pseudonyme. En dehors même des menaces liées à la publication lors des années de terrorisme, elles mettent en avant l'impossibilité de rendre public le nom de l'époux : elles reprennent alors le nom de jeune fille (Rafia Mazari) ou s'inventent un patronyme (Maïssa Bey, Bey étant le nom d'une de ses ancêtres maternelles ; Fatiha Nesrine, le mot *nesrine* désignant une espèce de roses fleurissant sur l'île de son enfance, chez son grand-père maternel, reliant ainsi également la romancière à la filiation maternelle...). Ce souci de ne pas impliquer le nom du mari est lié au souci de ne pas impliquer la belle-famille mais également à la situation sociale du mari : dans notre échantillon, les romancières sont de milieu favorisé, voire très favorisé, notamment celles interrogées à R***[11], et leurs époux sont neurologue, chirurgien, avocat, magistrat, etc.

---

10 Monique Gadant, 1995, *Le Nationalisme algérien et les femmes*, Paris, L'Harmattan, p. 271.

11 Les conditions même de l'échantillonnage, liées au possibilités d'édition énoncées précédemment, amènent à cette sélection : à R***, les femmes interrogées publient à compte d'auteur, chez un libraire-éditeur. Le coût de ces publications sélectionne d'emblée les femmes pouvant éditer... Le déplacement, symbolique ou géographique, a ainsi souvent un coût financier non négligeable.

Écrire est, effectivement, se déplacer de son rôle, et ce de façon quotidienne. Car il s'agit bien d'une lutte pour l'espace, pour conquérir, au sens
premier du terme, une place à soi, un temps pour soi. Même si toutes nos
enquêtées sont, nous l'avons précisé, de milieu favorisé, et ont une aide
ménagère, toutes les tâches ne peuvent pas également être déléguées. « Je
ne mangerai rien qui n'aura été préparé de ta main », a ainsi rétorqué son
mari, chirurgien, à une de nos romancières qui avait tenté de lui servir des
poivrons préparés par l'aide ménagère. De même, une autre auteure insiste
sur cette lutte concrète pour avoir « sa » place pour écrire :

> Plusieurs fois quand je voulais écrire quelque chose, j'étais souvent avec
> une poêle ou... une cocotte qui allait... qui brûlait... donc qu'est-ce que
> je faisais ? J'étais partagée, je prenais des bouts de papier, des fois du
> papier hygiénique à côté de moi, des fois du journal, donc je mettais
> mes... mes idées... qui me venaient, et après, j'allais ramasser tous mes
> papiers, mais je ne me retrouvais pas... J'ai changé de tactique, je me
> levais très tôt, quatre heures et demie du matin. J'ai pris cette décision,
> et je me levais. Donc je pouvais écrire, écrire, écrire, et... à sept heures,
> quand..., sept ou huit heures quand tout le monde commence à bouger,
> j'étais là..., je devais arrêter. Il fallait arrêter[12].

Selon les propres termes de l'enquêtée, c'est ainsi une véritable guerre, qui
s'installe :

> j'ai fait la guerre à la maison, j'ai installé... une petite guerre. Et je me
> suis mise à jouer... à jouer au chat et à la souris, dès que j'entendais mon
> mari qui rentrait..., je mettais... même je suis arrivée à cacher mes écrits
> avec un drap ! [...]. Ça a été très très dur, difficile, même au niveau de la
> famille, ils me prenaient pour une dingue : — Qu'est-ce qui te... qu'est-ce
> qui te manque ? Qu'est-ce que tu vas chercher ? T'as un mari, t'as des
> enfants, t'as des filles à marier, tu devrais penser plus à tes filles, tu vas...
> Qu'est-ce que tu es en train de faire ?... [...] J'ai fait la grève ! Je voulais
> plus manger... Je voulais plus... — Je vous ai préparé à manger, je vais
> écrire. J'ai le droit ?... — Ta chemise elle est prête, elle est repassée, tes
> affaires elles sont en place, tu manques de rien, qu'est-ce tu veux ? — Non,
> je veux... que tu me reçoives à la porte ! Parce que c'est des habitudes
> chez nous, bon... [...], j'ai installé une guerre. D'une part je culpabilisais,
> de l'autre côté je les culpabilisais eux. Pourquoi ils me donnent pas, à
> moi, un espace... un moment à moi ? Pourquoi je dois exister rien qu'à
> travers eux ?

---

12 Entretien réalisé par Pierre Mercklé dans le cadre du projet.

Le déplacement symbolique se double d'un déplacement matériel. Comme l'a bien montré Pierre Bourdieu, l'espace est une contrainte qui réfracte et redouble les contraintes sociales. Ainsi, les auteures que nous avons enquêtées sortent, travaillent, ont une vie sociale. Néanmoins, si les limites ne sont plus cantonnées aux murs de la maison, les contraintes n'en sont pas moins réelles, même si elles n'apparaissent pas à première vue. Une anecdote permet d'en rendre compte : les auteures que nous avons interrogées à R*** sont publiées à compte d'auteur chez un libraire-éditeur. La plupart dénoncent les conditions d'exploitation de cet éditeur, « qui se promène avec un cigare, un genre de despote, un genre de... de... de Pinochet, à la Pinochet, il est arrogant euh... analphabète bien sûr euh... mais qui parle des livres et qui brasse l'argent des livres[13] ». De son côté, une autre auteure nous dit qu'il lui demande, connaissant la situation favorisée de son mari, de plus en plus d'argent (environ 600 euros pour un livre)[14] :

> Et je dis moi je ne travaille pas. Je peux pas vous donner cet argent. Il me dit : votre mari est bâtonnier. Mon mari est bâtonnier certes, mais... c'est lui ! C'est pas moi ! C'est moi qui écris, c'est lui qui est bâtonnier. Moi je n'ai pas d'argent. Il vous donne pas ? Allez... Votre argent c'est son argent. Son argent c'est votre argent. ... Bon, allez, on va partager faire... partager la poire en deux. Vous allez payer 30 000 euh... 30 000 c'est-à-dire 30 briques, euh... 300 euros. [...] — Allez votre mari il va vous donner, faut pas me faire croire, il s'était permis de me... de me parler familièrement euh... Sur ce, mon mari me dit : paye-le ! Allez, paye, et tu te fais ton livre. Sinon... tu vas jamais publier. Et mon mari il me jette l'argent, il me dit : tiens allez paye-le et... il nous fout la paix, et que tu aies ton livre[15].

Et la même de conclure : « En fait y a une part de cette liberté qu'il nous prend et qui lui appartient, maintenant. [...] Mais comment en sortir ? Comment en sortir ? » La réponse qui nous semble évidente serait d'aller voir ailleurs... sauf qu'Alger, pour ces femmes qui n'ont pas toutes le permis, est

---

13 *Ibid.*

14 Pour référence, le salaire moyen d'un instituteur est de 150 euros par mois.

15 Il est intéressant de lire, en contraste, la description qui est faite de cet éditeur dans le quotidien national *El Watan* le 9 décembre 2004 : « Ces derniers mois D*** s'est fait un devoir de publier beaucoup d'auteurs algériens, tombés dans les filets de l'ingratitude et de l'oubli. L'édition féminine notamment dans sa version romanesque est en net essor, nous apprend le directeur de la maison d'édition. Des femmes de l'intérieur du pays qui n'exercent pas mais qui sont intégrées dans la vie active. Elles se comptent par dizaines et animent régulièrement des ventes-dédicaces dans un cadre superbement agencé pour les rencontres littéraires qui s'y déroulent régulièrement. »

loin. Et même pour celles qui ont le permis, être rentrée chaque soir, pour le mari et les enfants, interdit, concrètement, d'aller voir ailleurs[16]. Le caractère exceptionnel de la sortie à Alger apparaît dans la détermination de cette enquêtée, passionnée d'art floral, à assister à un congrès d'ikebana, qui dit « avoir supplié son mari » et y être allée « accompagnée par son fils ».

Résistances et réaménagements

Mais comme le remarquaient déjà Claude Grignon et Jean-Claude Passe-ron[17], ce n'est pas parce qu'un étau est serré qu'il n'y a aucun jeu. De même, malgré ces cadres contraignants, par l'écriture, les femmes vont gagner un peu de jeu, de place, d'espace. Sans en dénier l'intérêt, ce n'est pas l'analyse thématique des œuvres qui nous intéresse ici[18], mais les effets de l'activité même de l'écriture.

En premier lieu, les romancières interrogées insistent sur l'explosion de l'espace intérieur, la fuite, l'évasion mentale. Si cette transgression des limites peut sembler un pis-aller, elle n'est pas à négliger, étant donné l'importance que nos enquêtées lui accordent : « Mais en fait je n'existais pas, pour moi, avant. Je n'existais que pour… J'existais… pour mon mari, pour mes enfants, pour ma famille [...]. Mais donc quand j'arrête [d'écrire], je suis en extase. C'est moi! Je suis très bien! Je vis… je vis intensément. Des moments intenses! »

L'écriture est ainsi une échappatoire, un exutoire, comme le révèle l'analyse du mot « souci » utilisé dans le poème d'une de nos enquêtées :

> *Certains se noient dans leurs soucis, ne voient souvent que peine [...] Eux*
> *s'oublient dans la tristesse des soucis… En fait c'est moi qui suis dans ce*

---

16 Aucune n'émet la possibilité d'envoyer le manuscrit par la poste. Il est vrai que les anecdotes abondent de manuscrits perdus. Ainsi, Zineb Ali-Benali témoigne du trajet de la nouvelle *Sombres Corridors* de Nawal Djabali, Grand Prix de la Méditerranée en 2003 : après avoir été perdu par la poste deux fois, le manuscrit est amené par les parents venus spécialement en bus de Constantine (soit 900 km) : « On sera sûrement étonné en découvrant les difficultés qu'il leur faut surmonter pour en arriver là et devenir visibles [...]. À travers l'histoire de son voyage pour devenir texte, on retrouve une histoire de résistance tenace et sans éclats, qui travaille non pas à une révolution, mais à une percée pour une petite chose précise » (Ali-Benali ZINEB, 2004, « Quelles nouvelles des femmes de la Méditerranée? Elles écrivent », in Christiane VEAUTY, Marguerite ROLLINDE, Mireille AZZOUG (dir.), *Les Femmes entre violences et stratégies de liberté. Maghreb et Europe du Sud*, Éditions Bouchene, p. 189).

17 Claude GRIGNON et Jean-Claude PASSERON, 1989, *Le Savant et le Populaire*, Paris, Seuil.

18 Analyse thématique qui est menée dans le projet.

gouffre, je m'oublie, puis je lève la tête, le regard, de mes soucis, je me dis…, et je dis : *Je m'oublie dans le jaune des soucis / Évasion à travers les autres, comme si… [inaudible] / Eux restent prisonniers des soucis / Attendent résignés la mort et ses dents de scie / J'appelle mes amis qui montrent leur suprématie / Je suis un papillon, et je vole sans souci / Mais ce n'est qu'un instant volé à mes soucis.*

Le quotidien *El Watan*, citant Saint-John Perse pour référencer le livre de Nassera Belloula, ne croit pas si bien dire : « Écrire pour mieux vivre », Saint-John Perse aurait pu inventer cette réponse lapidaire rien que pour résumer la condition des écrivaines algériennes et leur motivation première. Car « mieux vivre » peut également être pris au sens premier : par l'écriture, ces femmes vont s'inventer une forme de nomadisme, à leur échelle, se déplacer concrètement et géographiquement. Ainsi, les auteures que nous avons interrogées à R*** nous ont dit avoir négocié auprès de leurs maris pour assister à des stages d'écriture, et obtenu le droit d'y participer. Elles ont également argumenté et obtenu le droit d'assister à des conférences (dont un colloque que nous avions organisé dans cette ville), aux séances de lecture organisées par leur association de femmes ou aux signatures organisées par la librairie qui les édite. De façon encore plus manifeste, une de nos enquêtées, enfermée pendant ses trente-huit premières années (« j'étais une fille *hejbāna*, qui voulait dire gardée à la maison, qui ne sortait plus »), parvient à gagner le droit de travailler dans un journal, d'abord par des piges par correspondance, puis par demi-journée, enfin à temps plein : tout a commencé par la publication de poèmes, par l'entremise des professeurs des cours qu'elle suivait par correspondance.

La négociation est certes permanente, ce qui montre bien que rien n'est jamais acquis : le colloque ayant terminé avec retard, et une invitation improvisée ayant été lancée par la radio locale, deux des femmes sont rentrées bien plus tard qu'à l'accoutumée. L'une nous dira avoir dû « se montrer gentille » avec son mari, l'autre raconte une anecdote qui pour être plus légère n'en est pas moins éloquente. Elle soupçonne en effet son mari d'avoir acheté deux mérous pour les lui faire cuisiner à son retour :

Il achète euh… deux mérous, euh… Alors il a dit : — On me les a offerts. Je sais pas… je doute. Donc je… Et quand je rentre… à cette heure tardive, hier, et je trouve les deux poissons, euh… ben le… l'heure tardive… nettoyer d'accord, mais il fallait… Vous avez mangé ? Non non on a mangé, je fais…, je vais les cacher dans… on va manger demain du mérou, il faut que je sois présente comme ça demain aussi, c'est… on n'a pas terminé, alors je lui dis : — Tu sais on va les mettre au congélateur et on les mangera à midi, tu veux bien? J'ai été d'une... d'une douceur euh..., de peur de le...

De la même façon, le proverbe « cent fois sur le métier remettre son ouvrage » prend ici tout son sens, quand il s'agit, concrètement, de remettre en place ses feuillets, dérangés par le mari ulcéré :

> Quand il cherchait des choses et qu'il était ennuyé ou embêté, il foutait tout... il foutait tout en l'air. Pour m'embêter pour me... me faire... perdre du temps... [...] C'est tout dérangé. Tout dérangé. Donc euh... Et pour classer non, c'était pas classé. C'était pas... c'était... je me... je me... vraiment j'étais révoltée, j'étais... humiliée, j'étais... mais je classais avec résignation, je reclassais.

Ces résistances, qui peuvent nous paraître infimes (remettre au lendemain la préparation du mérou, ranger ses feuilles et recommencer...), sont signifiantes, puisqu'elles nous sont énoncées comme telles. Cela ne signifie pas que ce soit sans douleur, morale et physique : la « gentillesse » sexuelle obligée, les coups que la même nous dit recevoir, ou la souffrance morale de la guerre au jour le jour : « J'ai souffert... Mais avec le temps, j'ai appris à... à me... à me structurer un peu, à gérer ce... Je... je n'étais plus euh... une personne, j'aimais les miens, mais j'arrivais pas à leur montrer, ils m'avaient pas compris. C'était très dur, vraiment. »

Le déplacement est également celui des regards des autres, et notamment des hommes de la famille, mari, frères, beaux-frères, etc. En effet, le regard des maris sur l'écriture oscille, selon nos enquêtées, le plus souvent entre indifférence et mépris. Souvent, il s'agit à leurs yeux d'une activité sans grande importance, une alternative aux après-midis « thé et gâteaux », et la valeur esthétique des écrits n'est jamais considérée en tant que telle :

> mon mari : Il m'a toujours dénigrée! [...] il croyait que... euh... je m'amusais, ou que c'était des... des grafouillis, comme disait... Aragon. « Mes grafouillis »... Oui, mes grafouillis. [...] Tu vois même avec mon mari il m'a sous-estimé au départ. Il m'a dit : t'as pas copié? T'as pas... cherché?... T'as pas pris dans autre chose, dans des trucs?... Y a l'idée que t'as copié, que... J'ai dit non, t'en fais pas. C'est MES écrits, c'est MOI.

Mais avec la publication, même à compte d'auteur, le regard change.

> — Alors ceux qui n'ont pas cru en moi au début, ils m'apprécient à ma juste valeur. [...] Mes frères d'abord... mon frère il est médecin, il était arrogant, euh... avec moi. Là maintenant il est... il est... il en parle avec son fils il dit : regarde, regarde c'est ta tante qui a écrit ce livre, et il lui

dit : regarde, ça c'est ta tante, va l'embrasser, dis-lui euh... Félicitations !
Ça mon frère... je l'ai jamais entendu avant... j'aurais jamais pensé qu'il
le ferait.

Q : *Parce qu'avant il t'avait jamais dit euh ?...*

— Non il m'a toujours rabaissée. Qu'est-ce que tu es en train d'écrire ?
Si tu écrivais... Tu veux, tu veux... écrire comme euh... Victor Hugo ou
Baudelaire ou tu vas égaler... hein, qu'est-ce que tu crois que tu vas faire,
allez hein ?... [...] Et... il me dit... il termine sa phrase : ben va prendre le
Coran et... Essaie de le déchiffrer, ça vaudra mieux pour toi.

Écrire est ainsi prendre une revanche, qui peut se manifester sur des terrains apparemment incongrus comme le *scrabble* : effet secondaire, l'écriture permet en effet, par les recherches dans le dictionnaire, de connaître de
nouveaux mots... et de renverser une situation établie depuis des années :

Bon, moi, j'ai appris beaucoup de lui. Mais je l'ai dépassé ! [*elle rit*] Je
pense que je l'ai dépassé puisque je le gagnais... Alors voilà. Et certains
mots, je lui apprends. Comme par exemple la dernière fois, je lui dis : tu
sais ce que ça veut dire « palimpseste » ? [*elle rit*] Il me dit : non. Alors je
lui dis voilà... voilà... j'ai découvert ce mot, c'est... Y a deux ans que je
l'ai découvert [...] Alors je lui dis, tu sais, « palimpseste », ça veut dire
ça. — Ah je connaissais pas. — Tu vois je t'ai appris un mot ! — Ah voilà
c'est terminé, tu sais mieux que moi les choses maintenant, ça y est, tu
m'as dépassé.

Le simple fait d'écrire, même exploitée par un libraire-éditeur avide de
gains, aboutit ainsi à un véritable déplacement, géographique et symbolique. Or ce déplacement, bien réel, ne pourrait être appréhendé dans une
vision légitimiste du champ éditorial, ou des rapports sociaux de sexe : ces
auteures n'agissent que peu sur la constitution du champ, sur les rapports
hommes/femmes en général, et pour la plupart, leurs écrits ne révolutionne-
ront pas l'histoire de la littérature algérienne. Néanmoins, dans cette prise
d'écriture, réside un changement indéniable de leur quotidien. Laissons
notre enquêtée conclure :

— Pour être honnête c'était ma revanche. Ces livres, c'est ma revanche
[*silence*] que... on ne peut... on ne doit pas sous-estimer... comme on dit
en arabe mais je le traduis en français... comment on dit ?... on ne doit
pas mésestimer une petite branche, elle peut vous aveugler. Je traduis de
mot à mot.

Fred Vargas :
une archéozoologue en terrain littéraire

Séverine GASPARI, *Université de Nîmes*

Entrer en écriture, c'est toujours venir d'ailleurs. Origines géographiques, culturelles, sociales, appartenance à un sexe ou à l'autre, formation professionnelle, histoire personnelle : autant de provenances qui précèdent et nourrissent ce geste inaugural de l'entrée en littérature. Certains écrivains, certaines écrivaines, arrivent néanmoins de loin, de bien plus loin que d'autres. Et porteurs ou porteuses d'un au-delà – d'un en-deçà ? – du littéraire unique et singulier, ils produisent parfois une œuvre propre à renouveler un genre. Nomadisme que cette incursion en terrain littéraire. Nomadisme originel, déterminant, qui, comme chez l'écrivaine française Fred Vargas, peut se révéler l'élément structurant de toute une entreprise littéraire.

Fred Vargas occupe une place singulière dans le champ de la production romanesque française contemporaine. Née en 1957, cette archéozoologue de formation s'emploie à collecter des informations sur les sociétés passées à partir d'ossements d'animaux. Spécialiste de la vie villageoise dans l'Europe médiévale, elle prétend être entrée par accident en littérature. À l'âge de 29 ans, désespérant de jouer correctement de l'accordéon, elle troque un jour son instrument récalcitrant contre un crayon et écrit pour se consoler un petit roman policier, *Les Jeux de l'amour et de la mort*, qui remporte en 1986 le prix du festival de Cognac.

Le choix du genre policier, le choix également d'un pseudonyme ambivalent, qui pourrait aussi bien être masculin, signale le désir d'occuper sur la scène littéraire française une place ordinairement dévolue aux hommes. Cette aspiration se confirme par le choix de la maison d'édition Viviane Hamy, qui affiche au début des années quatre-vingt-dix une volonté de renouveler le genre policier à travers la collection « Chemins nocturnes ». Outre Fred Vargas, cette collection fait connaître Maud Tabachnik (*Un été pourri*), ou encore Estelle Montbrun (*Meurtre chez tante Léonie*). S'agit-il de réinvestir le champ de la littérature policière sur le modèle américain en imposant des romancières peu ou prou inédites? Non, car loin de plagier la littérature policière américaine, les romans de Fred Vargas vont s'affirmer comme résolument français. Fred Vargas qualifie elle-même ses romans de « rompol », signalant par là une volonté de créer quelque chose de neuf au pays du polar. Elle insiste également sur l'importance pour elle du travail de la langue, et certains critiques ont qualifié ses œuvres de « polars poétiques ».

C'est donc en nomade que Fred Vargas, l'archéozoologue, s'aventure en terrain littéraire. À demi-travestie sous un pseudonyme ambivalent, elle s'est rapidement imposée comme un maître du polar français, au cœur d'un champ littéraire dominé par les hommes. Une maîtresse du polar français, devrait-on dire plutôt, avec toute l'ambiguïté d'une appellation qui ne dénote plus seulement la maîtrise, mais aussi la séduction, une forme de licence, le recours à une écriture innovante et poétique. L'altérité comme source de renouvellement d'un genre, voici l'enjeu que pose l'analyse de cette œuvre ludique et singulière.

La volonté affichée
de renouveler le genre du roman policier

Dès son premier roman, et sans doute avant même que l'idée de faire de l'écriture une carrière ne soit née, Fred Vargas entend prendre ses distances avec le genre traditionnel du roman policier. Dans *Les Jeux de l'amour et de la mort*, elle raille ainsi ouvertement les ficelles du roman traditionnel : « Comme un voleur, il fit un pas et repoussa la porte qui rendit un léger gémissement. C'est toujours la même chose avec les portes[1]. » De l'ironie légère, elle passe parfois à des attaques plus directes, qui remettent notamment en question la sempiternelle figure du policier :

> il ne l'avait pas pris pour un flic. Après tout qu'est-ce qu'il savait des flics ?
> Ils n'étaient peut-être pas nécessairement tous lourds avec des yeux durs.
> Celui-là était grand, mince, interminable, et d'une grâce déconcertante.
> (*J* : 34)

Il s'agit là d'une description du commissaire Galtier, inspecteur principal du commissariat du 5ᵉ arrondissement de Paris, étrange policier, mais surtout,

---

1   Fred Vargas, 1986, *Les Jeux de l'amour et de la mort*, Paris, Éd. du Masque, p. 26 : *J*.

prototype du commissaire Adamsberg, qui dirigera lui aussi le commissariat du 5e et s'imposera dans les romans suivants. Tous deux sont caractérisés par leur oxymorique « dure douceur ou douce dureté », et se montrent « si peu [brutaux] qu'on ne se méfi[e] pas » (*J* : 63) d'eux. Dans l'ensemble de l'œuvre, les personnages policiers de Fred Vargas rompent avec les poncifs du genre.

Dès ce premier roman, elle se moque également et ouvertement des « intrigues de mœurs cousues de gros fils » (*J* : 78), ou des scènes de genre classiques, telles la fusillade du square, qui clôt le roman et permet à l'inspecteur Galtier de sauver (de justesse) le héros, soupçonné à tort, Tom Soler.

En marge de cette ironie allègre et de cette volonté ludique de renouveler les poncifs, se dessine cependant une très sérieuse réflexion sur le genre du roman policier :

> Le hasard est une vraie vacherie. Il suffit que deux hasards se rangent un jour l'un à côté de l'autre pour qu'on s'imagine qu'ils indiquent la vérité. Trois, c'est encore pire. Plus question de coïncidence, c'est le Destin, le doigt de Dieu. Le doigt de Dieu dans l'œil de l'inspecteur. (*J* : 138)

Ou plutôt, le doigt de l'auteure dans l'œil du lecteur... Une telle citation peut en effet être détournée au profit de l'écrivaine : « Il faut laisser une place permanente pour le doute, une sorte d'espace libre qui rende possible la mobilité des idées. » (*J* : 140)

Une réflexion sur le genre romanesque s'engage, dès ce premier roman, et se poursuit tout au long de l'œuvre. Dans *L'Homme aux cercles bleus*, le commissaire Adamsberg s'interroge sur ce qui l'a poussé à devenir policier : « Peut-être parce que dans ce métier, on a des choses à chercher avec des chances de les trouver[2]. » Dans *Un peu plus loin sur la droite*, un surprenant dialogue autour d'un excrément de chien oppose le médiéviste, Marc, à Kehlweiler... *fouilleur de merde* professionnel :

> — [...] Cet os, cette femme, ce meurtre, cette crasse, c'est dans ma tête et c'est trop tard, il faut que je sache, il faut que je trouve.
> — C'est du vice, dit Marc.
> — Non, c'est de l'art. Un art irrépressible et c'est le mien. Tu ne connais pas ça ?

2　Fred VARGAS, 2002 [1992], *L'Homme aux cercles bleus*, Paris, J'ai lu, coll. « Policier », p. 191.

> Oui, Marc connaissait, mais pour le Moyen Âge, pas pour une phalange sur une grille d'arbre.[3]

Cet exemple, choisi à dessein, illustre une caractéristique essentielle de la réflexion générique et du désir de renouvellement à l'œuvre dans les romans de Fred Vargas : cette entreprise prend la forme inusitée d'un dialogue entre les principes de la littérature policière et ceux de la discipline d'origine de Fred Vargas, l'étude de l'Histoire.

La place de l'Histoire

La plupart des romans de Fred Vargas comparent les méthodes des historiens et celles des policiers. Dans *Debout les morts*, Vandoosler, policier à la retraite, envoie trois historiens sur la piste d'un tueur sous prétexte que « trois chercheurs du Temps, capables de lancer des filets pour remonter un passé insaisissable, devraient être aptes à traquer l'actuel[4] ». Le vieux policier, que les interminables recherches menées par les trois hommes sur des sujets périmés laissent perplexe, finit cependant par conclure : « Après tout, c'est peut-être le même boulot. » (*D* : 73)

Au fil des romans, les personnages de scientifiques et d'historiens se multiplient. Dans *Les Jeux de l'amour et de la mort*, c'est à un spécialiste de la physique des solides, Jérémy Maréval, qu'on doit la résolution de l'intrigue : « non content d'emmerder incessamment la matière, Jérémy s'offre un dérivatif champêtre sur la matière humaine » (*J* : 79), commente son ami Tom. Dans *L'Homme aux cercles bleus*, Mathilde, océanographe de profession, mène, à ses risques et périls, une partie de l'enquête.

Sciences physiques, sciences naturelles : dans un premier temps, Fred Vargas – peut-être encore incertaine de sa vocation – aborde son propre domaine de recherches de biais, par souci probable de distinguer nettement ses deux activités. Mais très rapidement, son œuvre se peuple de personnages d'historiens. Dans *Ceux qui vont mourir te saluent*, au titre historiquement évocateur, les principaux suspects sont étudiants en histoire de l'art et la victime est un historien de l'art réputé. Comme par équivalence, l'historien endosse rapidement dans l'œuvre le rôle de l'enquêteur. Ne l'est-il

---

3   Fred VARGAS, 2000 [1996], *Un peu plus loin sur la droite*, Paris, J'ai lu, coll. « Policier », p. 63-64.

4   Fred VARGAS, 2000 [1995], *Debout les morts*, Paris, J'ai lu, coll. « Policier », p. 69 : *D*. Prix Mystère de la critique, 1996.

pas en somme tout autant que le policier ? En consultant, lors de ses recherches, les comptes du Seigneur de Saint Amand, Marc Vandoosler, neveu et
filleul de policier, médiéviste de son état, découvre que le comptable dudit
Seigneur trompait impudemment son maître ; mais il est un peu tard pour
arrêter le coupable.

On a l'impression qu'à mesure que l'écrivaine prend de l'assurance, ses
scrupules sont balayés. Elle s'autorise à mélanger ses univers. Dans *Debout
les morts*, elle crée un désopilant trio d'historiens, que le vieil Armand
Vandoosler surnomme « les évangélistes ». Les quatre hommes s'installent
dans une vieille maison délabrée organisée de manière stratigraphique : le
rez-de-chaussée est dévolu aux pièces communes (le chaos originel), puis
le premier étage à l'archéologue, le second au médiéviste, le troisième au
spécialiste de la Grande Guerre, et le dernier étage à Armand Vandoosler,
ancien policier corrompu, « qui continue de déglinguer les temps actuels à
sa manière bien particulière » (*D* : 61). Est-ce un hasard d'ailleurs si, à deux
reprises (*Debout les morts* et *Sans feu ni lieu*[5]), c'est Marc, médiéviste comme
Fred Vargas elle-même, qui trouve l'assassin ? Dans *L'Homme aux cercles
bleus*, par un habile renversement, c'est un historien, un « byzantiniste[6] »
spécialiste de Justinien, qui se révèle être le meurtrier.

Les personnages d'historiens prolifèrent donc et se voient attribués des
rôles primordiaux dans l'économie romanesque. Mais l'Histoire nourrit tout
autant les intrigues des différents romans. L'Empire romain sert de matrice
à *Ceux qui vont mourir te saluent*, et l'instrument du premier meurtre, « la
grande ciguë », est empruntée aux anciens Grecs. Que dire encore du sau-
vetage de Mathias par Marc dans *Debout les morts* ? L'historien devine ins-
tantanément (et comme par magie...) que l'assassin a jeté son ami dans le
puits. « C'est facile, c'est médiéval » (*D* : 266) commente Marc, précisant que
le puits est un haut lieu de la criminalité médiévale. L'intrigue d'*Un peu plus
loin sur la droite* repose sur l'histoire de la deuxième guerre mondiale, celle
de *L'Homme à l'envers*[7] ressuscite l'antique peur des loups. *Pars vite et reviens
tard*[8] se construit autour du mythe de la peste. Quant au tout dernier roman

---

5　Fred VARGAS, 1997, *Sans feu ni lieu*, Paris, Viviane Hamy.

6　Fred VARGAS, 2002 [1992], *L'Homme aux cercles bleus*, éd. cit., p. 199.

7　Fred VARGAS, 1999, *L'Homme à l'envers*, Paris, Viviane Hamy. Grand Prix du roman noir
　　de Cognac, 2000.

8　Fred VARGAS, 2001, *Pars vite et reviens tard*, Paris, Viviane Hamy. Prix des libraires,
　　2001.

paru à ce jour, *Dans les bois éternels*[9], son intrigue est inspirée d'un ouvrage de 1663, *Des reliques sacrées et de leurs usages*, censuré par l'Église catholique. L'Histoire affirme au fil des œuvres son omniprésence et se révèle à la fois vivier de personnages novateurs et d'intrigues passionnantes. Or Fred Vargas, en qualité d'historienne, a une spécialité : l'archéozoologie.

L'archéozoologue écrivaine

On creuse beaucoup dans les romans de Fred Vargas. C'est évidemment la spécialité du préhistorien, Mathias, capable de faire parler la terre et de comprendre d'un seul coup d'œil les différentes strates d'une fouille, ce qu'il accomplit brillamment dans *Debout les morts*, *Un peu plus loin sur la droite* et *Dans les bois éternels*. Mais le commissaire Adamsberg, s'il n'a pas le talent de Mathias, ne se lasse pas de creuser non plus, ou, plus exactement, il fait creuser et déterrer son lot de cadavres (*L'Homme aux cercles bleus* et *L'Homme à l'envers*). On pourrait encore associer à ce penchant pour les fouilles une prolifération de métaphores géologiques et d'incessantes comparaisons minérales : l'archéologie nourrit l'écriture romanesque.

Mais Fred Vargas ne pratique pas n'importe quel type d'archéologie. Ce sont les animaux, leurs ossements, leur comportement, ce qu'ils nous apprennent sur les humains qui les côtoyaient ou les élevaient, qui intéressent en premier lieu la romancière. Il n'y a donc pas lieu de s'étonner si ses romans débordent d'animaux et proposent, sur le mode humoristique, une série de leçons de zoologie. *Dans les bois éternels* nous apprend ainsi qu'il y a un os dans le groin de porc, la verge du chat et le cœur du cerf. On découvre ailleurs comment un berger appelle tous les jours sa brebis de tête pour éviter qu'elle ne déprime ou encore – leçon combinée d'histoire et de zoologie – comment le mythe de la licorne a été accrédité au Moyen Âge par la découverte de dents de narval. Dans les autres romans, l'écrivaine dévoile, pêle-mêle, les mœurs du bombyx et celles du bouquetin ou encore la manière de faire sortir un moustique coincé dans une oreille – et, accessoirement, de faire sortir un assassin de l'ombre... Les animaux sont, par ailleurs, le comparant majeur des êtres humains dans toute l'œuvre. Tom, dès le premier roman, compare le meurtrier qu'il traque à l'anaconda (de la famille des Boïnés...) qu'il a naguère tué en Afrique, et, par la suite, les

---

9   Fred VARGAS, 2006, *Dans les bois éternels*, Paris, Viviane Hamy, coll. « Chemins nocturnes ».

meurtriers sont régulièrement comparés à des animaux : loups, serpents, rats, aurochs ou encore baleine tueuse d'Achab le marin.

De plus, non contente de cette prolifération métaphorique, Fred Vargas fait, en quelque sorte, un usage éthologique des figures animales dans son œuvre. De la même manière qu'en archéozoologie l'étude des restes animaux permet de mieux comprendre le fonctionnement des sociétés humaines, les animaux sont utilisés, de manière à la fois pédagogique et poétique, pour caractériser les personnages. Dans *Un peu plus loin sur la droite*, Kehlweiler – qui a pour meilleur ami un crapaud nommé Buffo – s'étonne que Lionel Sevran, propriétaire d'un vilain pitbull, soit très sympathique, ce qui constitue selon lui une « entorse à la règle tel maître tel chien[10] » : suprême clin d'œil de Fred Vargas puisque Sevran se révèlera être le meurtrier de l'histoire. Se développe au fil de l'œuvre un bestiaire fantastique que résume à lui seul le personnage étonnant de La Boule, chat apathique et figure des trois derniers romans, qui parcourt plusieurs kilomètres sur les traces de sa maîtresse et lui sauve la vie.

La métaphore animale peut enfin se faire indice, signe : l'animal, objet de science, devient alors pleinement objet littéraire. Dans *L'Homme aux cercles bleus*, Adamsberg qualifie à plusieurs reprises l'assassin de « rat humain ». Il exprime ainsi la répugnance que lui inspirent les actes du personnage. Or le meurtrier, comme le lecteur l'apprend à la fin du roman, est justement surnommé par son entourage « la musaraigne ».

Passion des animaux, curiosité scientifique et procédés littéraires, mais aussi et surtout, matière d'une poétique à l'œuvre, les animaux permettent à Fred Vargas d'interroger profondément la nature humaine. Sa formation d'archéozoologue se met au service de sa vocation littéraire, au point que son activité de chercheuse devient la matière même de certaines intrigues : un os de pied de femme dans des fèces de chien (*Un peu plus loin sur la droite*) ou encore un assassinat résolu grâce à la perspicacité d'un ornithologue (*La Nuit des brutes*[11]).

On pourrait penser avoir fait le tour de ce nomadisme singulier : un personnel romanesque emprunté à la discipline d'origine et une prolifération de figures animales, de clins d'œil historiques, de sujets archéologiques. Mais le renouvellement du genre policier que propose l'œuvre de Vargas n'est pas seulement de contenu, mais aussi de structure.

---

10 Fred VARGAS, 2000 [1996], *Un peu plus loin sur la droite*, éd. cit., p. 101.

11 Fred VARGAS, 2004, *Salut et liberté !* suivi de *La Nuit des brutes*, Paris, Librio.

Une structure archéologique

En dépit de multiples variations, d'un renouvellement constant des techniques et des thèmes, tous les romans de Fred Vargas semblent reposer sur une structure commune : des meurtres dont les solutions peuvent être qualifiées d'« archéologiques ». En effet, si, comme nous l'avons déjà précisé, on creuse beaucoup dans les romans de Fred Vargas, c'est aussi bien au sens propre qu'au sens métaphorique du terme. En témoigne le tableau suivant, qui permet de voir que chaque affaire ne peut être résolue sans remonter plus ou moins loin dans le passé :

Titre du roman	Période à considérer pour résoudre l'enquête
Les Jeux de l'amour et de la mort	22 ans plus tôt
Ceux qui vont mourir te saluent	24 ans plus tôt
Debout les morts	16 ans plus tôt
L'Homme aux cercles bleus	50 ans plus tôt
Un peu plus loin sur la droite	1945 et 15 ans plus tôt
Sans feu ni lieu	10 ans plus tôt
L'Homme à l'envers	25 ans plus tôt
Pars vite et reviens tard	Peste de 1920 et viol 8 ans plus tôt
Sous les vents de Neptune	1945 premier meurtre et 30 ans plus tôt
Dans les bois éternels	L'éternité !

D'une certaine manière, toutes les intrigues se résolvent en remontant le fil du passé et l'univers romanesque tout entier semble se construire à rebours. Il s'érige, tout d'abord, sur une prolifération d'échos qui fait autant penser aux cycles historiques qu'au goût du refrain en poésie. « Vendredi c'est poisson ! » s'exclament ingénument les personnages de *Ceux qui vont mourir te saluent*, refrain qui dissimule la clef de l'intrigue. *Sans feu ni lieu* résonne des « par devers moi » de Clément Vauquer, désignant eux aussi la solution du mystère, l'endroit où le simple d'esprit a acquis son étrange vocabulaire. Le goût de l'étymologie – nombre des personnages de Fred Vargas sont adeptes du dictionnaire – et la récurrence des personnages sont autant d'éléments qui participent à cette construction que nous qualifierions d'archéologique. Il faut remonter le temps pour comprendre. De fait, les personnages récurrents eux-mêmes se construisent à rebrousse-temps : c'est aussi l'histoire en minuscule qui s'expose aux fouilles et aux remémorations.

Le personnage d'Adamsberg constitue un des exemples le plus flagrant de ce phénomène : au fil des romans, on découvre son passé et c'est un peu comme si, au lieu d'évoluer en recevant de nouvelles strates de présent, le personnage progressait à l'envers, en recevant à chaque analepse de nouvelles strates de passé.

Titre du Roman	Information sur le passé d'Adamsberg
L'Homme aux cercles bleus	Mathilde, la mère de Camille
L'Homme à l'envers	L'histoire d'amour avec Camille
Pars vite et reviens tard	L'histoire d'amour avec Camille (nouveaux détails)
Sous les vents de Neptune	Frère dont on n'a jamais entendu parler avant
Dans les bois éternels	Enfance dans les vallées d'Ossau et du Gave

Le personnage *au présent* semble en revanche plus statique, moins surprenant. Il évolue au passé, plutôt qu'au présent. De fait, même les événements actuels semblent se construire à rebours pour Adamsberg : à la fin de *Pars vite et reviens tard*, il a de nouveau des relations sexuelles avec son ex-compagne mais dans *Sous les vents de Neptune*[12], il ne faut pas moins de quatre cents pages pour qu'il réalise qu'il est le père de l'enfant de Camille, né dans l'intervalle temporel élidé des deux romans. Cette compréhension rétrospective l'oblige à recomposer son propre passé, à la manière d'un archéologue du vivant. En résumé, les personnages de Fred Vargas évoluent plus par tranches de passé qui leur sont rajoutées, que par le lent étirement de leur présent.

L'exploration méthodique du passé des hommes à travers les traces laissées par les animaux est le terrain d'origine de Fred Vargas. Cette quête initiale fournit à ses romans un vivier de héros surprenants, un bestiaire fantastique et désopilant, une source d'intrigues novatrices et captivantes. Mais l'archéozoologie est plus qu'une référence, un matériau pour la romancière. Cette discipline devient l'élément structurant, non seulement de chaque roman pris isolément, mais aussi de leur succession et de leur somme. Elle est aussi la matrice d'une inépuisable curiosité pour les mots. L'archéozoologue, nomade de génie, a su renouveler le genre du roman policier. Une étude minutieuse de la langue permettrait de le confirmer. Le fait d'être une femme en terrain de prédilection masculine joue-t-il un rôle dans ce

---

12 Fred VARGAS, 2004, *Sous les vents de Neptune*, Paris, Viviane Hamy.

renouvellement à la fois thématique, structurel et langagier? Dans *L'Homme aux cercles bleus*, Mathilde, cette océanographe géniale qui s'amuse à suivre et observer les hommes, comme elle le fait avec les poissons, donne peut-être la clef du passage de la science à l'écriture, qui caractérise si fortement l'œuvre de Fred Vargas :

> Qu'est-ce qu'elle avait récolté à la surface de l'écorce [terrestre] en trois mois? Un flic qui aurait dû être pute, un aveugle mauvais comme un teigne et caressant, un byzantiniste cercleur, une vieille tueuse. Une bonne récolte au fond. Pas de quoi se plaindre. Elle aurait dû écrire tout ça. Ça serait plus marrant que d'écrire sur les pectorales des poissons.
>
> — Oui, mais écrire quoi? dit-elle tout haut en se levant d'un bloc. Écrire quoi? Pour quoi faire, écrire?
>
> Pour raconter de la vie, se répondit-elle.
>
> Foutaises! Au moins sur les pectorales, on a quelque chose à raconter que personne ne sait. Mais le reste? Pour quoi faire, écrire? Pour séduire? C'est ça? Pour séduire les inconnus, comme si les connus ne te suffisaient pas? Pour t'imaginer rassembler la quintessence du monde en quelques pages? Quelle quintessence à la fin? Quelle émotion du monde? Quoi dire? Même l'histoire de la vieille musaraigne n'est pas intéressante à dire. Écrire, c'est rater. […]
>
> Il était peut-être bien temps d'aller replonger dans une fosse marine. Et surtout, il était interdit de se demander pour quoi faire.
>
> Pour quoi faire? se demanda aussitôt Mathilde.
>
> Pour se faire du bien. Pour se mouiller. Voilà. Pour se mouiller.[13]

Un jeu de mots, n'est-ce pas déjà de la littérature?

---

13 Fred Vargas, 2002 [1992], *L'Homme aux cercles bleus*, éd. cit., p. 199-200.

Assignation à « résidence sexuée » et nomadisme chez les écrivaines

Delphine NAUDIER, *CSU-CNRS*

L e champ littéraire est constitué d'instances de régulation qui permettent d'accéder à la publication et qui évaluent les œuvres et les carrières des écrivains. Éditeurs, critiques, pairs, jurys décernant des prix littéraires, participent à la construction de classifications qui font les réputations des auteurs, les situent les uns par rapport aux autres et hiérarchisent les œuvres littéraires. Cet espace majoritairement masculin, incarné par la figure stéréotypée de l'homme de lettres, est néanmoins traditionnellement ouvert à la mixité : nombre de femmes sont publiées. Cependant, la présence des femmes demeure faible si l'on en croit la place qu'elles occupent dans les catalogues d'éditeurs[1]. Au début du XXIe siècle, leur représentation est d'environ un tiers chez Albin Michel, 30 % chez Gallimard, 20 % chez Minuit, 40 % chez Stock, un quart (26 %) chez P.O.L. et 38 % environ chez Actes Sud. Il en est de même en matière de consécration littéraire. Le jury Goncourt a par exemple couronné neuf femmes en cent ans[2], le jury Femina a promu environ 35 % d'auteurs féminins. Ces constats chiffrés manifestent que la sédentarisation, entendue comme installation durable et reconnue sur un territoire, des femmes ne va pas de soi et dément toute illusion d'accès massif des femmes à la littérature et d'absence de différenciation sexuée en matière de consécration des œuvres. En effet, ces chiffres n'apportent-ils pas la preuve que la croyance en la valeur intrinsèque des œuvres, sans distinction sexuée et sociale pour ne reconnaître que le génie de l'écrivain,

---

1 Nous avons consulté les rubriques « romans » d'auteurs publiés en langue française depuis 2000.

2 Delphine NAUDIER, 2007, « La légitimité littéraire des écrivaines : une reconnaissance en trompe-l'œil ? Les lauréates du Goncourt », in *Genre et légitimité culturelle : quelle reconnaissance pour les femmes ?*, Paris, L'Harmattan, coll. « Bibliothèque du féminisme ».

a sa limite[3]? Cette disproportion, confirmée par la faible place accordée aux femmes dans les anthologies littéraires, atteste du difficile ancrage des auteurs féminins, qui demeurent une population de passage. Leurs œuvres apparaissent plus souvent liées au commerce éditorial qu'à l'art désintéressé de l'esthète ou à la compétence stylistique de l'écrivain. Si les femmes accèdent conjoncturellement à la visibilité en littérature, c'est encore souvent au nom de leur caractéristique sexuée et c'est à ce titre qu'elles sont évacuées des lieux de mémoire qui fabriquent la postérité.

Une tension persistante se noue autour de la question du droit à l'indifférenciation et de la définition d'un territoire d'écriture qui impose la singularité de chacune des écrivaines dans un univers où aucune réglementation juridique, contrairement à certaines professions, n'en interdisait l'accès. L'enjeu consiste donc à obtenir le droit de figurer dans tous les espaces du champ littéraire au titre de praticienne de la littérature et de s'affranchir de l'enclavement que constitue le déterminant sexué, dont la reconnaissance exhibée fabrique la minoration. Aussi s'agit-il pour les auteurs féminins de se défaire de l'imposition du marqueur de la sexuation dans un univers où l'idéal d'universalité est prétendument neutre, asocial et asexué afin d'échapper, quand il s'agit d'un projet assumé, au classement littéraire labellisé comme « prolétarien », « régionaliste », « féminin » ou encore « rural », qui étiquette, particularise et dévalorise. Si ces qualificatifs n'empêchent pas d'être publié, ils nuisent à la reconnaissance de la légitimité des auteurs. En outre, ils contribuent à la fixation de préjugés qui assignent les auteurs à certaines positions et à forger leur réputation au détriment de leurs intentions. Ces étiquetages sont autant d'injonctions au cloisonnement entre les divers courants littéraires mais aussi entre les sexes. Assignées à « résidence sexuée », en ce que la perception de leur différence anatomique limite leurs explorations littéraires à l'espace des préjugés ayant trait aux attributs féminins depuis le XIXe siècle, comment les écrivaines peuvent-elles néanmoins jouer de ce marqueur pour franchir les frontières de la catégorie où elles sont confondues?

---

3   À cet égard, si l'on met en perspective les pratiques culturelles féminines, on constate qu'elles sont, aux trois quart, lectrices de romans et qu'elles ont pour loisir l'écriture de journaux intimes. En outre, nombre de femmes figurent dans les concours de nouvelles comme ceux de France loisirs. Elles ne franchissent donc pas, à hauteur du potentiel de scripteurs qu'elles constituent, les frontières du monde professionnel de la littérature. Elles représentent les deux tiers des « écrivains amateurs », cf. Claude POLIAK, 2006, *Aux frontières du champ littéraire : sociologie des écrivains amateurs*, Paris, Economica.

L'interdiction du nomadisme

Depuis la fin du XIXe siècle, nombre d'ouvrages ont été consacrés aux auteurs féminins. Leur éclosion révèle la reconnaissance de leur participation à la chose littéraire, mais suffit-elle à attester la légitimité littéraire des femmes ? Ces entreprises de codification des écrits féminins contribuent, en réalité, à l'élaboration de la bipartition de territoires – sexués – d'écriture. Les auteurs masculins et féminins sont séparés par la sexuation de l'écriture des femmes : aux hommes l'accès à une écriture neutre et universelle, aux femmes une écriture particulière et marquée du sceau de la différence biologique. Les femmes font l'objet, en effet, d'un traitement critique différencié, les maintenant hors des frontières d'un entre-soi masculin qui demeure la norme dans l'exercice de cette activité. Ainsi, Barbey d'Aurevilly dans son pamphlet, *Les Bas-bleus*[4], assène que « l'homme doit rester le maître de la Création » et conclut à propos des contributions littéraires féminines : « Étudiez leurs œuvres, ouvrez-les au hasard ! À la dixième ligne, et sans savoir qui elles sont, vous êtes prévenus, vous sentez la femme : *Odor di femina.* » Il considère également les écrivaines comme des « hommes manqués ».

La littérature féminine est ainsi présentée comme une catégorie homogène, monolithique, où le sexe des écrivaines constitue l'élément majeur de la singularité créatrice : les particularités littéraires individuelles sont dissoutes dans l'identité sexuelle. Cette réduction semble résoudre plusieurs difficultés qui, même si elles sont désenchantées pour les hommes, n'en sont pas moins révélatrices de rapports sociaux de sexes en défaveur des femmes. En effet, la pratique féminine de l'activité littéraire remet en question l'analogie entre l'identité de sexe et la division socio-sexuelle du travail. En accédant à des activités masculines, la croyance en la fixation des destins sociaux dans les destins anatomiques est ébranlée. La représentation de la bipartition naturelle de l'ordre social est écornée, de sorte que les entraves à leurs aspirations aux carrières littéraires apparaissent moins biologiquement fondées que socialement construites. Ainsi, en franchissant les frontières des territoires masculins, la question de la nature des « femmes de lettres » est posée avec d'autant plus d'acuité que les carrières littéraires font partie des professions masculines à forte connotation féminine et que la figure de l'Homme de lettres est concurrencée par celle du savant dans la hiérarchie

---

4   Jules BARBEY D'AUREVILLY, 1878, *Les Bas-bleus*, Victor Palmé, Bruxelles, Lebrocquoy, p. 328 pour l'ensemble des extraits cités.

des professions masculines. Il semble que la reconnaissance des carrières scientifiques universitaires accentue la connotation féminine des carrières littéraires. À cet égard, Émile Durkheim affirme que quand « les arts et les lettres commencent à devenir choses féminines, l'autre sexe semble déserter pour se donner plus spécialement à la science[5] ». Les écrivains masculins ont ainsi tout intérêt à marquer leurs différences par rapport aux femmes.

Au début du XXᵉ siècle, plusieurs ouvrages sont consacrés aux « femmes de lettres ». Si les femmes tiennent des salons, s'inscrivent dans des réseaux d'influence, leur légitimité littéraire demeure pourtant faible. La reconnaissance de leur talent est optimale quand, à l'instar de George Sand, par ailleurs vilipendée, elles sont qualifiées d'homme de lettres. Mais cette appréciation à son revers. Les femmes de lettres sont aussi considérées comme des viragos, voire des femmes non fertiles. En d'autres termes, en s'appropriant un outil masculin, la plume, la « femme de lettres » est qualifiée de

> monstre parce qu'elle est anti-naturelle. Elle est anti-naturelle parce qu'elle est anti-sociale, dernier terme du raisonnement, c'est qu'elle reproduit, comme en un saisissant microcosme la plupart des ferments de dégénérescence qui travaillent notre monde moderne[6].

La sanction énoncée contre les écrivaines atteste les déplacements qu'elles ont effectués dans l'ordre social, comme dans celui des sexes. Ces intrusions féminines dans un bastion masculin s'accompagnant d'un travail de recomposition des particularités sexuées. Celui-ci rejoue symboliquement la différenciation pour parer à un éventuel envahissement qui mettrait en péril la littérature et la société dans son ensemble et ce, d'autant plus que la présence des femmes est associée à la désertion des génies masculins.

La crainte de la présence massive des femmes révèle en toile de fond la crainte de la confusion des sexes. Les femmes qui embrassent la carrière littéraire sont condamnées parce qu'elles franchissent des frontières qui balisent la division sexuelle du travail. En accédant à la notoriété, en produisant elles-mêmes des représentations, elles font la preuve que l'activité littéraire est réalisable par chacun des deux sexes. Le destin social n'est donc pas réductible au destin anatomique, justifiant naturellement la division sexuelle du travail. En s'emparant d'un outil masculin, la plume, les femmes sèment le trouble sur le rapport entre l'occupation des postes, les statuts sociaux et l'appartenance sexuée. Même si les femmes usent de stratégies, notamment

---

5 Émile Durkheim, 1978 [1893], *De la division du travail social*, Paris, P.U.F., p. 21.

6 Paul Flat, 1909, *Nos femmes de lettres*, Paris, Librairie Académique Perrin et Cⁱᵉ, p. 218.

en jouant de l'appartenance sexuée pour s'inventer une place dans le champ littéraire[7], l'exercice de cette activité contrôlée par les hommes tend à minorer leurs contributions littéraires. Quand la bipartition sexuée des carrières professionnelles est mise à l'épreuve, une séparation des sexes organise la mixité. Et lorsque Marie-Louise Gagneur adresse une lettre à l'Académie française pour féminiser certaines « carrières libérales », Charles de Mazade lui répond :

> Je ne vois pas de mal à ce qu'on féminise certains mots pourvu qu'on le fasse d'une manière logique. Mais il en est quelques-uns qui ne comportent pas le féminin. Tels : auteur, écrivain, confrère, par cette raison qu'il n'existe pas de femmes ou de jeunes filles qui se destinent à la carrière d'écrivain[8].

L'interdit symbolique de la féminisation du titre souligne le hiatus lié à la disjonction entre l'identité sexuelle, incarnation de la correspondance homologique entre le sexe et le genre[9], et la réalisation sociale d'une activité masculine. En cela, la question de l'assignation sexuée est un enjeu de classement primordial entre hommes et femmes. Le fixisme symbolique du marquage sexué fait écran aux explorations littéraires, aux déplacements, aux innovations que traduisent certaines pratiques d'écriture des auteurs féminins.

L'assignation à « résidence sexuée »

Sous la Troisième République, l'essor des voix féministes, qui contestent les inégalités entre les deux sexes, ouvre une brèche dans la forteresse littéraire pour devenir un argument propice à la création du jury Femina qui évalue et promeut des œuvres d'auteurs masculins et féminins. Des conditions matérielles favorables à cette entreprise sont réunies : segmentation du marché éditorial, industrialisation croissante des métiers du livre et développement de la presse promotionnelle. Elles permettent la rencontre d'intérêts

---

7   On pense par exemple à Rachilde qui porte des habits masculins et joue dans ses œuvres, notamment *Monsieur Venus*, avec les identités de sexe et de genre. Diana HOLMES, 2002, *Rachilde : Decadence, Gender and the Woman Writer*, New York, Berg.

8   Charles DE MAZADE, 1891, « Masculin et féminin : une question soumise à l'Académie française », *Le Matin*, 2 juillet 1891. Cf. Audrey LASSERRE, 2006, « La Disparition : enquête sur la "féminisation" des termes auteur et écrivain », in *Le Mot juste*, Johan FAERBER, Mathilde BARRABAND, Aurélien PIGEAT (dir.), Paris, Presses Sorbonne nouvelle.

9   Nicole-Claude MATHIEU, 1991, *L'Anatomie politique : catégorisations et idéologie du sexe*, Paris, Côté-femmes, coll. « Recherches ».

fondés sur des motifs distincts : inventer des positions d'autorité publiques pour les écrivaines, salonnières et journalistes du premier jury Femina-Vie heureuse et fonder une instance de consécration qui assurera des débouchés commerciaux, pour les éditions Hachette qui soutiennent ces femmes dans leur entreprise.

La guerre des sexes a donc bien lieu dans le champ littéraire. Le maintien des femmes dans cet univers s'effectue au prix d'une entreprise de cloisonnement des espaces. L'anthologie *Vingt-cinq ans de littérature française (1895-1920)* illustre à cet égard la mise en place du mécanisme qui opère leur ségrégation. En premier lieu, le chapitre réservé à la « littérature féminine » est le seul à être rédigé par une femme, Henriette Charasson. En deuxième lieu, cette séparation sexuée est redoublée par le mode de répartition des hommes qui, contrairement aux femmes, sont classés dans le premier volume selon un découpage calqué sur les différents genres littéraires. À ces deux formes de dépréciation, s'ajoute la relégation des femmes dans le deuxième volume consacré aux « chapelles littéraires », aux « écrivains morts à la guerre », aux « salons littéraires »… Enfin, une note sur la bibliographie de l'ouvrage achève de produire cette différenciation entre la littérature masculine française et les autres :

> Dans cette bibliographie, qui est une bibliographie choisie et non pas du tout complète, ne figurent, sauf erreur, ni les romanciers étrangers de langue française ni les romancières. Des renseignements abondants ont été fournis sur ces deux catégories d'écrivains en d'autres endroits de cet ouvrage[10].

Cette mise à l'écart donne la mesure de la production symbolique et sociale des écarts de grandeurs entre centre et périphérie, entre hommes et femmes, entre auteurs français et auteurs étrangers, consolidant la norme de l'homme écrivain français. Si les œuvres d'écrivaines sont citées et commentées, elles le sont au regard de ce qui les distingue des autres femmes. La comparaison ne dépasse pas le cadre des frontières sexuées : les œuvres de femmes sont assignées à résidence sexuée.

Cette désignation de la littérature écrite par des femmes « altérisées », essentialisées, continue à peser sur les écrivaines. En conséquence, elles déploient des stratégies pour contrer ces étiquetages arbitraires qui, bien souvent, masquent un autre clivage : celui de la culture lettrée et de la culture

---

10 Eugène MONTFORT, 1920, *Vingt-cinq ans de littérature française (1895-1920)*, Paris, Librairie de France, p. 321.

populaire[11]. En effet, les enchevêtrements des logiques de classement social et sexué renvoient régulièrement à une opposition entre culture d'élite et culture populaire. L'association de la femme à la littérature commerciale est à cet égard abondante. De plus, lorsque l'activité des écrivaines n'est pas rapportée à leur oisiveté bourgeoise, elles sont qualifiées de « petites fonctionnaires des lettres » dont les écrits sont soumis à des impératifs économiques. De fait, les jugements émis pour critiquer la participation des femmes à la littérature tendent à leur dénier toute compétence technique et stylistique. La visibilité accordée aux auteurs féminins dans la première moitié du siècle n'entérine donc pas leur légitimité dans cet espace.

Sortir de l'assignation à résidence sexuée

En 1949, Simone de Beauvoir consacre, dans *Le Deuxième Sexe*, une partie aux femmes écrivains. Elle met au jour la partialité des jugements proférés sur les femmes artistes dont les livres et tableaux sont traités d'« ouvrages de dames[12] ». Elle impute les causes de cette disqualification à leur absence de « formation sérieuse » qui les contraint à demeurer des « amateur[s] » et à produire des œuvres qui ont toutes « à peu près la même valeur » car les femmes n'y accordent « ni plus de temps ni plus de soin » : « Comment les femmes auraient-elles jamais eu du génie alors que toute possibilité d'accomplir une œuvre géniale – ou même une œuvre tout court – leur était refusée[13] ». Elle pose ainsi les jalons nécessaires à la conquête de la légitimité culturelle des femmes. À conditions sociales égales avec les hommes, ce qu'avait suggéré avant elle Madame de Genlis, Madame de Staël ou encore Virginia Woolf, les femmes seront à même de produire des œuvres comparables[14].

---

11 Geneviève SELLIER et Éliane VIENNOT, 2004, *Culture d'élite, Culture de masse et Différence de sexes*, Paris, L'Harmattan, coll. « Bibliothèque du féminisme ».

12 Simone de BEAUVOIR, 1949, *Le Deuxième Sexe*, Paris, Gallimard, coll. « Folio », 1949, t. 2, p. 628 pour les quatre références suivantes.

13 *Id.*, p. 641.

14 Pour une analyse de la réception de cet ouvrage, cf. Sylvie CHAPERON, 2000, *Les Années Beauvoir (1945-1970)*, Paris, Fayard, p. 151-168.

La définition esthétique et politique du territoire

Au cours des années soixante et soixante-dix, nombre de collections destinées aux femmes apparaissent. Elles sont souvent dirigées par des écrivaines, comme Colette Audry, à qui on confie la responsabilité de la collection « Femmes » chez Gonthier en 1964. La maison des éditions « Des femmes », fondée en 1974, crée un lieu dédié exclusivement à la publication d'auteurs féminins. Néanmoins, si ces initiatives pionnières ont pour objet de lever les verrous sur la création des femmes et de favoriser leur accès à la publication, les scriptrices continuent d'envoyer prioritairement leurs manuscrits aux éditeurs généralistes. En effet, publier dans une collection connotée « féministe » ou « féminine » suscite la crainte d'être d'emblée discréditée en étant étiquetée sous l'un de ces deux labels. Toutefois, la fondation d'un espace éditorial et littéraire, par des femmes, dans ce contexte de luttes féministes a permis à beaucoup d'entre elles – Victoria Thérame, Chantal Chawaf, Hélène Cixous, Xavière Gauthier, Claude Pujade-Renaud – d'être éditées, mais aussi à d'autres – Nancy Huston ou Leïla Sebbar – en participant à la revue *Sorcières,* de mettre en pratique leurs aspirations à la carrière des lettres avant de publier seules.

En 1975, Hélène Cixous publie le manifeste de « l'écriture féminine » intitulé « Le rire de la méduse[15] », dans un numéro consacré à Simone de Beauvoir, dont les conceptions littéraires et féministes sont antagonistes. Hélène Cixous élève au rang de thématique littéraire ce qui a trait au corps féminin pour se confronter au monopole masculin et défaire le langage et la création de l'impératif « phallologocentrique ». Le corps féminin devient un territoire à reconquérir. La thématique du corps articulée à la déconstruction linguistique constitue une innovation littéraire justifiée comme une démarche de « recherche » distincte d'un engagement féministe revendiqué. Les cadres du roman sont fissurés. Le « je » féminin, exprimé dans la littérature, est émancipé, libéré du joug des contraintes sociales et symboliques qui a forgé la subordination des femmes par l'hybridation de formes qui ont trait à la « parole », au poème. La contestation du discrédit qui pèse sur les auteurs féminins, de la domination masculine, est réfractée dans le champ littéraire par la création et la théorisation esthétique d'une « écriture-corps ».

---

15 Hélène CIXOUS, 1975, « Le rire de la méduse », in *L'Arc* n° 61 : *Simone de Beauvoir et la lutte des femmes*, Paris.

Les luttes sociales des années soixante-dix ouvrent les voies de l'édition aux auteurs féminins. Les écrivaines occupent l'espace de manière différenciée, mettant au jour les clivages sur la question de la création au féminin ou de leurs liens avec les luttes féministes. La visibilité des femmes se construit à l'occasion de livres cosignés qui traitent de la création littéraire comme celui de Marguerite Duras et Xavière Gauthier, *Les Parleuses*, en 1974, ou celui d'Hélène Cixous, Madeleine Gagnon et Annie Leclerc, *La Venue à l'écriture*, en 1977. Marie Cardinal et Annie Leclerc, Régine Deforges et Pauline Réage – romancières à plus forte notoriété – co-signent, pour les premières, *Autrement dites* chez Grasset en 1977 et publient, pour les secondes, *O m'a dit* en 1975. Ces tandems se multiplient : Leïla Seibbar et Nancy Huston dans les années quatre-vingt, Geneviève Dorman et Régine Deforges, Claire Gallois et Christine Collange, Benoite Groult et Josyane Savigneau, Régine Deforges et Chantal Chawaf, dans les années quatre-vingt-dix ou encore Geneviève Brisac et Agnès Desarthes au début du XXIᵉ siècle. Écrivaines confidentielles ou femmes de lettres « grand public », nombre d'entre elles optent pour des stratégies de visibilité conjointes reposant sur une variété de projets. Qu'elles se revendiquent féministe, préconisent l'invention d'une « écriture-femme » ou en nient l'existence, la force collective, mais disséminée, des remises en question des normes littéraires définies par les hommes est perceptible dans leurs écrits. La révélation de la construction sociale des inégalités de traitement entre les sexes, sa formulation en des termes politiques et scientifiques (notamment à l'université où se développe l'histoire des femmes) ouvrent la voie à des usages différenciés des identités de sexe dans les créations littéraires. Certes, une tension persiste entre l'appartenance sexuée marquante et la volonté d'être reconnue pour l'indifférenciation sexuée de l'œuvre, sa valeur esthétique, mais son énonciation a désormais des usages littéraires. Néanmoins, le lourd bagage des stéréotypes qui pèse sur la littérature féminine, tout comme le lourd tribut à payer pour échapper à la disqualification littéraire réitérée, n'est pas sans effet sur les conduites des écrivaines et sur leurs créations. L'ensemble des contraintes sociales et symboliques, dont elles héritent, contribue cependant à forcer la forteresse littéraire masculine, en faisant de ces contraintes des exercices de style qui nourrissent leur travail littéraire. L'imposition de leur autorité littéraire semble se constituer progressivement en jouant des marges de manœuvre possibles dans un système contraignant.

Se défaire du marquage sexué :
camper des personnages masculins

L'intérêt commun des auteures est d'être individuellement reconnues pour la spécificité littéraire de leur œuvre. Elles adoptent ainsi des stratégies littéraires qui justifient leur compétence d'écrivain. Elles sont nombreuses depuis les années soixante-dix à créer des narrateurs masculins : Christine de Rivoyre, Geneviève Dormann, Elvire Murail, Dominique Rolin, Régine Detambel, Lydie Salvayre, Nina Bouraoui, etc. Plusieurs de ces romans paraissent en 1977 alors même que l'écriture féminine est en débat. Interrogée sur son œuvre, Christine de Rivoyre précise :

> Dans mon précédent livre, je rentrais dans la peau d'une petite fille de douze ans et d'une employée de maison parlant gascon... C'était aussi coton que d'être un homme. Vous savez c'est le privilège du romancier de faire des cabrioles. Je connais les hommes, leur vocabulaire, leurs réactions, leur grandiose, leur solennelle mauvaise foi. [...] Cela n'a pas été une performance particulière[16].

La création de ces personnages devient un exercice de style qui apporte la preuve de la capacité à travailler un texte, une intrigue et des personnages, pour défaire l'écriture de tout marquage sexué. G. Dormann déclare ainsi qu'« il n'y a pas de sexe en littérature, le romancier peut se mettre à la place de n'importe qui, d'une table, d'une petite fille, d'un homme, d'une pomme, rien n'est interdit dans l'imagination[17] ».

Certes, les femmes prouvent leur maîtrise du genre romanesque, mais la création de personnages masculins permet aussi de lutter contre un autre préjugé : celui de ne faire que de l'autobiographie. Ainsi G. Dormann poursuit son propos en affirmant que « les gens imaginent toujours que lorsqu'elle écrit une femme raconte sa vie. [...] là, ça déroute tout le monde, parce qu'on ne peut plus m'accuser de raconter ma vie[18] ».

En procédant ainsi, un double écart est réalisé. Le premier tient au fait d'endosser une activité socialement labellisée masculine, le second procède de l'invention d'une intériorité masculine. Dominique Rolin met au cœur de son roman *Vingt chambres d'hôtel* un narrateur masculin à qui elle prête ses propos :

---

16 « Quand les femmes écrivent au masculin », in *Le Quotidien de Paris*, 12/10/1977.
17 *Ibid.*
18 *Ibid.*

Une femme se permet de dire « je » à la place de l'homme que je suis! Sans hésitation et sans scrupule, elle se croît naïvement capable de changer de sexe au pays de l'écriture. Or, que sait-elle de la nature intime de l'homme, cette imbécile? Rien. On l'avait pourtant prévenue que ce genre de performance est voué à l'échec : l'homme est l'homme, la femme est la femme, lui assurait-on. Mais, elle s'est obstinée en s'offrant gratis l'entrée de mon cerveau qu'elle a féminisé page après page. Soyons honnête : si je creuse le problème avec détachement et sang-froid, la romancière n'a peut-être pas tout à fait tort : nous sommes tous les porteurs inconscients des doubles gênes et je me conduis sans doute en demie femelle bien plus souvent que prévu. Par conséquent, me venger de l'auteur de ce livre serait idiot. M'y soumettre au contraire ne manquerait pas d'allure[19].

La mise en scène des préjugés, inhérents à la délimitation des frontières sexuées entre auteur et personnage, souligne la transgression que suppose le fait d'incarner un personnage masculin, transgression neutralisée en concluant à la bisexualité des auteurs. La romancière rend compte, par ce travail d'imposition symbolique, de la difficulté à se déprendre des catégories de perception qui fixent les représentations et les normes de la division sexuelle du travail littéraire. De plus, la contrainte sociale, transformée en matériau littéraire, indique en creux que l'empreinte du masculin dans les œuvres féminines fait office de gage de la compétence professionnelle de romancière. Mais en déjouant les préjugés dans les œuvres, la suprématie masculine n'en est-elle pour autant pas renforcée?

À cet effet, d'autres auteurs, comme Anne Garréta par exemple, mettent au cœur de leur œuvre la question des identités sexuées, en jouant précisément sur l'absence de marque de genre dans la définition des personnages[20]. D'autres romancières, comme Pierrette Fleutiaux[21], travaillent la question des normes sociales genrées, en revendiquant l'existence d'un « je » universel féminin qui serait départi de ces atours essentialisant. Annie Ernaux, quant à elle, élève l'avortement au rang d'événement[22] en désignant cette expérience en une « épreuve humaine totale[23] ». Ce travail sur les représentations s'inscrit dans une recherche littéraire qui subvertit les différents genres romanesques. Les romancières créent des personnages féminins

---

19 Dominique Rolin, 1990, *Vingt chambres d'hôtel*, Paris, Gallimard, p. 53.
20 Anne Garréta, 1986, *Sphinx*, Paris, Grasset.
21 Pierrette Fleutiaux, 1990, *Nous sommes éternels*, Paris, Gallimard.
22 Annie Ernaux, 1990, *L'Événement*, Paris, Gallimard.
23 Annie Ernaux, in *Elle*, mars 2000.

qui endossent des activités masculines dans des genres comme le roman d'aventures[24] ou le récit de voyage[25]. Elles revisitent les genres littéraires, en accordant une place inédite aux personnages principaux féminins, et avancent sur le terrain littéraire occupé par les hommes, en s'extrayant des limites qui réduisent leurs œuvres à l'intimisme. Elles formulent l'expérience de la domination dans leurs livres, inscrivent les traversées, les hybridations – qu'elles opèrent en termes de genre, sexuel et littéraire, dans la création – et expriment, dans la presse, la contestation des clichés qui pèsent sur leurs contributions littéraires. En outre, elles franchissent d'autres territoires, comme celui de l'essai. En explorant divers genres littéraires, en repoussant les limites des interdits symboliques, elles bâtissent leur autorité d'écrivain. Certes, les résistances ont longue vie et beaucoup d'inégalités perdurent. Mais le nomadisme littéraire des femmes s'établit tant dans la dimension sociale, en faisant carrière, qu'au niveau symbolique, par les représentations qu'elles construisent et déconstruisent en travaillant le matériau littéraire.

Plus qu'un manifeste commun à plusieurs écrivaines et susceptible de discréditer l'entreprise, l'individualisme structurel des carrières a eu, au contraire, pour effet de faire exister des positions qui, indépendantes les unes les autres mais non inconnues les unes des autres, ont installé les femmes progressivement sur tous les territoires littéraires. L'absence de visibilité, délibérément groupée et revendicatrice, rend disparate ces trajectoires atomisées tout en renforçant leur ancrage. Qu'elles soient représentées en Avignon, telles Hélène Cixous, Régine Detambel, Marie Redonnet, qu'elles investissent la littérature érotique en en bouleversant les règles, telles Alina Reyes ou Catherine Millet, qu'elles s'affrontent à l'Histoire telles Pierrette Fleutiaux, Lydie Salvayre, ou à l'autofiction, comme Christine Angot, les écrivaines imposent leur présence et le droit des femmes à l'écriture littéraire.

---

24 Nicole Avril, 1979, *Monsieur de Lyon*, Paris, Albin Michel.
25 Pierrette Fleutiaux, 1999, *L'Expédition*, Paris, Gallimard.

Voix/dévoiements

Toutes les images disparaîtront

Annie ERNAUX

La femme accroupie qui urinait derrière un baraquement, un café, au milieu
des ruines du centre de la ville, après la guerre, et qui nous avait injuriées,
moi et mes camarades de classe, en se relevant et en remontant sa culotte
parce qu'on la regardait.

L'homme croisé sur un trottoir de Padoue, en 90, avec des mains accro-
chées aux épaules. En un éclair était revenu le souvenir de la thalidomide,
le médicament donné aux femmes enceintes contre les nausées dans certains pays d'Europe et qui produisait des nouveau-nés sans bras. Et aussi
cette histoire drôle, qu'on racontait quelques années après, d'une femme
tricotant la layette de son futur bébé en se bourrant de cachets de thalidomide. Son amie lui disait « mais tu ne sais donc pas que tu risques d'avoir
un enfant sans bras ? », elle répondait « si, mais je ne sais pas tricoter les
manches ».

Cette dame majestueuse, en blouse à carreaux comme ma mère et toutes
les pensionnaires, mais un châle bleu sur les épaules, qui arpentait les cou-
loirs du long séjour, hautainement, comme une héroïne de Proust au bois
de Boulogne, sans doute morte maintenant.

Éric tout petit, descendant les marches de Prisunic une à une, serrant
contre son gilet bleu la voiture rouge que je venais de lui acheter.

En quatrième, les trois femmes de la fête foraine, qui exhibaient leurs
seins à l'intérieur d'une baraque, place de la mairie, immobiles comme des
statues, face à une poignée de spectateurs massés au fond, laissant entre
eux et l'estrade avec les femmes un large espace de sol goudronné.

Le sexe de P. dans le bureau du journal où il travaillait seul le samedi,
branlé à toute vitesse en me regardant et qui ressemblait aux « soleils »,
cocardes fixées au bout d'un bâton, que les enfants font tourner en courant. Image si différente de celle de l'inconnu qui, gare Termini, à Rome,
avait baissé à demi le store de son compartiment et, invisible jusqu'à la
taille, de profil, manipulait son sexe face aux voyageuses du couloir du
train d'en face, appuyées sur la barre de la fenêtre. J'étais en train de

manger un hot-dog et je m'étais détournée, ayant brusquement le sentiment de mastiquer la queue du type.

Claude Piéplu en tête d'un régiment de légionnaires, tenant d'une main le drapeau et de l'autre tirant une chèvre, dans un film des Charlots.

Scarlett O'Hara, juste avant d'aller au bal, exigeant de sa nourrice qu'elle lui serre son corset, à ne pouvoir manger, courant dans les rues d'Atlanta à la recherche d'un médecin pour Mélanie qui va accoucher, traînant dans l'escalier le soldat yankee qu'elle vient de tuer et que je vois toujours comme un soldat allemand.

Molly Bloom dans son lit, se souvenant de la première fois où un garçon l'a embrassée et elle a dit oui oui oui oui.

La grande tache rosée, de sang et d'humeur, laissée au milieu de l'oreiller par la chatte morte avec ses chatons morts aussi dans son ventre, un après-midi d'avril, quand j'étais à une fête de l'école et qui avait déjà été enterrée quand je suis revenue.

Toutes ces images, réelles ou non, qui nous suivent jusque dans les rêves et qui sont la présence du monde, du temps et de l'espace en nous.

Elles disparaîtront d'un seul coup comme l'ont fait toutes celles qui étaient derrière les yeux et le front jaune de ma grand-mère trouvée morte dans son lit, il y a un demi-siècle, derrière les yeux creusés de ma mère elle aussi trouvée morte un matin dans un service de gériatrie en 86. Des images où je devais figurer moi-même en gamine, en communiante, au milieu d'autres êtres déjà disparus à ma naissance. De même que dans ma mémoire, mes deux fils enfants, adolescents, sont présents aux côtés du visage de mon père, de mes camarades de classe, qu'ils n'ont jamais connus. Et je serai à mon tour dans leur souvenir parmi des êtres qui, aujourd'hui, en 2002, ne sont pas encore nés. La mémoire, comme le désir sexuel, ne s'arrête jamais.

S'annuleront subitement les milliards de mots qui ont servi à nommer les choses, les visages des gens, les actes, du brouhaha initial des voix de la petite enfance à maintenant – les formules et les tournures qu'il a fallu apprendre, puis utiliser prudemment, jusqu'à ce qu'elles cessent même d'être pensées en parlant, *il est indéniable que, force est de constater que,* etc. – les termes difficiles notés avec leur définition sur un carnet, *anamnèse, épigone, délétère,* etc. – les phrases stupides qu'il aurait mieux valu oublier aussitôt, associées comme des devises à des personnes dont on ne se soucie pas, *À demain-À deux pieds,* des clients du café – les phrases violentes *tu ressembles à une putain décatie* de cet étudiant – j'avais dix-huit ans – plus tenaces que d'autres peut-être à cause de l'effort même pour les refouler quand elles se présentent.

Les paroles qui jaillissent spontanément, en revoyant le lieu où elles ont été prononcées, au point de croire qu'elles sont inscrites de façon invisible sur les murs ou les troncs d'arbres comme sur les pages d'un livre puisqu'il est impossible de leur échapper au moment où l'on passe. *C'est rien moche par ici*, proféré par ma mère alors qu'on traversait en voiture La Chapelle-en-Vexin.

Les chansons qui, à elles seules, sont le temps.

Je m'aperçois que j'ai vécu longtemps comme si ma vie s'écrivait quelque part, rien qu'en vivant. Mais il n'y a rien.

Déplacements du genre autobiographique : les sujets Ernaux

Anne Simon, *CNRS-UMR 7171*

> « [Sartre] fait vivre au lecteur ce double et contradictoire fantasme de transparence, d'ouverture, de vie offerte et, d'autre part, de fermeture, de retrait, de silence sous l'excès d'explications[1]. »

Mon objet d'étude étant le genre autobiographique, je commencerai par le commencement : « Voici le seul portrait d'homme, peint exactement d'après nature et dans toute sa vérité, qui existe et qui probablement existera jamais. » Et Rousseau de poursuivre : « Je forme une entreprise qui n'eut jamais d'exemple et dont l'exécution n'aura point d'imitateur. Je veux montrer à mes semblables un homme dans la vérité de la nature ; et cet homme ce sera moi[2]. »

Sautons un peu plus de deux siècles, et tentons de transposer cet incipit des *Confessions*, puisque Rousseau constitue l'exergue de *Journal du dehors*, « Notre *vrai* moi n'est pas tout entier en nous », et qu'Annie Ernaux précise dans *L'Usage de la photo* : « J'ai cherché une forme littéraire qui contiendrait toute ma vie. Elle n'existait pas encore[3]. » Le palimpseste Rousseau/Ernaux dans ce dernier ouvrage pourrait donner le texte suivant :

« Voici le seul portrait de femme, peint exactement d'après nature, qui est une culture, et dans toute sa vérité. [...] Je forme une entreprise qui eut quelques exemples, mais dont l'exécution, étant personnelle, n'aura point

---

1   Claude Burgelin, 1994, *Les Mots de Jean-Paul Sartre*, Paris, Gallimard, coll. « Foliothèque », p. 39.

2   Jean-Jacques Rousseau, 1968 [1782], *Les Confessions*, t. 1, Paris, GF-Flammarion, p. 39 et 43.

3   Annie Ernaux, 2005, *L'Usage de la photo*, Paris, Gallimard, coll. « Folio », p. 35-36 : *U.*

d'imitateur. Je veux montrer à mes semblables une femme dans la vérité de son parcours social et affectif; et cette femme ce sera moi, inséparable de ses proches et des anonymes qui l'ont *traversée*[4]. »

Ce qui m'intéresse dans cette référence liminaire à Rousseau, ce sont les incipits de nombre d'ouvrages d'Annie Ernaux, incipits qui prennent souvent la forme d'avant-propos, de métatextes, et qui reviennent obsessionnellement sur un désir de transparence, d'immédiateté, de vérité, cette dernière fût-elle fluctuante et soumise à évolutions temporelles. Il s'agit pour l'écrivaine de saisir le moi dans son instantanéité, et l'on se rapproche ici de Proust[5], autre auteur s'étant penché sur l'énigme de ce que peut bien être un sujet, et qui revient encore plus régulièrement, dans l'œuvre d'Annie Ernaux, que la réfé-rence à Rousseau. De fait, ces incipits renvoient justement à ce que Proust nomme « l'intermittence des moi », cette mort continuelle de modalités de notre être, qui pourtant nous constituent dans le présent aussi sûrement que notre moi actuel. Ce projet de rendre compte du caractère éphémère – mais fondateur – de nos multiples identités engendre souvent une écriture prise dans l'actualité, une écriture aussi prisonnière de l'actualité. Dans les pages qui tiennent lieu d'avant-propos au journal narrant la maladie et la mort de sa mère, « *Je ne suis pas sortie de ma nuit* », Annie Ernaux écrit ainsi : « Cette inconscience de la suite – qui caractérise peut-être toute écriture, la mienne sûrement – avait ici un aspect effrayant ». L'écrivaine prend dès lors des pré-cautions constantes dans les pages liminaires de ses textes pour élaborer un « pacte de lecture[6] » clair avec son lecteur, et qui consiste à lui faire prendre conscience (ou à lui faire croire…) que son écriture relève de l'instantané – que le sujet qui s'énonce dès lors dans le texte lu est un sujet déjà passé, un sujet qui n'est plus le sujet-Ernaux actuel… Ce pacte très clairement énoncé par Annie Ernaux n'en est, nous le verrons, que plus complexe. En voici quelques exemples :

> J'écrivais très vite, dans la violence des sensations, sans réfléchir ni cher-cher d'ordre. […] Je les livre [ces pages] telles qu'elles ont été écrites, dans la stupeur et le bouleversement que j'éprouvais alors. Je n'ai rien

---

4   Cf. « Ce sont les autres, anonymes […], qui, par l'intérêt, la colère ou la honte dont ils nous *traversent*, réveillent notre mémoire et nous révèlent à nous-mêmes », 1993, *Jour-nal du dehors*, Paris, Gallimard, coll. « Folio », p. 10 : *JD*.

5   Voir par exemple l'allusion au « kinétoscope » des chambres du début d'*À la recherche du temps perdu* (*U* : 168), ou l'expression « Fascination qui est pour moi plus que jamais celle du temps. » (*U* : 196)

6   Pierre LEJEUNE, 1975, *Le Pacte autobiographique*, Paris, Seuil.

voulu modifier dans la transcription de ces moments où je me tenais près d'elle, hors du temps – sinon, peut-être, celui d'une petite enfance retrouvée –, de toute pensée, sauf : « c'est ma mère »[7].

Poursuivons avec le début d'un autre journal, *Se perdre* :

Je me suis aperçue qu'il y avait dans ces pages une « vérité » autre que celle contenue dans *Passion simple*. [...] J'ai pensé que cela aussi devait être porté au jour.

Je n'ai rien modifié ni retranché du texte initial en le saisissant sur cet ordinateur. Les mots qui se sont déposés sur le papier pour saisir des pensées, des sensations à un moment donné ont pour moi un caractère aussi irréversible que le temps : ils sont le temps lui-même. [...]

Le monde extérieur est presque totalement absent de ces pages. Aujourd'hui encore, il me paraît plus important d'avoir noté, au jour le jour, les pensées, les gestes, tous les détails [...] qui constituent ce roman de la vie qu'est une passion, plutôt que l'actualité du monde, dont je pourrais toujours trouver la trace dans des archives[8].

Je pourrais continuer à l'infini, rappeler par exemple le début de *Journal du dehors*, titre à première vue seulement oxymorique, dans la mesure où la ville nouvelle de Cergy, vierge de tout discours institutionnalisé et légitimant, constitue en profondeur un des « sujets Ernaux ». Ce début du *Journal* ne s'oppose qu'en apparence à la citation de *Se perdre* que je viens de transcrire, et qui fait mention de l'absence du monde extérieur : « J'ai eu envie de transcrire des scènes, des paroles, des gestes d'anonymes, qu'on ne revoit jamais, des graffiti sur les murs, effacés aussitôt que tracés. » (*JD* : 8)

Fausse opposition, dans la mesure où ce commencement du *Journal du dehors* a pour reflet la fin du livre, où l'on comprend qu'Annie Ernaux était en réalité présente partout dans le livre/la ville qu'on vient de parcourir : « Sans doute suis-je moi-même, dans la foule des rues et des magasins, porteuse de la vie des autres. » (*JD* : 107)

Il n'y a donc pas un « sujet Ernaux », mais des sujets, de la petite fille de *La Honte* ou de *La Femme gelée*, à la femme passionnée de *Se perdre* ou de *L'Usage de la photo*. Des sujets, parce que la première coordonnée du moi Ernaux, c'est le temps, avec ses ravages, ses deuils, ses maladies, ses transformations, ses oublis voire ses refoulements qui n'en finissent pas d'exiger

---

7   Annie ERNAUX, 1997, *« Je ne suis pas sortie de ma nuit »*, Paris, Gallimard, coll. « Folio », p. 11 et 13.

8   Annie ERNAUX, 2001, *Se perdre*, Paris, Gallimard, coll. « Folio », p. 15-16.

qu'on témoigne d'eux ; le temps, qui constitue sans doute le propos principal de toute l'œuvre d'Annie Ernaux, propos qui la rapproche tant de Proust. Des sujets, parce que l'autre coordonnée du moi Ernaux, et qui forme en profondeur ce qu'il est difficile de nommer son identité, ce sont les autres. Des autres qui peuvent être « mes femmes à moi », ces aïeules d'un des plus beaux incipits d'Annie Ernaux, celui, anti-baudelairien, de *La Femme gelée*[9] ; qui peuvent aussi être ces « anonymes » pour lesquels a tant de tendresse et de respect l'auteure issue d'une classe sociale oubliée, disparue, forclose, indigne de la « littérature », une classe sociale qui s'avère surtout un monde à part entière.

On comprend que le/les « je » Ernaux s'acharnent à déplacer les données de l'autobiographique : romans, autofictions, récits, autobiographie sur un « événement[10] » ponctuel qui n'en finira pas d'étaler sa durée, journaux intimes, journaux du dehors, auto-sociobiographies[11], tous ces genres qui jonglent avec l'histoire, la sociologie, le « témoignage » (*U* : 40) et l'invention, sans jamais s'arrêter, sont autant de façons de rendre compte d'un « je » tragiquement, souvent passionnément, nomade. Souvenons-nous de l'avant-dernier alinéa d'*Une femme*, fondé sur deux des procédés les plus récurrents de l'écriture d'Annie Ernaux, la (dé-)négation et la comparaison : « Ceci n'est pas une autobiographie, ni un roman naturellement, peut-être quelque chose entre la littérature, la sociologie et l'histoire[12]. »

J'aborderai ce nomadisme identitaire en trois points. Il s'agira tout d'abord de revenir sur le caractère rousseauiste de l'entreprise d'Annie Ernaux : tout

---

9   Annie ERNAUX, 1981, *La Femme gelée*, Paris, Gallimard, coll. « Folio » : *FG*. « Femmes vaporeuses et fragiles, fées aux mains douces, petits souffles qui font naître silencieusement l'ordre et la beauté, femmes sans voix, soumises, j'ai beau chercher, je n'en vois pas beaucoup dans le paysage de mon enfance. Ni même le modèle au-dessous, moins distingué, plus torchon, les frotteuses d'évier à se mirer dedans, les accomodatrices de restes [...]. Mes femmes à moi, elles avaient toutes le verbe haut, des corps mal surveillés, trop lourds ou trop plats [...]. » (*FG* : 9)

10 Sur la question de l'avortement chez les romancières contemporaines, voir Anne SIMON, 2006, « Embryon, femme, médecin : accouchement et avortement chez les romancières contemporaines », in *The Resilient Female Body. Health and Malaise in Twentieth-Century France*, Berne, Peter Lang.

11 Cf. Fabrice THUMEREL, 2003, « Les pratiques autobiographiques d'A. Ernaux », in *L'École des Lettres II*, n° 9, février 2003, p. 1-36 et Isabelle Charpentier, 2006, « Lectrices et lecteurs de *Passion simple* d'Annie Ernaux : les enjeux sexués d'une écriture de l'intime sexuel », in *Comment sont reçues les œuvres*, Paris, Créaphis, p. 119-136.

12 Annie ERNAUX, 1987, *Une femme*, Paris, Gallimard, coll. « Folio », p. 106.

dire[13]. Tout dire, mais pas seulement le moi illusoirement privé : comme chez Rousseau hanté par sa marginalité, ce moi n'est pas dissociable de son insertion dans le social ou de son décalage par rapport au social. Il s'agira donc de dire aussi ces autres qui nous constituent, auxquels nous tentons d'échapper, autour desquels nous ne cessons de tourner. « Je » nomade, le « je » d'Annie Ernaux est avant tout un « je » pluriel, un « je » *traversé*, très proche de ce que Claire de Ribeaupierre, dans un ouvrage émouvant sur Georges Perec et Claude Simon[14], nomme avec d'autres le roman généalogique.

Tout dire ? Ou faire semblant de tout dire pour pouvoir mieux se cacher ? Proche sur ce point de la démarche de Christine Angot dans *L'Inceste* ou *Interview*, l'œuvre d'Annie Ernaux est une œuvre où le moi s'expose, se met perpétuellement en danger, et partant, tente en permanence de se protéger, par une série de procédés littéraires novateurs. Il y a, chez ces deux auteures, une pudeur apparemment inattendue qui forme la trame secrète de leur entreprise. Se prendre comme « objet » d'écriture, en faisant croire qu'on en est le sujet, se mettre à distance dans la plus extrême proximité à soi, tel est le paradoxe sur lequel je reviendrai.

Enfin, je terminerai sur ce qui fonde peut-être *ces* moi, cette identité ou cette quête d'identité si contemporaine : le conflit interne au moi, qui se découvre dans la pratique même de la lutte intérieure, et qui en tout cas n'oublie jamais de se rendre, toutes affaires cessantes[15], à ce « rendez-vous urgent, capital » évoqué par Proust dans *Le Temps retrouvé* – le rendez-vous « avec [soi-même][16] ».

« Ouvrir son espace d'écriture »

« Ouvrir son espace d'écriture est plus violent que d'ouvrir son sexe » (*U* : 62), écrit Annie Ernaux dans *L'Usage de la photo*, « Écrire est une chose publique[17] », précise-t-elle encore dans *La Honte*. De fait, des *Armoires vides*

---

13 Cf. Barbara Havercroft, 2005, « Dire l'indicible : trauma et honte chez Annie Ernaux », in *Roman 20-50*, n° 40, Lille, décembre 2005, p. 119-131.

14 Claire de Ribeaupierre, 2002, *Le Roman généalogique : Claude Simon et Georges Perec*, Paris, Éditions Part de l'œil.

15 « J'avais enfin le droit de me soustraire aux devoirs de politesse, de ne pas répondre aux lettres, aux mails. » (*U* : 75)

16 Marcel Proust, 1989 [1927], *À la recherche du temps perdu*, t. IV, Paris, Gallimard, coll. « Bibliothèque de la Pléiade », p. 564.

17 Annie Ernaux, 1997, *La Honte*, Paris, Gallimard, coll. « Folio », p. 91 : *H*.

aux derniers ouvrages, l'un des objectifs revendiqués d'Annie Ernaux est de dire ce qui ne l'a jamais été, qu'il s'agisse du monde des petits commerçants, qui n'avaient eu droit jusqu'à présent, « au mieux », qu'à la caricature, qu'il s'agisse de la passion pour un parvenu qui dans *Se perdre* fait l'amour en chaussettes, et qui est bien plus que cela – un double, en tout cas au niveau de l'ascension sociale –, qu'il s'agisse enfin du cancer : « […] il avait été surpris devant mon sexe nu de petite fille. Il n'avait jamais entendu parler de cette conséquence de la chimio – mais qui en parle – moi aussi je l'avais ignorée jusqu'à ce que cela m'arrive. » (*U* : 24)

De ce désir découle un style sec, une écriture au couteau qui vient fouailler, fouiller, creuser, scarifier le silence habituel, une écriture « matérielle », hantée et habitée par les choses, où vérité doit rimer avec sincérité, selon une optique, et certes pas un style, rousseauiste :

> Décrire pour la première fois, sans autre règles que la précision, des rues que je n'ai jamais pensées mais seulement parcourues durant mon enfance, c'est rendre lisible la hiérarchie sociale qu'elles contenaient. Sensation, presque, de sacrilège : remplacer la topographie douce des souvenirs, toute en en impressions, couleurs, images (la villa Édelin! la glycine bleue! les buissons de mûres du Champ-de-Courses!), par une autre aux lignes dures qui la désenchante, mais dont l'évidente vérité n'est pas discutable par la mémoire elle-même : en 52, il me suffisait de regarder les hautes façades derrière une pelouse et des allées de gravier pour savoir que leurs occupants *n'étaient pas comme nous*. (*H* : 51)

Il s'agit donc d'opérer un retournement de la vision, pour décrypter, à fleur de matelas[18] ou de murs gribouillés, du sperme ou des graffitis, ces « traces » que la Pythie doit savoir lire pour dévoiler ce qui se cache, volontairement ou non, et dont il faut rendre compte, objectivement, sans « lyrisme » : « je ne connaîtrai jamais l'enchantement des métaphores, la jubilation du style » (*H* : 74), précise Annie Ernaux, pas vraiment nostalgique – elle fait référence aux « romans féminins » des années cinquante plus qu'à Proust... Bref, « à d'autres la poésie, le lyrisme des entrailles déchirées[19] » (*FG* : 140) :

> Je m'aperçois que je suis plus fascinée par les photos comme je le suis depuis mon enfance par les traces de sang, de sperme, d'urine, déposées

---

18 « C'est dans les lits ouverts que j'ai appris à lire les traces » (*U* : 170). On se souvient de l'étonnement jubilatoire de la fillette (*FG* : 71) qui tire de sous le matelas de ses parents une « serviette froissée, empesée de taches par endroits. Objet terrible. Un vrai sacrilège ».

19 À propos de l'accouchement.

> sur les draps ou les vieux matelas jetés sur les trottoirs, les taches de vin
> ou de nourriture incrustées dans le bois des buffets, celles de café ou
> de doigts gras sur les lettres d'autrefois. Les taches les plus matérielles,
> organiques. Je me rends compte que j'attends la même chose de l'écri-
> ture. Je voudrais que les mots soient comme des taches auxquelles on ne
> parvient pas à s'arracher. (*U* : 99)

L'écriture de la trace doit dire le refoulé de la société contemporaine ; mais
elle doit aussi mener l'écrivain, qui en fait partie même marginalement, à
dire ses propres refoulements et ses illusions. L'écriture d'Annie Ernaux se
fait dès lors écriture de la traque, de l'enquête, typique de l'écriture généalogique, typique aussi des époques de transformations sociales et de fins
de mondes – qu'on pense à Bergougnoux, se souvenant des « voix d'éplu-
chures » des magasins d'alimentation de son enfance, désormais disparus.
Michel Foucault, dans ces années où Annie Ernaux commence à publier,
revient sur son désir de rendre compte des voix interdites, forcloses, indignes.
La « littérature », c'est-à-dire l'institution et ses pouvoirs symboliques, n'est
pas ce qui l'intéresse :

> je suis beaucoup plus gêné, en tout cas beaucoup moins impressionné,
> par les écrivains, même les grands écrivains, comme peuvent l'être, par
> exemple, Flaubert ou Proust. [...] je dois dire que je ne me sens pas pris
> ni véritablement bouleversé par la lecture de tels écrivains. Et plus ça
> va, moins je m'intéresse à l'écriture institutionnalisée sous la forme de
> la littérature. En revanche, tout ce qui peut échapper à cela, le discours
> anonyme, le discours de tous les jours, toutes ces paroles écrasées, refu-
> sées par les institutions ou écartées par le temps [...], tout ce langage à la
> fois transitoire et obstiné qui n'a jamais franchi les limites de l'institution
> littéraire, de l'institution de l'écriture, c'est ce langage-là qui m'intéresse
> de plus en plus[20].

Chez Annie Ernaux, et n'en déplaise à Foucault, chez Proust aussi (qu'on
pense aux bruits de Paris, aux cuirs des uns et des autres, aux gaffes linguis-
tiques de ceux dont l'*hexis* et l'*habitus*, tels Bloch, ne sont pas les bons,
aux expressions en voie de disparition de la bonne Françoise comme de la
Duchesse de Guermantes, issues du même monde féodal...[21]), chez Annie
Ernaux donc, on trouve le désir constant, obsessionnel, de « transcrire »

---

20 Michel Foucault, 1994 [1973], « De l'archéologie à la dynastique », in *Dits et Écrits*, t. 2, Paris, Gallimard, coll. « NRF ».

21 Voir Anne Simon, « Proust incognito (Foucault) », in *Proust et les moyens de la connaissance*, Université de Marne la Vallée, à paraître en 2008.

la voix et les paroles des oubliés : mère dans *L'Usage de la photo* (*U* : 109) ou « *Je ne suis pas sortie de ma nuit* », « coiffeuse », « type saoul », « une femme » à la pharmacie ou à l'arrêt de bus (femmes qui pourraient être la femme d'*Une femme...*) dans *Journal du dehors*[22].

> D'autres fois, j'ai retrouvé des gestes et des phrases de ma mère dans une femme attendant à la caisse du supermarché. C'est donc au-dehors, dans les passagers du métro ou du R.E.R., les gens qui empruntent l'escalator des Galeries Lafayette et d'Auchan, qu'est déposée mon existence passée. Dans des individus anonymes qui ne soupçonnent pas qu'ils détiennent une part de mon histoire, dans des visages, des corps que je ne revois jamais. (*JD* : 107)

Mais il s'agit aussi de mettre à nu ses propres trahisons, même si c'est la société qui l'a forcée à trahir, par la magie noire du *double bind*, qui fait que, quoique l'on fasse, stagnation ou ascension sociale, on a tort... Il y a dès lors chez Annie Ernaux, dans cette écriture au couteau, une entreprise de démembrement de ses identités trop stables, trop sages, une volonté de revenir sur ce qui est un pan inaliénable d'elle-même, et qui est désormais bien connu : le surclassement social – je n'y reviens pas. La construction de soi passe par la déconstruction, et plus dangereusement, par la crainte constante de la trahison. Car le paradoxe de l'absolue sincérité et de l'instantanéité, notamment par rapport aux parents, est bien que l'écriture vient figer une image, l'empêcher d'évoluer : qui est la mère d'Annie Ernaux ? Celle, progressiste, opiniâtre, de *La Femme gelée* ? Celle, rivale, mais avec quelle énergie, d'*Une femme* ? Celle, à la robe de chambre tachée, engluée dans sa classe sociale, de *La Honte* (*H* : 117-118) ? Celle, qui défèque et urine sous elle, de « *Je ne suis pas sortie de ma nuit* » ? La solution, pour qui s'acharne à « transcrire » l'instant, à « témoigner », Annie Ernaux l'a compris, c'est la pluralité des focalisations. On comprend dès lors sa pratique constante du redoublement thématique et de la variation générique : au désir forcené de conserver la trace de l'actualité de l'écriture, répond le désir non moins réel de rendre compte de la complexité des identités, de leur transformation dans le souvenir et le vécu. En découlent des livres sans cesse donnés et repris, publiés et republiés sous une autre forme, selon un autre genre, selon d'autres sentiments : des *Armoires vides* à *L'Événement*, de *Passion simple* à *Se perdre*, d'*Une femme* à « *Je ne suis pas sortie de ma nuit* », l'écriture n'en finit pas de tourner et retourner

---

22 *JD* : 61, 63, 70, 87-88. Voir aussi *H* : 74 ou *FG* : 33.

sur ses pas, consciente au final, de façon proustienne, qu'« il n'y a pas de vraie mémoire de soi ». (*H* : 39)

Esthétique de la variation et de la sincérité – « cette scène figée depuis des années, je veux la faire bouger [...] » (*H* : 32)? Ou esthétique du contrôle et de la maîtrise permanente, qui n'est pas sans faire penser à la démarche de Sartre dans *Les Mots*, et à son « style d'acier[23] »? Il n'est pas certain qu'il faille trancher...

« Pas facile de faire loyalement mon parcours »

« Pas facile de faire loyalement mon parcours » (*FG* : 35) écrit Annie Ernaux dans *La Femme gelée*. Non qu'elle ne veuille le faire, sincèrement. Mais l'entreprise de remémoration s'avère singulièrement complexe, puisqu'il faut tenir compte de « la déformation du souvenir » (*U* : 38), puisque le « ça a été » est obligatoirement repris par un sujet qui a ensuite été autre chose, et qui, Barthes l'avait bien compris dans *La Chambre claire*, ne peut se voir dans son passé qu'à partir de ce futur qui est devenu son présent. Une série de procédés littéraires vont dès lors être utilisés pour tenter de rendre compte de ce qui fut, non sans découler sur un imprévu : le masque, l'éloignement de soi, la trahison, qui sont peut-être, tout simplement, des formes larvées mais oh combien compréhensibles, de la pudeur.

« Des années que je crois pleines. Illusion » (*FG* : 49) décrète la narratrice de *La Femme gelée* à propos de sa préadolescence. La réussite époustouflante de ce récit réside sans doute dans la permanente *rature* qu'opère la narratrice au fur et à mesure qu'elle croit avancer dans la compréhension de ce qu'elle fut. Qui est qui dans ce récit situé aux croisements de l'autobiographie, de l'autofiction et du roman[24]? Où se trouve le sujet Ernaux? Dans la fillette au corps bourré d'énergie et de désirs, mêmes frelatés, qui habite le récit[25]? Dans la narratrice adulte qui décrypte les illusions de l'enfance et de l'adolescence? Dans la femme cultivée et embourgeoisée qui, à

23 Claude Burgelin, *op. cit.*, p. 132.

24 Voir Delphine Naudier, 2004, « Annie Ernaux : un engagement littéraire et une conscience féministe », *in* Fabrice Thumerel (éd.), *Annie Ernaux, une œuvre de l'entredeux*, Arras, Artois Presses Université, p. 217 : « Ce livre, d'abord qualifié par l'auteure de "roman", sera à sa demande classé sous la rubrique "Témoignage" de la collection Folio après 1984. »

25 Sur la fillette contemporaine, voir Christine Détrez et Anne Simon, 2003, « Petites filles mal modelées et nouveaux modèles. Figures de la petite fille dans le roman français féminin contemporain », *in Tessera*, Montréal, vol. 35, automne 2003, p. 41-54.

son corps défendant, s'accorde avec sa nouvelle classe sociale pour biffer d'un trait désespéré les joies innocentes de l'enfance? Revenons sur le texte merveilleux qui décrit ce qu'est « une petite fille » en quête permanente de « plaisir » et de « bonheur » (*FG* : 33-35) : éboulement des phrases nominatives, du temps présent, des verbes d'action à l'infinitif (à l'infini) nous lançant dans le pur présent du corps heureux, jouissance de la liberté de ton (« patapoufs, bigleux et grands cons ») et de la jupe qui remonte quand on grimpe « tout en haut du portique », énergie grandiose de la seule chose qui compte pour l'enfant, « oser », tracent à toute allure le portrait d'une fillette libre, en activité permanente. Le lecteur, la lectrice y croient, à cette petite fille, et la narratrice aussi, semble-t-il, pendant deux pages. Mais le verdict tombe, selon le procédé récurrent chez Annie Ernaux qui consiste à sabrer d'un coup ce qu'elle vient d'écrire, à gâcher en quelque sorte son propre plaisir, celui qui fut, et celui qu'elle a eu à écrire ce qui fut : « Je ne savais pas que dans un autre langage cette joie de vivre se nomme brutalité, éducation vulgaire. Que la bonne, pour une petite fille, consiste à ne pas hurler comme une marchande de poisson, à dire zut et mercredi, à ne pas traîner dans la rue. » (*FG* : 35)

Alors certes, la narratrice leur en veut, à ceux qui n'ont pas compris que « le bistrot à clientèle ouvrière, des générations de paysannes au dessus de [soi], ça ne pousse pas tellement à façonner des gamines Ségur[26]. » (*FG* : 35) Bien sûr. Mais le bât blesse. Qui sait si cette « autre langue », rien que d'exister, n'a pas en définitive injurié définitivement le bonheur de l'enfant, puisqu'elle vient désormais le recouvrir, dans la conscience hyper-culturelle de la narratrice? Alors, il faut maîtriser, revenir sur l'enfance, la décrypter, analyser ses enjeux, ses codes arbitraires, ses méconnaissances; il faut, comme écrivaine, se *relire*, encore et toujours[27]. Le paradoxe de ce récit d'enfance est qu'il s'acharne à détruire ce qui fonde l'enfance, et qui se nomme précisément « illusion » – ce que dans le temps, on appelait « innocence », étymologiquement, « ce qu'on ignore ». En ce sens encore, Annie Ernaux s'avère héritière de l'entreprise autobiographique de Sartre :

---

26 Nous rappelons cependant que la gamine Ségur, ce n'est pas simplement la petite fille modèle, au contraire : Sophie, au début de ses fameux *Malheurs*, s'acharne légitimement à démembrer la poupée de cire blonde aux yeux bleus, le fétiche social que son père lui a offert...

27 Annie Ernaux, 2000, *La Vie extérieure (1993-1999)*, Paris, Gallimard, coll. « Folio », quatrième de couverture : « relisant ces pages, je m'aperçois que j'ai déjà oublié beaucoup de scènes et de faits. »

Jamais peut-être il n'a été fait autant de place dans cette restitution d'une enfance à l'explication et à l'intellectualisation. Pourtant, c'est toujours le corps bondissant de Poulou qu'on voit se débattre, tournicoter au Luxembourg, guerroyer dans sa chambre [...][28].

Biffures mais aussi modalisations, négations et épanorthoses vont dès lors hanter le récit d'Annie Ernaux : l'écrivaine ne nous dit quelque chose, qui pourrait bien être une partie d'elle-même, que pour aussitôt nous le retirer (c'est aussi le drame qui fonde la mort de la mère, qui permettait de joindre « la femme que je suis à l'enfant que j'ai été[29] »). Les années que la narratrice de *La Femme gelée* « [croit] » pleines, sont ainsi « minées *sans doute* par des réflexions, les sourires des chochottes, la religion, la découverte d'autres modèles[30]. » (*FG* : 49) En permanence, la vie passée se trouve ainsi soumise au crible du regard de l'adulte écrivant, qui oscille entre le bonheur de restituer l'allégresse, le *staccato* du rythme de l'enfance, qui fut telle *en vérité*, et l'impératif catégorique de l'analyse critique de soi, qui pourrait bien aboutir à une perte du moi enfantin. Comme l'écrit encore Claude Burgelin à propos des *Mots* de Sartre,

> Déchiffrer en virtuose le sens de son enfance, l'enclore dans un lacis promptement noué d'explications perspicaces (et fondées en vérité), c'est faire en sorte qu'elle ne parle plus. La mettre en mots pour la réduire au silence ? Ce pourrait être un des résultats de cette stratégie de la rapidité[31].

À force de penser que l'enfant qu'on a été s'est trouvé floué, enfermé dans une vie qu'il croyait être la sienne mais qui était socialement aliénée[32] ou déterminée, Annie Ernaux comme Sartre aboutissent à une négation d'eux-mêmes – comme s'il y avait une *honte* fondamentale à ne pas savoir, à vivre dans l'instantanéité et la naïveté, bref, à être un enfant...

---

28 Claude Burgelin, *op. cit.*, p. 47.

29 Annie Ernaux, 1987, *Une femme*, éd. cit., p. 106.

30 Je souligne.

31 Claude Burgelin, *op. cit.*, p. 50.

32 En une mise en abyme complexe, Annie Ernaux déchiffre dans ses rédactions d'enfance socialement stéréotypées un « acharnement à se nier »... qui pourrait bien s'avérer précisément un trait permanent d'elle-même (Annie Ernaux, 1998, « J'ai conservé mes rédactions d'élève », in *Les Cahiers pédagogiques* : « Lire et écrire à la première personne », n° 363, avril 1998, p. 9).

Cette entreprise de distanciation trouve son accomplissement dans le passage du « je » au « elle », obsédant dans *La Honte*, et qui rappelle très exactement Perec, Claude Simon, Sartre, Barthes (*La Chambre claire*) ou Patrick Modiano, fascinés par des photos, des représentations d'eux-mêmes, de vagues traces dans lesquelles ils ne peuvent *se* reconnaître :

> De cette année-là, il me reste deux photographies.
> [...] On voit une fille au visage plein, lisse, des pommettes marquées, [...].
> Un visage de petite fille sérieuse [...]. Elle est agenouillée sur un prie-dieu [...]. Impression qu'il n'y a pas de corps sous cet habit de petite bonne sœur parce que je ne peux pas l'imaginer, encore moins le ressentir comme je ressens le mien maintenant. Étonnant de penser que c'est pourtant le même aujourd'hui. (*H* : 23-24)

> [...] Je regarde ces photos jusqu'à perdre toute pensée, comme si, à force de les fixer, j'allais réussir à passer dans le corps et la tête de cette fille qui été là, un jour, sur le prie-dieu du photographe, à Biarritz, avec son père. Pourtant, si je ne les avais jamais vues, qu'on me les montre pour la première fois, je ne croirais pas qu'il s'agisse de moi. (Certitude que « c'est moi », impossibilité de me reconnaître, « ce n'est pas moi »). (*H* : 26)

La prose alors, du début du parcours d'Annie Ernaux à sa plus contemporaine actualité, ne cesse de courir après ces absences, ce temps perdu ou passé, ce temps qu'on croyait avoir vécu mais qui signifiait autre chose que ce qu'on vivait. Même dans le présent, l'apparente exposition de soi se fait retrait, éloignement, méfiance, esquive. Il est vrai que la douleur et la maladie ne peuvent peut-être se dire qu'au passé ; et qu'il est une pudeur vertigineuse dans les photos exposées, commentées, situées, répertoriées de *L'Usage de la photo*, qui toutes masquent en transparence, non pas l'acte amoureux entre Marc Marie et Annie Ernaux, qui se révèle en creux, mais la terrible maladie, qui est sans doute, aussi, le thème principal du récit[33]. Une maladie pourtant aussi dévoilée dans ses *realia* les plus taboues, par d'objectifs et d'autant plus brutaux coups de projecteurs, une maladie dépassée ou intégrée dans la vie par la puissance de l'amour et de l'érotisme, mais dont la douleur, souffrance physique extrême ou morale, nous est celée. De même Christine Angot nous parle des résultats de l'inceste, mais, en détail, jamais de l'inceste en tant que tel.

---

33 Voir Shirley JORDAN, 2007, « Improper Exposure : *L'Usage de la photo* by Annie Ernaux and Marc Marie », in *Journal of Romance Studies*, 7 (2), Summer 2007, p. 123-141.

Et pour cause : « Quand je regarde nos photos, c'est la disparition de mon corps que je vois. » (*U* : 146) Car *ça*, à tous les sens du terme, ne nous regarde pas : « En écrivant, très vite s'est imposé à moi la nécessité d'évoquer "l'autre scène", celle où se jouait dans mon corps, absent des clichés, le combat flou, stupéfiant – "est-ce moi, est-ce bien moi, à qui cela arrive?" – entre la vie et la mort. » (*U* : 16)

« L'émotion » est contenue, comme déjà elle l'était dans *Journal du dehors*[34] ; du cancer, de la souffrance, le lecteur n'aura, comme Annie Ernaux avec ses identités, que des traces, des marques, de hiéroglyphes, à charge pour son cœur de savoir les déchiffrer :

> La chimio, la radiothérapie rendaient impossible le moindre déplacement à l'étranger. [...]
> Quand cette photo a été prise, j'ai le sein droit et le sillon mammaire brunis, brûlés par le cobalt, avec des croix bleues et des traits rouges sur la peau pour déterminer précisément la zone et les points à irradier. (*U* : 109)

C'est que cette souffrance aussi, le sujet Ernaux n'en veut pas, se refuse à elle. Il la congédie, la modèle à sa guise, dans une véritable entreprise de libération, puisqu'il s'agit de faire du cancer une « maladie aussi romantique qu'autrefois la tuberculose. » (*U* : 122) Cette souffrance ne fait pas moins retour, pour le lecteur ou la lectrice, dans les marges de l'instantané, dans les creux que dessinent les vêtements éparpillés sur le sol, et qui sont, eux aussi, une forme parmi d'autres des sujets Ernaux. Une forme fantomatique mais réelle, proche de l'ectoplasme ou de la sécrétion de soi, une forme douloureuse qui ne nous est donnée que dans la façon par laquelle Annie Ernaux s'en échappe, avec la plus tenace volonté :

> Pendant des mois, mon corps a été investigué... Je me rends compte maintenant que je n'ai vu ni voulu voir quoi que ce soit du *dedans*, de mon squelette et de mes organes. Je devais me demander à chaque examen ce qu'on allait trouver *de plus*. (*U* : 194)

---

34 « J'ai évité le plus possible de me mettre en scène et d'exprimer l'émotion qui est à l'origine de chaque texte. Au contraire, j'ai cherché à pratiquer une sorte d'écriture photographique du réel, dans laquelle les existences croisées conserveraient leur opacité et leur énigme. [...] Mais finalement, j'ai mis de moi-même beaucoup plus que prévu dans ces textes [...]. » (*JD* : 9)

Écrire est un verbe transitif :
les voix narratives de Nancy Huston

Diana Holmes, *Université de Leeds*

La fonction du roman en France ne semble plus être celle de raconter des histoires. Au XIXᵉ siècle, et encore pendant la première partie du vingtième, le roman répondait à la fois à la demande généralisée pour des récits, des fictions, des expériences imaginaires, et au désir d'explorer les rapports entre la vie individuelle et la collectivité dans un monde de plus en plus laïc, de moins en moins explicable par la volonté divine. Les romans réussis faisaient entrer leurs lecteurs dans un monde dont la cohérence, la « significativité[1] » totale donnaient l'impression satisfaisante de mieux comprendre la vie, et où l'évocation de personnages et de lieux connus ou inconnus, la narration d'une suite bien agencée d'événements offraient une sortie temporaire du désordre ou de la banalité de la vie quotidienne. La qualité de l'intrigue, la capacité du romancier de nous faire sortir de nous-mêmes, étaient des éléments essentiels. Actuellement l'intrigue semble être dévalorisée – dans les mots du critique Peter Brooks « reading for the plot (is) disdained as the element of narrative that least sets off and defines high art[2] » (« l'élément du roman considéré comme le moins "littéraire", c'est l'intrigue[3] »). Cela me semble être le cas encore plus en France qu'ailleurs : dans le domaine littéraire anglophone, par exemple, les romanciers les plus estimés exhibent cette autoréflexivité qui marque le fait que l'âge d'innocence du roman est révolu, mais en même temps ils continuent, pour la plupart, à inventer

---

1   C'est-à-dire le fait que chaque élément du récit signifiait pleinement, à la fois sur le plan mimétique, contribuant à la création d'un monde fictif reconnaissable et « réel », et sur le plan métaphorique.

2   Peter BROOKS, 1984, *Reading for the Plot, Design and Intention in Narrative,* Oxford, Clarendon Press, p. 4.

3   Notre traduction.

des personnages qui vivent des histoires fortement dramatisées dans des lieux mémorables. Au Royaume-Uni, nous pourrions citer, parmi d'autres, les romans de Pat Barker, Antonia Susan Byatt, William Boyd, Sebastian Faulks, Zadie Smith ; en Amérique du Nord ceux de Margaret Atwood, Siri Hustvedt, Paul Auster, John Updike, Toni Morrison ; en littérature anglophone indienne Vikram Seth, Anita Desai, Arundhati Roy. Quoiqu'il existe certainement des contre-exemples, il m'arrive très rarement de lire un roman français contemporain pour le plaisir de son intrigue, ou pour avoir cette sensation agréable de *me faire raconter une histoire*. Parmi les contre-exemples, il faudrait citer bien sûr Fred Vargas, certains romans d'Anna Gavalda, d'Alice Ferney et surtout... l'œuvre de Nancy Huston.

Avant de passer aux romans de Nancy Huston, nous devrions quand même nous poser la question – pourquoi. Qu'est-ce qui a mené à cette dévaluation si marquée de l'intrigue et de l'art de *raconter* en France ? On pourrait y consacrer un livre entier, mais un résumé rapide doit souligner en particulier le *Nouveau Roman* (sa théorie comme sa pratique), l'influence de Barthes, et en ce qui concerne les écrivaines (notre point de mire aujourd'hui), le phénomène de l'*écriture féminine*. Les années cinquante ont certainement été l'*ère du soupçon*[4] en ce qui concerne le roman : c'est en France surtout que les modes consacrés de narrer le monde ont été mis en question, et que la prétendue transparence du réalisme a été soumise à une critique rigoureuse, et condamnée comme faisant partie d'une vision conservatrice et mystificatrice du monde. Après Robbe-Grillet, Sarraute, Butor, il est devenu encore moins possible qu'au temps de Valéry de raconter la sortie de la Marquise à 5 heures, du moins si l'on voulait être pris au sérieux comme romancier (alors que le roman « populaire » et – mot intraduisible – *middlebrow*, c'est-à-dire celui que continuait à lire la majorité des lecteurs, n'a jamais cessé de raconter). Roland Barthes – malgré son appréciation profonde des romans du XIXᵉ siècle – a mené encore plus loin la séparation entre les qualités littéraires du roman et la narrativité au sens habituel du terme : « Le Roman est une Mort : il fait de la vie un destin, du souvenir un acte utile et de la durée un temps dirigé et significatif[5] ». Le « texte de plaisir » ou texte *lisible*, celui qui nous faisait passer dans un monde imaginaire sans trop nous occuper du discours intermédiaire, était « lié à une pratique *confortable* du texte »

---

4 Nathalie SARRAUTE, 1956, *L'Ère du soupçon*, Paris, Gallimard.

5 Roland BARTHES, 1953, *Le Degré zéro de l'écriture* suivi de *Nouveaux Essais critiques*, Paris, Seuil, p. 59.

(le confort étant une qualité indiscutablement bourgeoise), alors que le texte de jouissance, le texte *scriptible* avait la vertu combien plus tonifiante de « déconfort[er]… [de faire] vaciller les assises historiques, culturelles, psychologiques du lecteur[6] ». Le texte de jouissance, par ailleurs, celui que nous devrions aimer, était défini comme « absolument intransitif[7] » : ce n'est pas le « contenu » (intrigue, personnages, évocation de lieux, de sentiments, de relations) qui comptait, mais le langage lui-même, opaque plutôt que transparent. Pas étonnant alors que Nancy Huston, étudiante de Barthes à Paris dans les années soixante-dix, affirme : « il a fallu que Barthes meure en 1980 pour que je saute le pas et écrive mon premier roman. Comme si mon surmoi théorique avait disparu avec lui[8] ».

Dans le même entretien, Nancy Huston parle du mouvement des femmes (dont elle a fait pleinement partie) comme d'une influence positive et *autorisante* (en anglais *empowering*), en ce qui concerne l'écriture : « c'est le mouvement des femmes qui m'a ramenée à l'écriture […] grâce à l'amitié et à l'enthousiasme qui régnaient dans ces groupes, l'écriture est devenue pour moi un bonheur au lieu d'un douloureux défi » (*ITW*). Il est facile d'imaginer que, dans un milieu littéraire fortement dominé par le « premier sexe », le féminisme ait soutenu et encouragé celles qui avaient envie d'écrire – mais le féminisme a aussi contribué à l'ambiance généralement anti-histoire, anti-intrigue de l'époque. Premièrement, il y a eu cette volonté militante d'assumer et de réinterpréter toutes ces qualités assignées de manière péjorative à la littérature féminine : les femmes ne savent que parler d'elles-mêmes ? Eh bien vous allez voir : nous parlerons de nos corps, de nos désirs, de nos relations avec les hommes et entre nous… et comment ! L'autofiction est devenue le genre féminin principal en France. Deuxièmement, la langue elle-même, comme les genres déjà établis, était empreinte de la domination masculine, du pouvoir patriarcal : selon les théories désignées (du moins dans les cultures anglophones) comme celles de *l'écriture féminine*, il fallait créer une langue nouvelle, un discours féminin tout autre… et donc sortir des chemins habituels du roman (entre autres genres). Troisièmement, les féministes du mouvement des années soixante-dix étaient, elles aussi, de la génération pour qui une vraie politique de gauche impliquait forcément le

---

6 Roland Barthes, 1973, *Le Plaisir du texte*, Paris, Seuil, p. 25.

7 *Id.*, p. 83.

8 Nancy Huston, 2001, « *Interview avec* Catherine Argand », *Lire.fr*, mars 2001, http://www.lire.fr/entretien.asp/idC=36870&idTC=4&idR=201&idG=:*ITW*.

refus des genres bourgeois : le roman traditionnel, le roman réaliste dans lequel primait l'intrigue, était non seulement fortement associé à la montée de la classe bourgeoise, mais en plus – avec sa conviction de pouvoir tout voir, tout comprendre, tout dire – le roman était l'un des genres les plus masculins[9]. Tout cela explique peut-être en partie pourquoi il y a chez les romancières françaises contemporaines une telle prédominance de textes qui relèvent plus ou moins de l'autofiction (forte dimension autobiographique, voix narrative unique et intra-diégétique, structure plus confessionnelle que strictement narrative), comme par exemple chez Christine Angot, Nina Bouraoui, Annie Ernaux, Régine Detambel, Camille Laurens, Lorette Nobécourt, et la liste est loin d'être exhaustive. Parmi elles, d'ailleurs, des écrivaines merveilleuses – mais à la différence du roman proprement narratif, leurs romans n'offrent que l'esquisse d'une intrigue, s'intéressent peu à l'identité ou à la perspective des personnages en dehors de la narratrice (c'est leur effet sur elle qui compte), s'intéressent beaucoup plus à l'expérience subjective et aux rapports entre cette expérience et le langage qu'à la création d'un monde imaginaire pluridimensionnel.

Nancy Huston, elle, est une raconteuse. Si elle écrit directement sur sa propre expérience, c'est dans ses essais, c'est-à-dire dans ses textes non fictifs. Ses romans, en revanche, témoignent de ce qu'elle définit dans *Lettres parisiennes* comme « la joie absolue de dire "je" à la place de quelqu'un d'autre[10] », et dans *Professeurs de désespoir* (au cours d'une critique tranchante de ce qu'elle définit comme le *credo* littéraire de Christine Angot) comme la raison d'être du roman même : « l'imagination [...], la transformation, la sublimation, la transfiguration, l'invention, la miraculeuse présence des autres[11] ». Son nomadisme est à la fois biographique – naissance et enfance au Canada, adolescence aux États-Unis, bref séjour linguistique à Paris devenu exil permanent – et littéraire : ses romans voyagent entre Paris et la Californie, passent des plaines de l'Alberta en Israël, de New York en Pologne. Ils voyagent également dans le temps : *L'Empreinte de l'ange* se situe à Paris au moment de la guerre d'Algérie, *Instrument des ténèbres* se passe entre la France du XVIIe siècle et le New York de la fin du XXe siècle,

---

9 La seule romancière française du XIXe siècle à être incluse dans la version canonique de l'histoire littéraire française est George Sand (et encore...) ; et Sand écrivait en dehors des codes du réalisme.

10 Nancy HUSTON, Leïla SEBBAR, 1996, *Lettres parisiennes : histoires d'exil,* Paris, Bernard Barrault, p. 212.

11 Nancy HUSTON, 2004, *Professeurs de désespoir*, Arles, Actes Sud, p. 322.

Cantique des plaines s'étend sur quasiment un siècle. Pas la moindre trace d'autofiction.

Pour Nancy Huston, comme d'ailleurs pour certains de ses personnages, le plaisir de la fiction réside dans le fait qu'elle permet de dépasser certaines limites inhérentes à la condition humaine, puisqu'elle permet de transcender la situation contingente de chaque individu, et de sortir de la singularité de chaque conscience. Quand Line, héroïne du roman *La Virevolte*, découvre la fiction à l'âge de quatre ans grâce à un théâtre de marionnettes, elle ressent « un soulagement inouï » et s'exclame, ravie : « Il y a donc un autre monde ?[12] ». La narratrice d'*Instruments des ténèbres*, elle-même romancière, loue la joie de pouvoir « voler à travers non seulement le temps mais l'espace, l'espace sans fin[13] ». Pour Nancy Huston elle-même, dans l'essai *Nord perdu*, la possibilité d'aller au-delà de la conscience individuelle est non seulement une source de plaisir énorme, mais aussi la garantie d'une valeur éthique propre au roman :

> La littérature nous autorise à repousser ces limites, aussi imaginaires que nécessaires, qui dessinent et définissent notre moi. En lisant, nous laissons d'autres êtres pénétrer en nous, nous leur faisons la place sans difficulté – car nous les connaissons déjà. Le roman, c'est ce qui célèbre cette reconnaissance des autres en soi, et de soi dans les autres. C'est le genre humain par excellence[14].

En quoi le fait de créer des mondes fictifs riches et plausibles, peuplés de subjectivités à la fois reconnaissables et étrangères, constitue-t-il à la fois un plaisir et une valeur éthique ? La vision du roman que défend Nancy Huston correspond à celle du critique Peter Brooks, qui dans son étude *Reading For the Plot* définit ainsi la fonction de l'intrigue romanesque :

> Narrative is one of the ways in which we speak, one of the large categories in which we think. Plot is its thread of design and its active shaping force, the product of our refusal to allow temporality to be meaningless, our stubborn insistence on making meaning in the world and in our lives[15].

> [Le récit est l'une des modalités du discours, l'une des grandes catégories en fonction desquelles nous pensons le monde. L'intrigue est sa force motrice et formatrice, le produit de notre refus de permettre à la temporalité

---

12 Nancy Huston, 1994, *La Virevolte*, Arles, Actes Sud, p. 44.

13 Nancy Huston, 1996, *Instruments des ténèbres*, Arles, Actes Sud, p. 12 : *IT.*

14 Nancy Huston, 1999, *Nord perdu*, Arles, Actes Sud, p. 107.

15 Peter Brooks, *op. cit.*, p. 323.

de rester sans signification, de notre volonté absolue de faire signifier le
monde et nos vies[16].]

Plus que n'importe quel autre genre, le roman permet de dépeindre le
rapport complexe et inévitable entre l'Histoire et l'histoire individuelle, entre
le social et le subjectif, la collectivité et la vie privée. Le personnel – ce fut
l'une des mantras du mouvement féministe – est toujours et forcément politique. Dans *Cantique des plaines*, la narratrice Paula décide de reconstruire
la vie de son grand-père récemment décédé, à partir des manuscrits presque
illisibles dont elle a hérité. Puisque Paddon est le fils d'une famille d'immi-
grants, installée dans les plaines de l'Alberta à la fin du XIXe siècle, sa vie
s'étend sur presque tout le XXe siècle et sur l'histoire coloniale du Canada. Ni
les rapports difficiles de Paddon avec ses parents et sa femme, ni ses frus-
trations intellectuelles, ni ses amours avec Miranda qui, elle, est du peuple
colonisé, ne sont compréhensibles en dehors de l'histoire de la colonisation
du pays, ni de son vaste paysage à la fois beau et hostile. Les tentatives de
Paula – narratrice intra-diégétique – de tracer cette vie imbriquée dans son
époque comme dans son milieu mettent en lumière le projet (mi-déchif-
frage, mi-imagination) du roman lui-même. Cette vie que Paddon vit comme
un échec trouve sa signification dans le récit : sa vie se révèle comme l'un
des multiples fils qui tissent l'histoire d'un pays et d'un siècle, et qui laisse
des traces. Inversement, l'histoire de l'Alberta se raconte dans sa complexité
à travers la vie d'un seul individu. Dans *L'Empreinte de l'ange*, situé dans le
Paris des années cinquante, les retombées du nazisme en Europe, et celles
de la colonisation de l'Algérie, forment et déforment la vie des deux amants
dont le coup de foudre réciproque déclenche le drame central de l'intrigue.
Les romans de Nancy Huston réaffirment l'une des capacités uniques du
genre : celle d'envisager les événements de l'Histoire du point de vue complexe et contradictoire du vécu, et en même temps de révéler l'imbrication
étroite de la vie individuelle dans l'histoire collective.

Si les romans de Nancy Huston sont essentiellement *transitifs*, racontant
des vies enracinées dans le temps et dans l'espace, ils ne prétendent pas
pour cela à l'innocence narrative. À une époque laïque et sceptique même
vis-à-vis de la science, l'omniscience narrative est forcément problématique :
il n'y a pas de perspective absolue et neutre, le lecteur se pose la question
« qui parle ? », « qui me raconte cette histoire et de quel point de vue ? » Dès
le premier roman de Nancy Huston, la question de la voix narrative est mise

---

16 Notre traduction.

au premier plan : dans *Les Variations Goldberg*[17] (1981), trente personnes se réunissent pour un concert, et la narration consiste en trente monologues intérieurs, perceptions, réflexions, souvenirs, qui bien sûr s'entrecroisent, s'imbriquent, se contredisent ou se confirment, pour former un réseau d'histoires et le portrait d'un certain milieu et d'un certain moment. Cette technique de la polyphonie se retrouve sous différentes formes dans *Prodige* (1999), *Dolce Agonia* (2001), *Une adoration* (2003) et *Lignes de faille*[18] (2006). Dans d'autres romans, il s'agit d'un narrateur intra-diégétique principal, mais dont la narration s'ouvre sur d'autres voix (*Cantique des plaines*, 1993, et *Instruments des ténèbres*, 1996). Mais quoi qu'on fasse, derrière les techniques narratives entendues, sophistiquées, erre le fantôme de ce personnage apparemment démoli par les théoriciens du nouveau roman : le narrateur omniscient. Quoi de plus incompatible avec la conscience laïque de la postmodernité que la voix omnisciente et omnipotente du narrateur-dieu. Et pourtant, celui ou celle qui invente un monde fictif détient, qu'il le veuille ou non, le pouvoir de déterminer la nature et le destin de ses personnages. Il est vrai aussi que du point de vue du lecteur de romans, le plaisir découle en partie de l'agencement de tous les éléments du récit en vue d'une signification peut-être complexe mais quand même cohérente, ce qui implique la présence d'une vision totalisante. Dans certains de ses romans, Nancy Huston relève pleinement le défi de cette question de l'omniscience narrative. Dans *L'Empreinte de l'ange*, un narrateur engagé, convaincu de la nécessité de faire entendre son histoire, annonce dès le début sa présence : « donnez-moi la main, donnez-moi la main, n'ayez crainte, je resterai à vos côtés[19] ». Dans *Une adoration*, la romancière intervient de temps en temps, parfois pour interpeller ses lecteurs : « Si je ne sais rien de vous, comment vous convaincre de ce qui me tient le plus à cœur ? Comment vous confier ce que je possède de plus cher au monde, la vie de mes personnages[20] ? ». Et dans *Dolce Agonia,* la voix narrative est carrément celle de Dieu : « Ah, mes chers humains… Comment cela m'enchante de les voir patiner et patauger[21] ». Dieu ouvre le roman et présente les personnages, tout en avouant qu'il trouve « ardu » d'épouser la temporalité humaine. Dans les chapitres qui

---

17 Nancy Huston, 1981, *Les Variations Goldberg*, Paris, Seuil.

18 Nancy Huston, 2006, *Lignes de faille,* Arles, Actes Sud.

19 Nancy Huston, 1998, *L'Empreinte de l'ange,* Arles, Actes Sud, p. 9.

20 Nancy Huston, 2003, *Une adoration,* Arles, Actes Sud, p. 222.

21 Nancy Huston, 2001, *Dolce Agonia,* Arles, Actes Sud, p. 14.

suivent, il arrive quand même à suivre un temps narratif linéaire et à respecter la focalisation forcément subjective et située dans le temps qui correspond à la réalité humaine – mais entre chaque chapitre, Dieu intervient pour raconter sur le mode proleptique la manière dont va se terminer la vie de chaque personnage, la manière dont il les « prend à lui ». Dans un premier temps, la voix narrative de Dieu représente une sorte de défi ironique devant la vue critique – orthodoxe depuis « l'ère du soupçon » – qui déclare impossible la narration omnisciente. La présence visible ou audible de Dieu met en évidence le pouvoir inaliénable du romancier vis-à-vis de son monde et permet de répondre au désir du lecteur de romans de connaître le dénouement de l'histoire, d'en imaginer la totalité et ainsi de « faire signifier le monde[22] ». Nancy Huston arrive, d'ailleurs, à ajouter cette dimension d'autoréflexivité sans pour autant briser l'illusion fictive : le fait que ce soit Dieu qui nous raconte l'histoire n'affaiblit pas du tout le désir de savoir ce qui va se passer (« what happens next »).

La polyphonie reste quand même la technique de prédilection de Nancy Huston : même dans *Dolce Agonia*, l'omniscience du narrateur permet surtout de passer de conscience en conscience, d'une subjectivité à l'autre. L'intrigue, à première vue, est mince : concentré en une seule nuit, le roman raconte un dîner de *Thanksgiving* qui réunit douze convives chez leur hôte, le poète irlandais Sean O'Farrell, dans une petite ville universitaire de la Nouvelle Angleterre. Donc préparation du dîner, arrivée des invités, consommation du repas, chute de neige qui les empêche de partir et les oblige à dormir là jusqu'au matin. Mais tout au long du récit on passe imperceptiblement de personnage en personnage, de manière à ce qu'on en vienne à les « connaître » tous, dans leur singularité et dans leurs rapports complexes les uns avec les autres. Chacun perçoit différemment les menus événements de la soirée; chacun les brode de sensations physiques, de réactions affectives, de réflexions et (surtout) de souvenirs : la simple occasion d'un dîner entre amis permet de capturer la texture multidimensionnelle de l'expérience et de mettre au jour une pluralité de trajectoires temporelles et spatiales qui se croisent durant quelques heures. Il n'y a ni bons ni méchants : celui qu'on voit comme bête, égoïste ou insensible vu de la perspective d'un autre personnage échappe à ces étiquettes dès qu'on le voit de l'intérieur. Et c'est là en partie la valeur « éthique » du roman : c'est en parlant justement de ce roman-ci que Nancy Huston explique que

---

22 Peter BROOKS, *op. cit.*, p. 323.

ce fut « un de [s]es grands plaisirs [...] de passer d'une tête à l'autre avec aisance, en trouvant tout aussi compréhensible et aimable celui qui juge et celui qui vient d'être jugé rapidement, méchamment. [Elle] n'aime pas la littérature sarcastique » (*ITW*). Ailleurs dans son œuvre, le fait même de narrer, de se transporter en imagination chez l'Autre, est doté d'un certain pouvoir salvateur. Grâce à ce « collier de mensonges magiques[23] » qu'est le récit de la vie de Paddon, Paula se réapproprie son passé à elle et son pays : « Cette contrée est donc à moi, enfin[24] ». Dans *Instruments de ténèbres*, le pouvoir réparateur du récit est au cœur du roman : c'est en inventant l'histoire d'une petite paysanne dans la France de Louis XIV que la narratrice, la romancière Nadia, se retrouve et échappe au pessimisme et à la haine d'elle-même et d'autrui, qui jusque-là stérilisaient sa vie.

Dans une sorte de brève mise en abyme, Nadia (*Instruments des ténèbres*) rencontre un ancien amant, père (d'ailleurs) de son enfant avorté, devenu depuis critique littéraire, et dont le cerveau « a absorbé tant de théorie française contemporaine (Lacan, Barthes, Derrida *et alii*) qu'il ne croit plus à la réalité : tout est Discours » (*IT* : 187). Pour Martin, le roman qui compte c'est celui qui peut être lu en fonction de l'impératif suivant : « Vous qui entrez ici, laissez toute espérance de réalité ; le monde dans lequel vous pénétrez est purement verbal, fait de signifiants sans signifiés, de juxtapositions arbitraires et d'expériences formelles » (*IT* : 188). Or les romans de Nancy Huston, y compris *Instruments des ténèbres*, insistent sur le signifié de chaque signifiant, sur la transitivité du discours et en particulier du discours romanesque. Ce sont des textes de plaisir, au sens où le récit invite le lecteur aux plaisirs du suspens, de l'identification, de l'engagement affectif, et à travers ces plaisirs-là, à la « reconnaissance des autres en soi, et de soi dans les autres », comme à la tentative de faire signifier le monde.

---

23 Nancy HUSTON, 1993, *Cantique des plaines*, Arles, Actes Sud ; Montréal, Leméac, p. 271.
24 *Id.*, p. 20.

La traversée du genre : le héros-narrateur chez les romancières contemporaines

Anne N. Mairesse, *Université de San Francisco*

Qu'un auteur prête sa voix à une narratrice et choisisse une femme comme héroïne de son roman ne constitue pas en soi un phénomène extraordinaire. À l'inverse, les romancières qui empruntent la voix d'un héros-narrateur masculin sont aussi rares que précieuses pour aborder la problématique du genre (*gender*). Ainsi, la traversée ou le détournement de genre d'auteures nous engagent à des considérations sur la reconnaissance identitaire par le sexe dit biologique mais aussi social, selon une volonté de déplacement ou de décentrement de l'identité en question.

Notre tâche consiste donc à présenter l'œuvre de deux romancières, Anne Garréta et Lydie Salvayre, dont l'écriture exemplifie ou dissimule les traces d'une traversée et d'un détournement de genre jusqu'à ce que celles-ci s'atténuent ou s'effacent. Au risque de tomber dans une catégorisation réductrice de leurs ambitions littéraires, ajoutons qu'elles constituent, chacune à leur façon, un témoignage identitaire d'un genre socioculturel et politique nouveau qui, tout en rappelant la trop fameuse guerre des sexes, contribue à mieux en marquer, à notre époque, les limites ou les fins.

C'est le cas d'Anne Garréta qui, dans *Sphinx*[1], efface toute référence, toute trace d'appartenance à un genre masculin ou féminin, mâle ou femelle dans la totalité de son roman. L'expérience est d'autant plus remarquable que l'auteure s'acquitte, dans le même geste, de la règle d'une contrainte sémantique qui s'impose à tout membre de l'Oulipo qui se respecte, et dont elle a le privilège de faire partie. Anne Garréta joue le jeu particulièrement difficile

---

1 Anne Garréta, 1986, *Sphinx*, Paris, Grasset : *S.*

en langue française qui consiste à éliminer, par exemple, tout adjectif épi-
thète ou attribut qui s'accorde avec le sujet-narrateur ainsi que tout pronom
objet direct placé avant le verbe dont l'accord du participe passé révélerait
fatalement son appartenance au féminin. Le narrateur se présente au lecteur
comme n'étant ni homme ni femme, ou devrions-nous dire plus humaine-
ment – toute référence métonymique au sphinx mise à part – aussi homme
que femme, ou inversement, aussi femme qu'homme. Le narrateur désigne
l'autre de sa relation par l'initiale A suivie de trois étoiles [A***] signifiant
à la fois l'indifférenciation du genre grammatical et celle de toute identité
socio-sexuelle.

Un premier extrait de *Sphinx* met en évidence l'absence de toute référence
au sexe grammatical. Cette absence permet de débusquer les stéréotypes
traditionnels qui tendent à caractériser l'homme ou la femme sur le plan
physique et mental :

> A***, de toute la troupe, me marquait la plus vive sympathie. [...] J'entrais
> dans sa loge peu après son arrivée, apportant souvent une marque de
> mon attachement : des fleurs, une photo [...] Je m'émerveillais des soins
> que requiert un corps pour paraître toujours lisse, imberbe, souple et sans
> fracture, en un mot, angélique. A*** esquissait toujours quelques pas de
> danse pour mon égoïste plaisir avant de quitter sa loge. (*S* : 24-25)

L'absence de genre interpelle le lecteur sur les références traditionnelles à
la différence des sexes : qui, de l'homme ou de la femme en général offre
des fleurs? Qui s'introduit dans une loge d'artiste pour assister à une séance
de maquillage? Qui en général s'émerveille devant un corps lisse, souple
et imberbe? Mais à qui ce corps imberbe appartient-il? Enfin, qui exécute
quelques pas de danse pour le plaisir égoïste d'un(e) admirateur/rice? Plutôt
que de se laisser aller à deviner le genre des protagonistes en fonction d'un
rôle masculin ou féminin stéréotypé, et bien que la tentation soit inévitable
en certains points de lecture du roman, on se prêtera ici au jeu d'une traversée du genre par l'inversion de ces rôles socio-sexuels, sexués ou sexistes
qui soutiennent les changements de mentalités cherchant à établir que ce
n'est pas un homme mais une femme qui lui offre des fleurs; que c'est une
femme qui s'émerveille devant la beauté de l'artiste; que l'homme a un
corps lisse, souple et imberbe; que c'est lui qui exécute quelques pas de
danse pour séduire. Or force nous est de constater que la traversée de genre
qui souligne les stéréotypes en question ne les élimine pas pour autant. Au
contraire, en statufiant traditions et coutumes établies, elle les rappelle ou
les met en valeur. D'autre part, elle fait apparaître d'autres stéréotypes tels

que l'homosexualité masculine par la féminisation de l'homme, ou la relation lesbienne par la masculinisation de la femme puisque toute référence à l'orientation sexuelle d'un individu dénote un comportement homophobe, ce qui n'échappe pas à Anne Garréta.

Mais *Sphinx* ne se limite pas à une œuvre de genre, c'est une œuvre romanesque, une histoire d'amour qui, conformément à l'adage « il n'y a pas d'amours heureuses » ou « d'amour sans histoires », en raconte les difficultés et l'échec. *Sphinx* est conçu sur la base d'un schéma tout à fait classique qui fait état de l'amour naissant, de sa maturité et de sa disparition. En cela le roman se prête à une déconstruction de la relation amoureuse dont nous observons trois périodes signifiant successivement l'attente, l'usure, puis la faillite de la relation en question :

1. L'attente et la demande d'amour

Je voulais A***, oui, et tous mes autres désirs, besoins, projets pâlissaient auprès de celui-ci. Brusquement, la nécessité de la possession amoureuse s'empara de moi.
Je me surpris à désirer, douloureusement. Vertige, le contact de la peau m'attirait. (*S* : 81)

2. L'usure

Nous nous vîmes dès lors rarement. Le jour, je demeurais à travailler dans mon bureau sans en sortir tandis que A*** satisfaisait avec une rigueur toute professionnelle aux exigences de sa préparation artistique et physique. Au soir, nous nous retrouvions pour dîner et très tôt aller nous coucher. Les nuits où je travaillais, A***, renonçant à sortir, restait à la maison. Rentrant au petit matin, je m'endormais dans le lit que bientôt A*** désertait. (*S* : 142)

3. La faillite

Tout ce que l'extérieur avait généré en nous d'insatisfactions, de rancœurs et de détresses, nous l'avions scellé en nous-mêmes. Côte à côte nous remâchions, comme en couveuse, nos griefs. Notre liaison en souffrit profondément : nous laissions libre cours à nos humeurs, sans plus d'invention ni d'effort pour rompre l'éloignement qui s'instaurait entre nous… (*S* : 145-146)
Cette indifférence qui m'assaille. J'ai cru ne pouvoir jamais me lasser d'aimer, mais un soir, je m'éveillai à cette absence sans torture aucune, dans l'absence même de torture qui m'effraya plus encore, jusqu'à se faire torture. (*S* : 177)

La référence au schéma de base, une histoire d'amour classique dont les repères nous sont connus et familiers, sert à provoquer l'éclatement du genre grammatical, et donc potentiellement celui du genre romanesque traditionnel. Ajoutons qu'il satisfait même au désir de l'exploser ou de le désintégrer. Cette visualisation apocalyptique et destructrice contribue à rendre compte des ambitions et de l'actualité du roman. En effet, l'indifférenciation des genres encourage à penser que c'est une femme qui tient le poste de DJ dans une boîte de nuit ; La profession de A***, comme danseur de *music hall* rappelle qu'elle n'est pas une exclusivité réservée aux femmes. Raymond Queneau, le plus fameux des Oulipiens, l'avait d'ailleurs lui-même affirmé, en créant le personnage de l'oncle de Zazie.

Alors que la littérature met en scène des relations de genres atypiques, alors qu'elle s'efforce ici de supprimer toute référence au genre grammatical et brouille les repères traditionnels, elle n'a de cesse de confirmer l'échec de l'amour. En dépit de la possibilité d'une redistribution des rôles et de l'accès à toute profession sans discrimination de sexe, on constate malgré tout que les rapports du couple restent profondément inchangés. Le narrateur fait état de la même usure et insatisfaction qui le menace. Les rôles s'inversent ou laissent la possibilité de penser qu'ils sont inversés, mais sans que cela provoque de profondes modifications. Tout au plus, les rôles s'échangent selon un procédé commutatif. Un dernier extrait de *Sphinx* atteste de ces corps indistincts dont l'agglomération évoque la figure d'un monstre à plusieurs têtes. Jouant avec ses consoles dans sa cage de verre, le DJ exprime comment il manipule son public :

> Le dégoût de cette chair que je tentais toutes les nuits d'émouvoir, la brutale alternance de phases d'excitation et d'abattement finirent par me rendre à ma mélancolie essentielle. Mépris, mépris intense, c'en était venu à ne m'inspirer parfois plus que du mépris. Ça ! Des corps dénombrables, innombrables composaient un monstre à cent têtes, aux membres enchevêtrés et dont la seule cohésion et animation provenait de l'impulsion rythmique que je lui assénais. Toute la nuit, un impératif absurde m'ordonnait de retarder l'inéluctable mort et division de ce corps multiple que je faisais évoluer sous mes yeux. Depuis ma cage de verre, je le secouais de décharges sonores, le bombardais d'éclairs. [...] Un dégoût vertigineux me prenait au moment même où je triomphais de l'inertie de ces corps séparés qui répugnaient encore à se fondre ensemble. (*S* : 63-64)

Surplombant la piste des danseurs « en masse compacte, écrasés les uns contre les autres » (*S* : 65), le narrateur décrit ni plus ni moins ce sphinx à demi-femme ou à demi-homme, sorte d'animal captif cherchant à s'évader de son propre corps mais dont la tête n'est pas encore sortie du moule. Sur le lieu même où se cherche l'amour au rythme de la fusion des corps, dans la boîte de nuit, s'éclatent des corps que le narrateur finit par séparer en coupant la musique, telle une métaphore de l'histoire d'amour elle-même éclatée, décomposée, mise à mort.

Néanmoins, le schéma classique sur lequel Anne Garréta intervient pour suggérer l'indifférenciation du genre va en définitive beaucoup plus loin. En ce qu'il permet de prendre la mesure du chemin restant à parcourir, il suggère une relève de l'indifférenciation par l'absence. Le narrateur rappelle que nous sommes encore dans un cadre d'identification au genre, quand bien même celui-ci serait inversé. Nous sommes encore manipulés, mais dans cette prise de conscience, nous devenons aussi les victimes de nos propres manipulations. Ainsi se justifie le dégoût qu'éprouve le narrateur DJ à propos de ces corps qu'il observe et qui se cherchent mutuellement mais répugnent à se fondre ensemble.

Une autre lecture de *Sphinx* est encore possible qui prévoit un véritable projet de déconstruction de l'amour et de la relation amoureuse. Se joue ici, au-delà de l'indifférenciation des sexes, l'absence même du ou des genres entraînant la perte de tout référent. Le concept d'absence, celle de toute représentation féminine ou masculine mais aussi celle de la relation codée entre l'homme et la femme, contribuerait au mouvement échappatoire qui consiste à repenser les relations humaines, à sortir du schéma de manipu-lation, à sortir de la masse, pour envisager, on le souhaite, une renaissance possible de l'individu en tant qu'être social. Dans le même geste se dessine-rait la possibilité d'un renouveau de la relation amoureuse qui toujours peut mais surtout doit se réinventer.

Bien que prenant des formes différentes, on assiste aussi à une faillite ou à l'éclatement de la relation amoureuse dans les romans de Lydie Salvayre. Sous couvert d'un narrateur essentiellement masculin, l'auteure tente d'ex-primer les relations qu'entretiennent l'homme et la femme. Que se passe-t-il dans la traversée du genre chez Lydie Salvayre ? S'agit-il pour la romancière de se raconter tout en se dissimulant sous une identité masculine ? Cherche-t-elle au contraire la liberté de se penser ou d'agir au masculin ? Pour quelle liberté, et, s'interrogera-t-on, dans quel but ?

Lydie Salvayre présente cette particularité que tous ses romans, sauf un, ont recours à un héros-narrateur masculin. Autre constance des romans de Lydie Salvayre, le narrateur en question se pose à la fois en victime et

bourreau de sa femme. Il se venge d'elle car elle lui rend la vie insupportable. C'est le cas de Monsieur Donte qui, dans *La Médaille*[2], raconte une vie
de misère et de colère, dirigées comme il le dit lui-même, « contre tout l'univers » (*M* : 30). Sa vie de travaux forcés, que la médaille de l'usine est censée récompenser, s'apparente en tout point à celle d'un prisonnier dans un
goulag. Il fait part de son embrigadement, de l'humiliation, de l'épuisement
et du dégoût de l'humanité tout entière avec le brio de l'ouvrier soumis mais
révolté. De retour à la maison, et non sans une certaine forme d'humour,
c'est sur sa femme, véritable bouc émissaire, qu'il s'acharne. Elle devient son
témoin et sa victime :

> J'étais dominé par ma femme à la maison et par mon contremaître à
> l'usine. J'étais dominé par les machines à l'atelier, par le temps et par
> l'épuisement. Je ne commandais plus ma vie. Elle partait, si j'ose dire en
> couilles.
> Pas un jour de cette affreuse période, je ne me suis senti normalement
> sain, normalement libre et normalement puissant. J'étais perpétuellement
> mortifié et perpétuellement irrité. […]
> Malgré les soins maternels dont ma femme m'accablait dans le but de me
> neutraliser et, comme je l'ai dit, de me dominer en secret, je n'étais pas
> du tout gentil avec elle. Pauvre couille, je lui disais, pour un oui pour un
> non. Ferme-la pauvre couille. […]
> Alors ma femme se mettait à pleurer et à renifler. Et je me disais en moi-
> même là où tu espères la consolation et le silence, tu trouves les larmes
> et les gémissements. Et plus j'entendais ma femme pleurer et renifler,
> plus je devenais furieux. Contre elle. Contre moi. Et contre tout l'univers.
> (*M* : 29-30).

On retrouve dans d'autres romans de Lydie Salvayre cette constante du
narrateur-héros qui exprime rancœur et déception de la vie, en ce qu'elle
passe, ou est canalisée par le dégoût que lui inspire, comme témoin de sa
misère, la femme à ses côtés. C'est le cas de *La Puissance des mouches*[3] où
un ancien guide du musée Pascal épris de mots et d'une pensée qu'il est
loin de maîtriser justifie avoir assassiné sa femme par le martyr qu'elle lui
faisait endurer. En réalité ce martyr ne consistait qu'à le maintenir dans la
médiocrité et l'ignorance de sa propre existence.

---

2   Lydie SALVAYRE, 1993, *La Médaille*, Paris, Seuil : *M*.
3   Lydie SALVAYRE, 1995, *La Puissance des mouches*, Paris, Seuil.

Les romans *Quelques conseils utiles aux élèves huissiers*[4] et *La Compagnie des spectres*[5] semblent avoir été conçus avec la même intention. Ils méritent qu'on s'y arrête en ce que le dernier constitue une réponse au premier et confirme la thèse d'un narrateur masculin victime non de sa propre épouse dont la proximité quotidienne use ou démoralise, mais de deux femmes, une mère et sa fille qui symbolisent le genre féminin en général tel qu'il perturbe le monde du travail jusque-là réservé aux hommes. Dans *La Méthode Mila*[6], le narrateur s'acharne cette fois contre sa mère âgée et impotente. Reconnaissant sa propre inutilité et l'ennui qu'il dégage, y compris pour lui-même, il consent à prendre sa mère en charge et l'installe chez lui.

Dans *La Conférence de Cintegabelle*[7], Lydie Salvayre attaque de front la question du langage et de la communication avec un narrateur veuf qui propose de rendre vie à l'art de la conversation. Son discours prend la forme d'un dialogue de sourds ponctué d'inepties, de vérités premières, et de propos discriminatoires qui mêlent d'étrange façon le deuil de sa femme à la disparition de l'art de la conversation qu'il déplore. Là encore, il convient de se demander de quelle perte, du langage, de sa femme, ou de sa propre vie, problème de cause à effet, le narrateur souffre.

Enfin, retenons un dernier roman, *La Déclaration,* dans lequel le narrateur juxtapose au mauvais traitement qu'il inflige à sa femme, un système d'auto-défense qui l'entraîne, dans le meilleur des cas, à sa propre extinction :

> Je découvre la méchanceté. Je l'explore comme une terre nouvelle tout en sachant que je m'y perdrai, qu'il n'y aura pas de retour possible. Je m'approche chaque jour du désastre dans une exaltation d'ivrogne. Je l'accable de reproches de plus en plus fantasques, de plus en plus injustes, exorbitants. Pourquoi achètes-tu du beurre salé ? Pourquoi fais-tu ces œufs à l'huile d'olive ? J'en perds le contrôle sur les nerfs. Je suis à l'affût de ses tares physiques ; la moindre de ses rougeurs me donne la nausée. Certains détails de son être me deviennent si insupportables que je crains par moments qu'ils ne me rendent fou. Le bruit de sa mastication soulève en moi une haine ivre, hallucinée. Je finis par m'enfoncer des boules Quies dès que je suis en sa présence. Je suis fou, Henriette, je suis fou. Le visage d'Henriette est méconnaissable, déformé de douleur…[8]

---

4   Lydie Salvayre, 1997, *Quelques conseils utiles aux élèves huissiers*, Paris, Verticales.

5   Lydie Salvayre, 1997, *La Compagnie des spectres*, Paris, Seuil.

6   Lydie Salvayre, 2005, *La Méthode Mila*, Paris, Seuil.

7   Lydie Salvayre, 1999, *La Conférence de Cintegabelle*, Paris, Seuil/Verticales.

8   Lydie Salvayre, 1990, *La Déclaration*, Paris, Julliard, p. 76-77.

La traversée du genre chez Lydie Salvayre exemplifie le défaut ou l'absence de communication qui pèse sur les couples vivant en situation de proximité excessive. Les narrateurs masculins ont à charge de dénoncer la faillite de l'amour, en ce qu'elle prend racine dans celle des mots, et la disparition de l'art de la conversation. Dans l'effort consistant à lui redonner vie, s'identifie chez Lydie Salvayre l'espoir d'une communication efficace qui améliorerait les relations humaines, celle du couple vivant en vase clos et que le quotidien rend insignifiant, mais de façon beaucoup plus ambitieuse, et à l'autre extrême, celle qui rapprocherait les êtres les moins familiers et que l'on désigne par ignorance du terme « étranger ». Que l'on considère l'ouvrier exemplaire médaillé, l'huissier expert dans l'art de la saisie du bien des pauvres, l'intellectuel pascalien meurtrier de sa femme, le fils modèle dévoué à sa mère impotente, ou enfin, dans *Passage à l'ennemie*[9], le flic infiltré parmi des délinquants de banlieue parisienne, tous préconisent de restaurer le dialogue et la communication. Tous, en dépit de scénarios et situations des plus originaux, s'accordent à dire le défaut et la perte du langage qui isolent et détruisent. C'est une tragédie que la romancière associe volontiers à la perte de notre civilisation contemporaine. Les narrateurs montrent du doigt sur un ton gentiment moqueur les petites gens dont ils font aussi partie. Ce sont des antihéros qui signalent leur appartenance à la classe ouvrière et Lydie Salvayre les salue au passage. Chacun à leur manière adoptent ou se forgent une philosophie. Ils sont subjugués par le discours philosophique de Pascal ou Descartes mais, incapables d'en assimiler l'instruction et de la communiquer aux autres, ils sombrent dans la folie. Ils deviennent assassins, ils s'autodétruisent, ils se constituent en victime et bourreau de la société en général. Ils deviennent celui de la femme en particulier. Ce sont des espèces de Don Quichotte, nomades colporteurs qui cherchent à dire que dans l'art de manipuler le *punch line* qui est le propre de la communication humaine se trouve la seule – sinon la meilleure – recette, l'élixir de la vie et de l'amour. Il faut, pour notre salut, la rétablir au plus vite.

La traversée des genres selon Lydie Salvayre contribue d'une part à une peinture de notre société où les relations humaines sont douloureuses, pour ne pas dire intenables, odieuses et fatalement destructrices. Elle restitue d'autre part, au centre de ce malheur, la relation amoureuse, et désigne la femme comme souffre-douleur de l'homme, montrant qu'elle est à la fois le réceptacle du mal et la plaie en tant que telle. Mais la femme incarne ici et à

---

9   Lydie Salvayre, 2003, *Passage à l'ennemie*, Paris, Seuil.

elle seule, situation de choix s'il en est, la société malade d'elle-même. Si la femme n'apparaît dans les romans de Lydie Salvayre qu'à travers le discours rapporté du narrateur qui l'accuse de tous les maux, on remarque qu'elle est omniprésente et ne le quitte jamais : elle est épuisante, décevante, difficile, redoutable et bête. C'est une perfide, une empêcheuse de tourner en rond. Elle est cruelle, incompréhensible, et par-dessus tout incompétente dans l'art de la conversation. En gros et dans le détail, c'est une *emmerdeuse*. Et elle n'est bonne à rien.

On se rend à l'évidence que les narrateurs de ces portraits peu flatteurs de la femme sont eux-mêmes les victimes de situations personnelles qu'ils ne maîtrisent pas. De leur travail, ils disent aussi qu'il est fatigant, difficile et bête à la fois. À l'échec de la vie professionnelle et sociale est associé celui de leur vie amoureuse par une représentation négative de la femme. Poursuivant la métaphore, la femme est le témoin de ce foyer d'incompréhension généralisée qui fait enrager l'homme et le pousse à la folie et au désespoir. Mais l'homme en question signifie, et le *Sphinx* d'Anne Garréta ne le démentirait pas on l'aura compris, tout aussi bien la femme. Car la traversée du genre chez Lydie Salvayre autorise le narrateur à signifier l'exploitation des travailleurs, qu'ils soient homme, femme ou d'un sexe non différencié. Il s'agit d'un « je » qui est essentiellement neutre ou neutralisant et non plus masculin tant il est cerné[10] et motivé par la femme dont il est épris et qui n'en est pas moins son souffre-douleur et son bouc émissaire. Celle-ci se trouve toujours en dernier ressort à l'extrémité de sa chaîne de malheurs et de souffrances. Le « je » de la narration est neutre dans la mesure où il est pénétré, sinon de sensibilité féminine du moins du regard inquiétant de la femme, à savoir du regard de la société qui surveille et punit, mais ne le quitte pas des yeux. Le narrateur, antihéros de Lydie Salvayre, vide son sac et confesse ses crimes non parce qu'il est un assassin mais parce qu'il est une victime de la société dont il cherche éperdument à se protéger faute de pouvoir lui échapper.

Nulle part ailleurs cette vision omniprésente de la femme comme métaphore de la société n'est ressentie plus douloureusement par l'homme à la fois mentalement et physiquement. Cela justifie le geste de ce dernier qui cherche éperdument à se délivrer d'elle. Rarement un roman montre avec plus de sérieux et d'humour mais aussi d'humilité l'incapacité des hommes (s'entend ici le genre humain qu'il soit féminisé ou masculinisé) à vivre avec

---

10 Dans la double acception suivante : *être entouré par* et *avoir des cernes à cause de.*

une femme, jusqu'à ce qu'on se rende compte que la femme, pour omni-présente, envahissante ou opprimante qu'elle soit, incarne véritablement la société. Ceci nous porte à dire que le recours à un narrateur masculin chez Lydie Salvayre consiste non pas à dénoncer une représentation de la femme en tout point négative mais à dire le conflit entre les genres. Celui-ci désigne, au-delà du référent grammatical féminin ou masculin, au-delà du *socio-sexuel*, ce que nous nommerons *des genres d'individus*, c'est-à-dire l'Étranger en général. Lydie Salvayre signifie l'urgence d'une réconciliation des incon-ciliables dans l'art de la conversation et des plaisirs que suscite cette der-nière. Elle prône cet art, non pour prétendre qu'il peut tout résoudre, mais pour au moins jouir du plaisir qui consiste à feindre de vouloir ou pouvoir les résoudre. Si le problème ne peut encore être résolu, l'auteure en pose les modalités tout en vantant les plaisirs qu'il recèle. Ce plaisir-là traverse mais transgresse les questions de genres.

Que ce soit pour Lydie Salvayre ou Anne Garréta, l'échec de la relation amoureuse dont elles font toutes deux le constat sert de métonymie à l'échec de la relation entre les humains, ce qui dépasse largement la question du genre et met un terme à la guerre des sexes. On aimerait qu'elles mettent un terme à la guerre tout court, mais on s'accordera facilement à dire que cette dernière est fomentée par un manque de reconnaissance d'un autre genre, celui qui refuse l'individualité et procède à l'agglomération de corps étrangers qui sont eux jugés trop dissemblables, ce qui entrave ou détruit la possibilité de l'amour. S'entend ici, on l'aura compris, et à l'échelle du monde, celle de l'entente entre les humains.

Vouloir montrer : le spectacle de la réalité chez Annie Ernaux, Lydie Salvayre et Amélie Nothomb

Éliane DALMOLIN, *Université du Connecticut*

On se souvient de l'incipit des *Confessions* de Jean-Jacques Rousseau : « Je veux montrer à mes semblables un homme dans toute la vérité de la nature ; et cet homme ce sera moi[1]. » Selon Rousseau « vouloir montrer », c'est avoir le courage d'instruire l'autre sur soi-même, et, dans le cas des *Confessions*, inviter sa curiosité à regarder de plus près là où le moi s'offre de la manière la plus nue, la plus sensible, la plus profonde. Vouloir montrer l'être à l'endroit où il est le plus personnel et intime, voire vulnérable, rejoint le programme d'une littérature contemporaine prolixe et provocatrice qui ne cache plus les détresses et les jouissances personnelles de ses personnages et de ses sujets, mais qui au contraire s'efforce de tout voir, de tout dire, de tout montrer de l'intimité et de la constante interpellation des corps aujourd'hui. Cette littérature des corps avoués et exposés semble avoir remis en cause la pratique narrative d'une dépendance rhétorique à la langue retenue et stylisée, proposant une écriture plus directe et plus neutre, comme si le verbe était immédiatement soumis aux faits et gestes des personnages de l'histoire, avant même de pouvoir se *métaphoriser* ou se métamorphoser par un travail de stylisation littéraire. Certes, il serait naïf de penser que cette prise sur le vif reste dénuée de style, car au contraire, ce qui semble caractériser le style du roman contemporain est précisément une écriture qui « travaille » à se faire plus plate que ses antécédents classiques, reflétant ainsi son accès direct sur le quotidien. Nous soumettrons que la littérature de nombreuses nouvelles écrivaines contemporaines françaises et franco-

---

1 Jean-Jacques ROUSSEAU, 1959 [1782], *Œuvres complètes I : Les Confessions et autres textes autobiographiques*, Paris, Gallimard, coll. « La Bibliothèque de la Pléiade », p. 5.

phones invite à une autre rhétorique plus adaptée à la saisie directe et immédiate des tourmentes des personnages, une rhétorique qui fait appel à l'exposition visuelle et au pouvoir de l'image, une rhétorique du spectacle. En effet, en adoptant certaines des postures « spectaculaires » du monde de la réalité et de la téléréalité, ces auteures vont donner une nouvelle dimension aux corps postmodernes qui se meuvent dans leurs romans : corps blessés et dévoilés qui se défont et se refont sous leurs plumes dans l'intimité d'une langue « spectaculaire » qui « expose » de manière plus vraie et réaliste. Faisant appel aux techniques conjuguées de l'image et des mots, cette langue finit par produire une réalité plus crue qu'à l'ordinaire tout en restant dans le champ de l'ordinaire. L'objectif de cette brève analyse sur la représentation, ou la mise en spectacle, de la réalité d'un monde postmoderne où toutes les facettes de la vie et des êtres, des plus banals aux plus agréables et aux plus infâmes selon la sensibilité de chacun, sera de voir par quels moyens « visuels », voire télévisuels, la littérature contemporaine digère pour nous ce qui peut apparaître comme l'impraticable et l'incontrôlable « tout » d'une langue prise dans la totalité foisonnante du quotidien où les corps cinglent toujours avec plus de détermination vers les nouvelles violences et jouissances qui caractérisent notre époque.

C'est sur la mise en scène littéraire de cette réalité brutale du quotidien que nous interrogeons le travail de trois romancières : Annie Ernaux, Lydie Salvayre et Amélie Nothomb. Chacune à sa manière s'est penchée à un certain moment sur la question de la réalité, question qui informe sans cesse la construction et la déconstruction d'un moi culturel toujours décalé par rapport à son quotidien en constante métamorphose. Cependant, avant de regarder de plus près leurs textes, revenons un instant sur cette invitation à la transparence du dire littéraire et de la confession de soi que suggère Rousseau dans ses *Confessions*. Paradoxalement, ce n'est pas la réalité aussi juteuse et privée qu'elle soit qui forme l'essentiel du projet de Rousseau mais, il le confirme lui-même, c'est le sentiment que l'aveu procure à celui qui pratique la confession, le sentiment de dépasser sa propre souillure par l'encadrement d'une scène d'aveu. Par le dispositif de l'aveu, plutôt que par le contenu de l'aveu lui-même, le sujet gagne un sentiment de satisfaction lié à l'acte même de se confesser et non aux détails de la confession. On sent, en effet, un Rousseau gonflé du courage qui le pousse à passer aux aveux, et fier de l'exemple qu'il pense montrer à ceux qui feraient, grâce à lui, la découverte de la sincérité : « Je me suis montré tel que je fus ; méprisable et vil quand je l'ai été, bon, généreux et sublime quand je l'ai été.

[...] qu'ils écoutent mes confessions, qu'ils gémissent de mes indignités, qu'ils rougissent de mes misères. Que chacun d'eux découvre à son tour son cœur[2]. » Exorcisme de celui qui raconte la profondeur d'un moi loin d'être parfait, et qui le met en scène tel qu'il apparaît, vil ou généreux, dans le dessein de faire gémir et rougir ceux qui prendraient goût et plaisir au spectacle de ses imperfections, voire de ses perversités. En exposant tout de lui, Rousseau ne rejoint-il pas quelque part les intentions toutes contemporaines des producteurs de télévision qui savent que l'exposition, voire l'exhibition humaine, par la programmation de spectacles de téléréalité fera aussi gémir et rougir de plaisir les spectateurs, tout en leur apprenant à découvrir leur cœur (l'élément didactique étant leur manière de justifier le bien-fondé de la téléréalité)? Dans le contexte de la téléréalité, c'est bien la prise de vue directe sur la vie ordinaire de personnes – *a priori* sans grand intérêt – qui fait le succès de la formule télévisuelle : suivre de près et 24 heures sur 24 un groupe de jeunes gens partageant le même appartement, ou le même lieu fermé (comme dans *Loft Story* en France ou *Big Brother* aux États-Unis), dans l'attente qu'une des multiples caméras braquées sur le groupe révèle une situation cocasse ou des confidences intimes, revient à attendre que l'histoire se fasse d'elle-même sous l'œil et l'oreille attentifs et omniprésents des caméras chercheuses de sensation. Comme dans le cadre de la confession dans laquelle Rousseau trouve un soulagement et un modèle éducatif, le dispositif visuel mis en place dans les émissions de téléréalité propose une percée directe dans la vie secrète d'une société apparemment ordinaire que chacun des téléspectateurs soumet par comparaison personnelle à son jugement moral.

Pour être tout à fait juste, il faut reconnaître qu'au-delà de l'orgueil que lui procure la mise en spectacle de son moi, Rousseau parle aussi des difficultés de l'autobiographe qui tout en se dévoilant au plus près de soi n'échappe pas aux écueils du genre. Vouloir dire la vérité de soi n'est en effet pas si simple. Selon Rousseau « tout montrer, tout dire », malgré la sincérité qui en motive le passage à l'acte, n'échappe pas aux trous de mémoires ou aux fioritures du style. Néanmoins, le but principal de cette transparence reste essentiellement éducatif car elle propose et promet une place parmi les hommes (et près de Dieu) à celui qui pratiquerait aussi le récit confessionnel. Se montrer sous sa vraie nature, aussi vile qu'elle soit, serait ainsi pour l'homme moderne un moyen de rejoindre la société, de rejoindre son humanité, au-delà même

---

2 *Ibid.*

du pacte autobiographique qu'il s'est fixé. « Tout voir, tout dire, tout montrer », si la formule garde encore aujourd'hui un rapport éloigné avec l'idée de transparence héritée du projet rousseauiste, elle est de manière très distincte sortie du confessionnal où l'aveu du secret attend une absolution, un soulagement de l'âme, un pardon suprême. On se souvient comment dans le premier volume de l'*Histoire de la sexualité* Michel Foucault fait l'analyse de la pulsion culturelle et répétée de s'avouer, de dire ses crimes, ses désirs, ses pensées, ses rêves, ses maladies, ses misères. « On s'emploie avec la plus grande exactitude à dire ce qu'il y a de plus difficile à dire » écrit Foucault qui conclut que « l'homme, en Occident, est devenu une bête d'aveu[3] ». Aujourd'hui « la bête d'aveu » a repris du poil littéraire par une pratique étendue du long déballage de soi. Cependant, cette pratique se fait en dehors du modèle confessionnel, car il n'a plus rien à se faire pardonner tant « tout voir, tout dire, tout montrer » est passé du côté de la normalisation des représentations culturelles. Films et romans contemporains sont moins construits sur l'aveu d'un grand ou grave secret que sur l'exposition continue et sans réserve de la vie privée. Au cinéma comme en littérature, la limite de soi n'existe plus, et celui qui dit tout n'a plus besoin d'être absous. Aujourd'hui « tout voir, tout dire, tout montrer » alerte surtout le spectateur et le lecteur sur un nouveau modèle esthétique fondé sur une passion voyeuriste standardisée qui attend tout du plaisir et de la jouissance que peut procurer la vie privée d'un inconnu, vie devenue extraordinaire et captivante par le seul fait qu'elle est parfaitement exposée et accessible à tous à tout moment. C'est en effet la vie de tous les jours, vie ordinaire mais sans cesse dévoilée et répandue, qui donne à l'ordinaire son caractère spectaculaire. Dans les romans, comme au cinéma et à la télévision, on aime faire jouer la limite qui normalement sépare le domaine public et le domaine privé, la limite entre un extérieur banal et un intérieur inattendu, la limite entre les convenances d'usage et les fantasmes surprenants. Dans ce que le roman contemporain propose des représentations de la vie quotidienne, les notions de privé, d'inattendu et de surprenant renversent leur logique signifiante pour projeter le paradoxe postmoderne d'un privé qui se fait public, d'un inattendu auquel on s'attend, d'un surprenant en perte d'intensité. C'est comme si seule la promesse de dévoiler l'inconnu et l'impensable aux désirs pervers et voyeurs du lecteur/spectateur pouvait encore exciter l'imagination. On retrouve ces

---

3   Michel FOUCAULT, 1976, *Histoire de la sexualité 1 : La Volonté de savoir*, Paris, Gallimard, p. 79-80.

inconnus pris sur le vif et mis à nu dans les romans contemporains comme ceux par exemple d'Annie Ernaux, de Michel Houellebecq, de Virginie Despentes, de Christine Angot, de Lydie Salvayre, de Marie Darrieussecq, de Chloë Delaume, de Catherine Millet, et d'Amélie Nothomb, romans qui se situent ouvertement en équilibre sur la corde raide entre fiction et réalité, entre autobiographie et récit social, entre tout dire et tout montrer.

Si *a priori* la vie privée des gens ordinaires n'a rien de bien intéressant à offrir à la littérature, ces auteurs lancent le défi de faire passer l'ordinaire dans la catégorie de l'extraordinaire. Chacun des auteurs précités part en effet du principe qu'aujourd'hui tous les placards sont ouverts. À l'intérieur, on y trouve une sexualité crue, des crimes odieux, des intentions basses, des paroles abjectes, des croyances insensées, des violences extrêmes. Finalement, le seul vrai mérite de la littérature est de savoir raconter autrement les squelettes qu'on trouve dans ces placards, le mal qui s'y retourne, la réalité qui s'y donne en spectacle.

Il s'agit donc ici d'ébaucher rapidement les éléments d'une analyse du spectacle de la réalité littéraire, spectacle offert à un public postmoderniste qui attend tout du spectacle lui-même et moins du sujet exposé. Nous tenterons de suivre brièvement le chemin parcouru en littérature contemporaine entre d'un côté la représentation de la réalité d'un monde contemporain froid et distant et de l'autre sa version perverse et télévisée : la téléréalité. Pour ce faire, nous verrons comment les romans d'Annie Ernaux, de Lydie Salvayre et d'Amélie Nothomb se promènent entre réalité et téléréalité pour nous offrir le spectacle de la vie quotidienne ou la vie quotidienne devenue spectaculaire.

Il faudrait sans doute commencer par noter que nous avons laissé le soin aux femmes écrivains de nous parler de ce spectacle et ceci, tout simplement, parce que depuis le début des années quatre-vingt-dix, elles sont remontées nombreuses au hit-parade littéraire d'une part en affichant le corps et ses fantasmes, avec une transparence peu commune, et d'autre part en libérant la parole des autres qui les traverse, paroles d'inconnus qu'elles portent en elles comme les spectres d'une société devenue hostile à ceux et celles qui incarneraient, comme elles, la différence humaine et sociale. Ces « nouv[elles] cyniques[4] » s'emparent avec succès de la scène littéraire par la force d'une écriture qui dit tout du corps bafoué, tout des oubliés et marginalisés, tout de leur parole usurpée et contestée.

4　Dominique VIART, 1999, *Le Roman français au xxe siècle*, Paris, Hachette, p. 145.

Annie Ernaux qui publie dans les années soixante-dix appartient aux coulisses de cette histoire. Le corps qu'elle revendique est celui d'une certaine honte sociale, un corps toujours décalé dans un monde à fort préjugés sociaux. Pour elle, tout dire, tout montrer, c'est finalement exorciser le corps de son lourd contentieux social et de ses retours psychologiques. Lydie Salvayre, qui commence à publier en 1990, appartient à une première période de cette remontée en force de l'écrivaine, et c'est moins l'exposition du corps qui illumine son texte que la parole qui traverse les corps et leur donne raison d'être, de paraître et de devenir dans un incessant dialogue intérieur où s'entendent à des degrés différents langue académique et langue de la rue. Chez Amélie Nothomb, perversité et cruauté faites au corps et à l'esprit dominent l'ensemble de ses romans. Au-delà de leur succès et de leur visibilité dans cette nouvelle vague de romancières en vogue, le point commun de ces trois auteures reste leur attachement à la réalité froide et dérangeante d'un quotidien qui mérite qu'on s'y arrête, qu'on y regarde de plus près, qu'on analyse ce que tout dire tout montrer veut dire et veut montrer, si tant est vrai que ces romans disent et montrent une forme de réalité. Nous nous attarderons sur *Journal du dehors*[5] (1993) d'Annie Ernaux, *Les Belles Âmes*[6] (2000) de Lydie Salvayre et *Acide sulfurique*[7] (2005) d'Amélie Nothomb.

La scène est rapide, elle se passe dans le métro. Un homme, la braguette ouverte, « montre ses couilles ». « Geste insupportable à voir, forme déchirante de la dignité : exposer qu'on est un homme. » (*JD* : 36) Cette scène fait partie d'une série d'impressions du monde moderne que raconte Annie Ernaux dans son *Journal du dehors*. Elle se demande pourquoi elle décrit cette scène et les autres, ce qu'elle cherche dans la réalité, aussi crue soit-elle, qui l'entoure. Sur ce qu'elle cherche à faire dans *Journal du dehors*, Annie Ernaux précise : « peut-être que je cherche quelque chose sur moi à travers eux, leurs façons de se tenir, leurs conversations » (*JD* : 37). Pour mieux explorer son moi, pour mieux parler d'elle, Annie Ernaux propose d'épier les gens qui l'entourent, de capter des bribes et des lambeaux d'autres pris au hasard dans le réel de sa propre vie, dans le spectacle qui s'y donne. Ceux et celles qu'elle observe tous les jours dans le métro, dans les rues et au supermarché semblent traîner une angoisse et une violence qui incitent chez elle le désir de les exposer sans faste, un peu comme l'homme dans le

---

5   Annie ERNAUX, 1993, *Journal du dehors*, Paris, Gallimard, coll. « Folio » : *JD*.

6   Lydie SALVAYRE, 2000, *Les Belles Âmes*, Paris, Seuil : *BA*.

7   Amélie NOTHOMB, 2005, *Acide sulfurique*, Paris, Albin Michel : *AS*.

métro qui laisse échapper sa dignité par sa braguette ouverte. Certitude chez Ernaux que tous ces inconnus qui passent la traversent et la construisent sans cesse.

L'inconnu, celui que l'on croise, celui qui fait peur, celui qu'on épie et dont on imagine souvent le pire, cet inconnu qui attise la curiosité, le désir, le voyeurisme traverse l'intimité de celle qui tient son journal et qui sait qu'il « détient une part de [s]on histoire » (*JD* : 107). Chez Annie Ernaux, la réalité, celle que la narratrice voit, qu'elle entend, qu'elle lit autour d'elle, devient une partie de son être intime qui, naturellement, dit « je » pour écrire son journal. On sent que pour combattre la solitude, l'indifférence et l'anonymat qui marquent la vie quotidienne et monotone dans les villes nouvelles, villes sans histoires et sans âmes, le je a besoin de ressentir l'autre, même si ce n'est que par la bousculade d'un enfant ou le choc d'un caddie de supermarché : « On réussit à éviter, sans les regarder tous ces corps voisins de quelques centimètres. Un instinct ou une habitude infaillible. On n'est cogné dans le ventre et dans le dos que par les caddies et les enfants. » (*JD* : 14) Il y aurait comme un bonheur secret et étrange dans ces bleus au corps qui fournissent le contre-pied à l'indifférence du monde d'aujourd'hui. Ce même sentiment est au cœur du film de Paul Haggis *Crash* (2004). Ce film, malgré ses critiques mitigées quant au contenu trop proche du concept préfabriqué du « *politically correct* », fascine néanmoins par son concept que seule la collision nous remet littéralement en contact avec nos sentiments et notre humanité. Le film débute sur les paroles suivantes :

It's the sense of touch. In any real city, you walk, you know? You brush past people, people bump into you. In L.A., nobody touches you. We're always behind this metal and glass. I think we miss that touch so much, that we crash into each other, just so we can feel something[8].

Ce qui se résume à la phrase : « Los Angeles est une ville où les gens ne se touchent pas, c'est pour ça qu'ils se heurtent, pour ressentir quelque chose. » Comme chez Annie Ernaux, le film met en scène des fragments d'une violence toute postmoderne, violence que l'on arrive à souhaiter pour

---

8 Notre traduction : « C'est le sens du toucher. Dans n'importe quelle vraie ville, tu marches, tu sais ? Tu frôles les gens en passant, les gens butent contre toi. À L.A., personne ne te touche. Nous sommes toujours derrière ce métal et ce verre. Je pense que ce toucher nous manque tellement que nous nous heurtons les uns les autres juste pour ressentir quelque chose. »

« ressentir quelque chose », pour échapper à l'indifférence des corps, à la déshumanisation du monde urbain et sururbain.

Dans *Les Belles Âmes*, Lydie Salvayre imagine un voyage organisé dans les endroits dits infréquentables pour ceux qui voudraient combattre de manière plus pressante l'indifférence au triste monde de la réalité. Treize privilégiés partent dans le monde des non privilégiés au risque d'en faire eux-mêmes les frais. Certains voyagent par pur désir d'exotisme, d'autres pour pouvoir ramener des trésors d'« histoires » du sous-monde, d'autres enfin pour se frotter au monde de la désolation et y vivre des sensations fortes. Il y a dans ces personnages une certaine crainte à voir l'autre, le banlieusard, l'immigré, l'habitant des quartiers chauds sur son propre terrain, tout autant qu'il y a un certain degré de fascination à voir de ses propres yeux se tortiller la misère. Pour l'accompagnateur de ce voyage, il s'agit bien d'un voyage éducatif : « J'ai à cœur, dit-il, que ce voyage soit pour chacun de vous une épreuve intérieure dont vous sortirez meilleurs. Vous deviendrez des anges lucides de la pitié. Des héros. En effectuant ce voyage dans les pourrissoirs de l'Europe, vous avez opté courageusement pour une descente vers le réel. » (*BA* : 42) Au dire de ces paroles qui rappellent l'engagement de Rousseau dans ses *Confessions*, les voyageurs s'insurgent discrètement dans un dialogue intérieur qui vient ponctuer le sermon de l'accompagnateur : « totalement jobastre », « mais qu'est-ce qu'il raconte », « ça promet », « n'importe quoi », « du délire » (*BA* : 42-43). Ce voyage durant, cet étrange groupe de touristes voit le pire des banlieues européennes ; il s'y confronte à la violence, la désolation et la dégradation humaine. Ces belles âmes seront-elles transformées par le spectacle de vies « merdiques et cauchemardesques » qu'elles auront vues durant ce voyage ? L'agence Real Voyages, qui convoque et promet le réel par son nom teinté d'exotisme, « Real », prévoit de tout montrer du réel et propose même comme clou du spectacle la visite d'un ignoble squat en Italie. L'insoutenable horreur du squat laisse à penser que chacun sera irrémédiablement transformé par cette expérience : « les visions de cauchemar refluent sans cesse dans leurs têtes et entrent violemment en conflit avec leurs idéaux sublimes » (*BA* : 127). Affectés, ils ne le sont que sur le moment, et l'idéal bourgeois reprend rapidement le dessus une fois les voyageurs rentrés chez eux. Cette réalité des banlieues reste un souvenir de voyage pour ce groupe de touristes, tous issus de la classe moyenne et bourgeoise. En entreprenant cet étrange voyage organisé, sont-ils venus chercher la certitude d'être meilleur ou la jouissance d'une rencontre brute et directe avec un monde inconnu qui affole et attire à la fois ? Difficile de se prononcer, mais finalement la réalité des banlieues n'a été pour eux qu'un autre passage dans un monde virtuel similaire à celui décrit par le prophète du réel, Morpheus, dans le premier film de la trilogie réalisée par les frères Wachowski, *The Matrix* :

> The Matrix is everywhere. It is all around us. Even now, in this very room. You can see it when you look out your window or when you turn on your television. You can feel it when you go to work... when you go to church... when you pay your taxes. It is the world that has been pulled over your eyes to blind you from the truth[9].

Cette fausse réalité, ce simulacre de vie dont nous serions à jamais prisonniers, Morpheus nous dit qu'elle est partout dans le spectacle de la vie et sur les écrans de télévision.

Amélie Nothomb propose de voir comment l'écran de télévision transforme la dure réalité du quotidien en sombre téléréalité. Dans son roman *Acide sulfurique*, elle donne libre cours au spectacle de l'horreur sur petit écran. L'émission « Concentration », calquée sur le modèle des camps nazis, donne aux téléspectateurs le moyen d'exercer librement leur voyeurisme enragé et sadique, en se gorgeant dans le confort des *living-rooms* de la souffrance des candidats affamés, humiliés et maltraités, et qui meurent en direct pour la plus grande émotion des spectateurs. Chez Amélie Nothomb, on sent que l'exposition du monde froid et cynique des villes nouvelles d'Annie Ernaux et que la violence des cités de Lydie Salvayre ne suffisent plus à faire vibrer les cordes profondes du moi qui se cherche dans la nouvelle réalité d'un monde où le danger et la violence sont entrés dans le quotidien. C'est à travers le spectacle que nous offre aujourd'hui le raz-de-marée de la téléréalité, phénomène social et culturel qui bat tous les records, que la cynique Amélie Nothomb place à un degré extrême le moi abject du spectateur qui se délecte de la souffrance des autres. Son livre s'ouvre d'ailleurs sur le constat suivant : « Vint le moment où la souffrance ne leur suffit plus ; il leur en fallut le spectacle. » (*AS* : 9)

Avec la téléréalité, le voyeurisme d'une société en crise est normalisé par le spectacle primitif d'êtres humains parqués sous l'œil télévisuel auquel

---

9   Notre traduction : « La Matrice est partout. Elle est tout autour de nous. Même maintenant, dans cette pièce. Tu peux la voir lorsque tu regardes par la fenêtre ou quand tu allumes la télévision. Tu peux la sentir quand tu vas travailler... quand tu vas à l'église... quand tu paies tes impôts. C'est le monde qui a été placé devant tes yeux pour t'aveugler et t'éloigner de la vérité. »

les candidats n'échappent pas. Amélie Nothomb ne manque pas de nous donner une vision écœurante de la pourriture même de l'âme des consommateurs qui rationalisent la fausse réalité de la téléréalité. Le psychanalyste et philosophe Slavoj Zizek dira de la téléréalité qu'elle donne l'illusion d'une réalité aussi vraie que celle qui tiendrait dans une tasse de café décaféiné. Le goût et l'apparence du café suffisent à projeter l'image d'un vrai café dans nos esprits et à satisfaire notre besoin de réalité, explique-t-il dans son essai « A Cup of Decaf Reality[10] ». Par ailleurs, dans deux longs essais[11] sur ce phénomène d'engouement mondial que représente la téléréalité, le sociologue et spécialiste des médias, François Jost, se pose la question de savoir qu'elle est cette prétendue réalité qui produit le nom et les pratiques de la téléréalité. Il arrive sans mal à démontrer que la réalité visée et manipulée par les producteurs de télévision n'en est pas vraiment une. Il situe également l'origine du phénomène télévisuel dans la pratique carcérale du *panopticon* imaginé au XVIIIe siècle par le philosophe anglais Jeremy Bentham, un modèle que Michel Foucault avait dûment relevé dans son étude sur la prison, *Surveiller et punir*[12]. Le modèle du *panopticon* où le prisonnier sait qu'il est sans cesse soumis à l'œil du gardien qui peut l'épier à tout moment sans jamais être vu, est le modèle de la surveillance absolue que l'on retrouve dans la téléréalité en général et le roman d'Amélie Nothomb en particulier. D'ailleurs, Amélie Nothomb ne fait-elle pas un clin d'œil à l'association du *panopticon* et de la surveillance inhérente à la téléréalité dans le choix du nom de son personnage principal, « Pannonique », un nom à fortes résonances visuelles puisqu'il semble contenir les deux signifiants : *panopticon* et panoramique ?

Les téléspectateurs de « Concentration », comme les gardiens du *panopticon*, sont invités à voir sans être vus, mais ils ont, en sus, l'ultime pouvoir de choisir lequel des candidats restants doit finalement mourir. Nothomb fait le procès des téléspectateurs tout-puissants qui, d'une part, s'insurgent contre la violence à la télévision, et, d'autre part, continuent à la laisser entrer dans les foyers sous prétexte qu'il faut en connaître les différentes aberrations pour mieux la combattre : « Les parents montraient l'émission aux enfants pour leur expliquer que c'était ça le mal » ; « Le sommet de l'hypocrisie fut

---

10 Slavoj Zizek, page consultée le 05/09/2007, "A Cup of Decaf Reality", *Lacan.com*, http://www.lacan.com/zizekdecaf.htm.

11 Voir François Jost, 2002, *L'Empire du Loft*, Paris, La Dispute et 2007, *L'Empire du Loft (la suite)*, Paris, La Dispute.

12 Michel Foucault, 1975, *Surveiller et punir : Naissance de la prison*, Paris, Gallimard.

atteint par ceux qui n'avaient pas la télévision, s'invitaient chez leurs voisins pour regarder "Concentration" et s'indignaient : Quand je vois ça, je suis content de ne pas avoir la télévision. » (*AS* : 177)

La téléréalité ainsi dramatisée à l'extrême par Amélie Nothomb ressemblerait à la version exacerbée des intentions de Rousseau qui en prêchant la transparence, prétend « vouloir montrer » les vices humains pour mieux éduquer. Chez Amélie Nothomb, pour mieux soigner le mal être d'une société imbue de violence, les personnages s'instruisent du mal ambiant en ingurgitant de fortes doses de téléréalité. Faute de guérir le mal, ils assouvissent cependant leur jouissance de voir et d'agir dans un quotidien concentrationnaire et sadique.

Ainsi, dans le cadre particulier des trois romans proposés, il semble juste de parler de déambulations spectaculaires d'une littérature prise entre réalité et téléréalité, une littérature du quotidien en direct du verbe qui l'expose, comme on dirait d'une émission de téléréalité qu'elle est faite en direct du lieu où les candidats s'ébattent et se donnent en spectacle. Afin de redonner un caractère spectaculaire à l'ordinaire du quotidien, afin de guérir le lecteur-téléspectateur du mal être qui l'entoure et le siphonne, les trois écrivaines proposent une homéopathie du réel qui n'a rien de naturel car elle tient plus au procédé du spectacle qu'à l'efficacité de la cure.

Régressions/progressions/ transgressions

Tuer la fille

Régine DETAMBEL

Il n'est pas de création poétique digne de ce nom qui ne relève d'un moi pensant de tout son corps, d'un moi dont l'esprit fasse corps avec sa chair[1]. J'écris *de* tout mon corps, je travaille *du* cœur et *depuis* le cœur. Même si « ça ne sauve de rien, ça apprend à écrire, c'est tout », ainsi que Marguerite Duras jugeait une vie de travail ! Je me sens à présent tout entière présente à ma tâche d'écriture, « bon[ne] qu'à ça » et sans même savoir pourquoi !

Il n'est pas de sujet de pur intellect. Personne ne peut s'extraire de soi-même, s'arracher à ce corps qui est le sien, à sa corporéité qui l'accule à l'obligation d'être soi, le met au désespoir d'être soi – c'est-à-dire de n'être que soi –, alors même qu'il aspire à atteindre « l'être prestigieux reculé au-delà de toute vie possible[2] ».

Cela signifie-t-il qu'aucune écriture n'est nomade, puisqu'elle s'ancre dans le corps-même ?

D'où écrit-on ? D'où l'humanité malade de son angoissante finitude écrit-elle ? D'où écrit le « blessé de la vie » cher à Baudelaire ?

J'écris depuis ma finitude. Depuis cette finitude que ma condition filiale m'a révélée. En tuant le fils – la fille[3] – en soi, le créateur tâche de se tenir soi-même au lieu de l'Origine, d'incarner cette Origine comme le père l'incarne toujours déjà. Être soi-même l'origine, occuper la place du père,

---

1 Tant il est vrai que « les poètes, les artistes et toute la race humaine seraient bien malheureux, si l'idéal, cette absurdité, cette impossibilité, était trouvé. Qu'est-ce que chacun ferait désormais de son pauvre *moi*, – de sa ligne brisée ? », Charles BAUDELAIRE, *Salon de 1846* (ch. VII : « De l'idéal et du modèle »), *Œuvres complètes*, t. II, p. 455.

2 Stéphane MALLARMÉ, 1976, *Crayonné au théâtre : Ballets*, in *Igitur, Divagations, Un coup de dés*, Paris, Gallimard, coll. « Poésie », p. 196.

3 Tuer en moi la filialité, je l'ai senti doublement : en gardant mon nom d'enfant sur la couverture de mes livres, tout en quittant ma famille dans le même mouvement, en m'en détachant volontairement, après avoir enfin admis l'abandon (c'est que le « blessé de la vie », l'hypersensible culpabilise les sains, les siens…).

c'est chercher à vaincre le désespoir lié à la finitude de l'être. « Non pas se débarrasser de soi, mais se consumer » dit Kafka dans *Préparatifs de noce à la campagne*.

Dépasser sa condition filiale en créant. Devenir auteur, ce fut réellement pour moi nouvelle création de moi-même, par moi-même, auto-engendrement, refondation de soi. Non pas la décision de (me) survivre à moi-même mais de me mesurer à moi-même dans mon explication avec la vie.

Alors mon sursaut éthique : écrire pour être fille de mes œuvres ! Et même si cette décision vitale ne met pas fin au désespoir lui-même et comme tel…

Mais pour être fille de mes œuvres, je n'ai pas trouvé mieux que d'inscrire mon nom sur une couverture — quand ma grand-mère brodait le sien sur des draps. Et ce nom est mon nom d'enfant, c'est-à-dire le nom de mon père. Où donc le nomadisme ?

Parce que créer est toujours une manière de se mesurer avec son insurmontable finitude, de lutter contre le désespoir qui est en soi à demeure, puisqu'il résulte du fait que nul jamais ne s'est apporté dans la vie, nul jamais n'est à l'origine de sa propre existence ou au fondement de sa propre naissance. Le créateur est celui qui aspire à se dresser au lieu de cette Toute-puissance qui par essence lui fait défaut. Le besoin n'est pas celui, œdipien, de tuer le père mais bien d'abolir son être de fils, de fille, d'annuler sa filialité, c'est-à-dire de devenir à son tour source d'héritage, principe de transmission. Briser le désespoir lié à la finitude par la puissance de l'engendrement, c'est dissoudre la filialité dans la paternité, dira Élias Canetti[4]. Apposer son nom sur une couverture est ce geste absurde de dissolution.

J'écris donc depuis le désespoir. J'écris depuis cette douleur qui résulte du fait que « nul ne peut se débarrasser de lui-même[5] ». Tout être vivant se trouve éternellement rivé à soi, agrippé à sa couverture.

Où le nomadisme, quand le sujet du verbe créer est bien l'expérience du désespoir ?

J'écris depuis ma faiblesse. J'écris depuis mon défi. J'écris parce que mon désespoir fondamental porte en lui le désir impérieux de se dépasser. Le geste créateur mêle à la fois timidité et assurance, évidence et incertitude, au rythme de la primauté oscillante qu'assume l'amour de soi ou bien le désespoir dans ce cœur intranquille et angoissé.

4 Élias Canetti, 1986, *Masse et Puissance*, Paris, Gallimard, coll. « Tel », p. 65.

5 Søren Aabye Kierkegaard, 2001 [1849], *Traité du désespoir*, trad. Knud Ferlov, Jean-Jacques Gateau, Paris, Gallimard, coll. « Folio/Essais », p. 159.

Voilà peut-être le nomadisme : cette oscillation, cet incertain pulsatile et charnel.

Au cœur même de la vie, le désespoir est à demeure : intranquillité essentielle, équilibre précaire que menace la dépression. Le moi ne cesse de « se souffrir » selon l'expression de Michel Henry. « Ah ! si je pouvais être quelqu'un d'autre, n'importe qui ! [...] : mais il n'y a pas d'espoir. Je suis celui que je suis : comment saurais-je me débarrasser de moi-même ? Et pourtant — *je suis las de moi-même*[6] ! » Je ne suis que moi-même, je ne suis que celle que je suis. Car toujours le moi est acculé à être soi. Pas moyen d'être autre. « Il te faut être ainsi, tu ne peux pas te fuir[7] ».

Nomadisme, c'est-à-dire fuite en haut et en avant, parce que le fait d'être acculé à être soi suscite toujours ce désir d'évasion hors de soi, désir de métamorphose dans lequel s'enracine toute activité créatrice (création de soi par soi, auto-transformation du moi) mais aussi métamorphose, auto-transformation exaltante et enivrante.

C'est sur ce mode que la création romanesque fut pour moi création de soi par soi. Romain Gary : « J'étais las de n'être que moi-même » disait-il. « Recommencer, revivre, être un autre fut la grande tentation de mon existence [...]. La plus vieille tentation protéenne de l'homme : la multiplicité ». Il conclut magistralement : « Je me suis toujours été un autre[8] ». Ou la devise du nomadisme.

Incipit vita nova.

---

6   Friedrich NIETZSCHE, 2000 [1887], *La Généalogie de la morale*, « Quel est le sens des idéaux ascétiques ? », § 14, trad. Wotling Patrick, Paris, LGF, p. 85.

7   Johann WOLFGANG VON GOETHE, 1982, « Le démon », in *Poésie 2 : Du « Voyage en Italie » jusqu'aux derniers poèmes*, trad. et préf. de Roger AYRAULT, Paris, Aubier, coll. « Bilingue ».

8   Romain GARY, 1981, *Vie et mort d'Émile Ajar*, Paris, Gallimard, p. 16.

Les Prostituées philosophes
de Leslie Kaplan ou les pratiques
transgressives d'une pensée nomade

Audrey Lasserre, *Université Sorbonne Nouvelle-Paris 3, UMR 7171*

« Écrire, c'est sauter en dehors de la rangée des assassins[1] » : cette formule lapidaire n'est pas de Leslie Kaplan mais de Franz Kafka. Pour qui connaît l'œuvre de Leslie Kaplan, elle inaugure la démarche fictionnelle de l'écrivaine[2], qui la considère d'ailleurs comme la phrase la plus politique qui soit. Entre en jeu, dans cette définition de l'écriture fictionnelle, une transgression, au sens étymologique du terme – celui de traverser, aller au-delà – car ce saut du réel vers la fiction « crée une distance, un espace, il met derrière, il permet de passer ailleurs » (*O* : 22). Écrire – une fiction – revient pour Leslie Kaplan à effectuer ce saut de la pensée qui consiste à envisager un possible, des possibles alternatifs au réel. Les assassins, quant à eux, « sont ceux qui restent dans le rang, qui suivent le cours habituel du monde, qui répètent et recommencent la mauvaise vie telle qu'elle est. Ils assassinent quoi? Le possible, tout ce qui pourrait commencer, rompre, changer » (*O* : 26-27). Parmi les assassins, auxquels Leslie Kaplan, héritière des analyses d'Hannah Arendt sur le totalitarisme, consacre quelques lignes dans « Mai 68 et après[3] », se trouve Maurice Papon. C'est à partir de cet exemple

---

1 Franz Kafka, 1922, *Journal*, 27 janvier 1922 cité par Leslie Kaplan en 2001 dans « Qui a peur de la fiction » (*Libération*, 13/02/2001) et en 2000 dans « La phrase la plus politique pour moi en tant qu'écrivain » (*Les Ambassades*, CRL). Ces deux articles sont repris en 2003 dans *Les Outils*, Paris, P.O.L. (p. 22 et p. 26) : *O*.

2 Nous employons écrivaine et autrice, tous deux conformes au « génie » de la langue. Sur ce sujet, voir Audrey Lasserre, 2006, « La disparition : enquête sur la "féminisation" des termes auteurs et écrivains », in *Le Mot juste*, Johan Faerber, Mathilde Barraband, Aurélien Pigeat (dir.), Paris, Presses Sorbonne nouvelle, p. 51-68.

3 Leslie Kaplan, 1998, « Mai 68 et après », numéro spécial des *Cahiers du cinéma*, mai 1998 (*O* : 296-302).

que l'autrice précise un des critères constitutifs de la société totalitaire, l'établissement de catégories : « Une certaine catégorie de l'humanité définie par d'autres hommes par certains critères (de soi-disant race [...], niveau mental [...], comportement sexuel [...], apparence physique [...]) est exclue de l'espèce humaine. Celui qui entre dans ces catégories est déjà MORT SUR LE PAPIER. » (*O* : 296-297) La catégorie, détaille le *Dictionnaire historique de la langue française*[4], est empruntée au bas latin *categoria* (IIIe-IVe siècle), terme lui-même dérivé du grec *katêgoria* « accusation ». *Katêgorein*, c'est à la fois signifier, affirmer et parler contre, accuser, blâmer. Rien d'étonnant donc, si l'on se réfère à cette origine étymologique, dans le fait que la catégorie, qui est un concept fondamental de l'entendement, se mue en anathème lorsqu'elle désigne « une classe d'objets ou de personnes de même nature[5] ». Ou pour le dire avec les mots de Leslie Kaplan : « la catégorie [...] n'a qu'un changement de ton pour devenir injure (juif! étranger! femme! etc.) » (*O* : 301). Or ce fonctionnement ne se conjugue pas seulement au passé. La société contemporaine, que mai 68 est venu remettre en question, se définit également par ce recours à la catégorisation constante :

> Mais est-ce tellement plus grotesque que de mettre des tampons verts et rouges sur les bras des travailleurs immigrés importés [...], ou de croire à une des quelconques catégories que l'on a créées pour, mettons, les besoins de l'Administration [...] ? En dernière analyse, ce qui est arbitraire, c'est l'acte même de définir et de mettre l'autre dans une boîte, et c'est la dérive de la société défaite, déstructurée, de maintenant...
> (*O* : 297-298)

Le refus de la catégorie est un geste éminemment politique et subversif. En effet, si le mouvement de Mai a tenté de *mettre en questions* (au sens, peut-être le plus littéral de cette expression, de transformer une vérité en questionnements) les catégories établies par une société aux relents totalitaires, le travail littéraire – et de fait politique – de l'écrivain-e ne saurait se construire sans la mise en question du monde et le refus de la catégorie, jusqu'à intégrer ces principes à toutes les strates de l'œuvre. Comme le précise Leslie Kaplan :

> Penser la politique pour un écrivain c'est penser comment une conception politique intervient dans son travail d'écrivain. Quant à moi je trouve

---

4   Alain REY (dir.), 1995, *Dictionnaire historique de la langue française*, Paris, Le Robert, t. 1, p. 365.

5   *Ibid.*

vital de m'interroger sur ce que c'est, concrètement, aller dans le sens du
SAUT, de la séparation avec « le monde des assassins », sortir du ressasse-
ment, de la répétition, créer un espace de pensée de liberté. [...] Penser
c'est lier, mettre en rapport des choses apparemment sans rapport, créer
la surprise, l'étonnement, ouvrir, et non expliquer, enfermer dans des
catégories [...]. (*O* : 27)

Ce saut a pour objectif de provoquer des rapprochements inédits, de (re)
penser le monde, de le mettre en question(s), à l'image d'un personnage
métonymique de l'œuvre de Leslie Kaplan, Marie *alias Miss nobody knows*,
« Mlle personne ne sait[6] », qui note sur son carnet les questions qui lui viennent à l'esprit : « *Pourquoi on pleure* » ; « *Pourquoi la peur* » ; « *Pourquoi les
femmes* » ; « *Pourquoi toutes les femmes* » ; et, question sur laquelle nous
reviendrons, « *Pourquoi les prostituées philosophent*[7] » ? C'est à partir de
mai 68, perçu comme événement radical, que l'œuvre fictionnelle de Leslie
Kaplan se construit comme une tentative de transgression et de subversion
des modes de pensée, ou plus exactement de non-pensée, de la société de
consommation, par le refus de l'enfermement dans la catégorie et le recours
au questionnement : « Un personnage est une forme que peut prendre à un
moment donné une question » (*O* : 27) commente Leslie Kaplan.

Un court détour par le biographique permet de saisir les origines de cette
attention portée à la transgression et au *dé*placement. Leslie Kaplan, née à
New York en 1943, a grandi à Paris. Elle se définit elle-même comme « une
Juive américaine vivant en France et écrivant à l'intérieur de la langue française » (*O* : 296). Portée par les événements de mai, elle a fait partie du
mouvement des « établis » en usine, jeunes étudiants militants, maoïstes,
pour qui le mot d'ordre était de « comprendre la réalité pour pouvoir la
transformer ». Leslie Kaplan a rejoint l'usine en 1968 ; elle y a travaillé pendant trois années en tant qu'ouvrière. C'est en 1982, soit dix années plus tard,
qu'elle publie son premier roman : *L'Excès-l'usine*. Extraits d'une ligne de
vie, ces deux événements – l'arrivée en France en 1946 et l'entrée à l'usine
en 1968 – attirent notre attention sur le « déplacement » qui est au cœur de

---

6 Notre traduction. Ce surnom lui est donné par un garçon de café alors qu'elle chan-
tonne un air de *blues*, « Nobody knows the trouble I see, nobody knows my sorrow », ce
que l'on pourrait traduire par « Personne ne sait les problèmes que je vois, personne ne
connaît ma douleur » (Leslie KAPLAN, 1996, *Miss Nobody Knows*, Paris, P.O.L., p. 13).

7 Les questions posées par Marie sont en italiques dans le texte, sans point d'interroga-
tion.

ces deux expériences, et qui, nous semble-t-il, oriente son œuvre, par l'acuité (ou la sensibilité) de perception qu'elles confèrent à l'écrivaine. Leitmotiv depuis *Les Lettres persanes*, le regard de l'étranger est plus perçant, plus perspicace que celui de l'autochtone, notamment parce que ce premier met le (nouveau) monde auquel il est confronté en question. Cette expérience de l'étrangeté du monde, assorti d'un engagement politique fort, celui du mouvement des établis en usine mais également de la pensée mai 68 en général, a informé l'ensemble de ses écrits. Car le projet littéraire, chez Leslie Kaplan, est un principe de vie. Ce n'est pas la réponse, une réponse, ou pour le dire autrement, le sens, que cherche la romancière, ni pour elle-même en tant qu'écrivaine, ni pour ses lecteurs, c'est le questionnement, c'est que du sens advienne. Une fois encore, la transgression est au cœur de l'œuvre car l'usage de la catégorie signifie nécessairement un enfermement – enfermement auquel Leslie Kaplan, de confession juive, ne peut qu'être sensible –, une réduction qui va contre la mobilité du sens : « La fiction n'est pas seulement un DROIT, le droit de penser, c'est-à-dire : toutes les pensées sont possibles, on peut TOUT penser, rien n'est interdit à la pensée, c'est aussi un MOYEN, justement un moyen de penser. » (*O* : 22) Cette tentative de transgression des modes de non-pensée, passe par l'emploi de formes d'action réputées nouvelles, identifiées par Kaplan elle-même dans un de ses articles comme un héritage de la pensée de mai 68 (*O* : 298) : il s'agit de la prise de parole, de l'importance accordée au questionnement, aux histoires singulières, au détail, formes essentielles et constitutives d'une œuvre fictionnelle qui se construit selon le principe de la « multiplicité[8] », pour reprendre le mot de Deleuze et Guattari. Ces pratiques transgressives de la catégorie sont, selon nous, l'indice d'une pensée nomade à l'œuvre chez Leslie Kaplan.

Pour illustrer les modalités de cette approche, nous avons choisi de travailler plus particulièrement sur le second tome de la pentalogie romanesque *Depuis maintenant* intitulé *Les Prostituées philosophes[9]*, dont le titre ne peut que rappeler le « penser c'est lier » de Leslie Kaplan. Le recours à l'oxy-

---

8   Gilles Deleuze et Félix Guattari, 1972, *Capitalisme et Schizophrénie 1 : L'Anti-Œdipe*, Paris, Minuit, coll. « Critique », p. 50 et surtout 1980 [1976], « Introduction : Rhizome », in *Capitalisme et Schizophrénie 2 : Mille plateaux*, Paris, Minuit, coll. « Critique », p. 9-37. Influence d'une pensée sur l'autre ou *Zeitgeist*, la proximité entre L. Kaplan et ces deux auteurs est notable et pourrait faire l'objet d'une analyse plus précise qui n'est pas notre propos ici.

9   Leslie Kaplan, 1997, *Les Prostituées philosophes*, Paris, P.O.L. : *P*.

more qui réunit les prostituées, dont le commerce de la chair se décline au féminin et les philosophes, évoluant, au masculin, dans le monde des idées, témoigne de la transgression des catégories initiée par l'œuvre. Seule l'étymologie du terme péripatéticienne – du grec *peripapetikos*, « qui aime à se promener en discutant[10] », utilisé en philosophie pour désigner Aristote, qui enseignait tout en marchant, et ses disciples – seule l'étymologie du terme donc parviendrait à tisser un lien entre ces deux catégories, que tout oppose *a priori*. Nous nous attacherons à analyser le groupe de prostituées éponyme dans ce second tome parce que la description de chacune de ses membres articule la transgression littéraire à une mise en question des femmes et des hommes, du féminin et du masculin, de la prostitution comme travail du sexe. De plus la prostituée – péripatéticienne ou marcheuse – est une figure, qui, par essence, expose la dialectique du nomadisme et de la sédentarité : figure placée sous le signe du mouvement (la marcheuse fait les cents pas sur le trottoir), du *dé*placement (il s'agit dans le roman de s'en sortir ou pas) tout en étant confronté nécessairement à l'enfermement (entrer dans le métier, s'en sortir, ou encore défendre son territoire). Le territoire urbain, au sein duquel elle trouve une place, fait de la prostituée une nomade au sens le plus strict du terme, puisqu'elle se déplace continuellement pour trouver le meilleur lieu à exploiter. Notons pour finir que chacun des cinq romans – *Miss Nobody Knows* (1996), *Les Prostituées philosophes* (1997), *Le Psychanalyste* (1999), *Les Amants de Marie* (2002) et *Fever* (2005) – forme un ensemble cohérent et autonome qui s'inscrit[11] cependant dans la pentalogie, cet « infini en morceaux » (*O* : 278), par le tissage en reprise de quelques figures romanesques : notamment celle de Marie surnommée *Miss nobody knows*, dont nous avons déjà souligné la valeur métonymique au regard de l'œuvre dans son entier. Dans l'ensemble des cinq romans comme dans *Les Prostituées philosophes*, se déploie une facture littéraire, qui, à l'image de *Miss nobody knows*, s'érige sur la mise en questions du monde et la transgression de la catégorie. Des catégories, subdivisions territoriales imaginaires aux frontières contrôlées, plaquées sur le réel aux possibles de la fiction, ainsi va la pensée nomade de Leslie Kaplan.

---

10 Cf. l'article « Péripapétique », *in* Alain Rey (dir.), 1995, *op. cit.*, t. 2, p. 1480-1481.

11 Le maintien, dans les trois premiers tomes du moins, d'une voix, celle de la narratrice, constitue un autre facteur de cohésion de l'ensemble.

Depuis maintenant

Si *Les Prostituées philosophes* constituent un oxymore, *Depuis maintenant*, titre de la pentalogie, est un paradoxe : *depuis* implique un laps de temps que *maintenant* réduit. De cette pentalogie, seul le premier tome, *Miss Nobody Knows*, porte en page de couverture la mention « Depuis maintenant » ; les volumes qui suivent ne la rappelant qu'en page de titre et de faux-titre. Rien d'anodin dans ce principe, nous semble-t-il, puisque le substrat qui fonde le premier volume se dissout peu à peu dans les volumes ultérieurs tout en les irriguant de façon évidente.

Raconter depuis maintenant, c'est tout d'abord écrire depuis le présent puisque la narration est postérieure aux événements racontés. Dans le premier tome, l'occupation de l'usine et le suicide de Stéphane, l'oncle de la narratrice, sont évoqués et questionnés des années plus tard ; dans le second tome, la rencontre fortuite des Prostituées philosophes fait naître le récit de la constitution du groupe et des trajectoires de chacune de ces femmes depuis lors. *Depuis maintenant* rappelle également que, pour Leslie Kaplan, l'identité ne s'élabore et n'a de sens qu'au présent, comme si la filiation, l'héritage et l'Histoire n'avaient d'existence que mis en récit au présent : « En ce sens tout est au présent, l'identité de chacun se construit dans et par le récit qu'il en fait. Tout est *depuis maintenant*[12] ». Rien n'est jamais définitif, figé pour l'individu comme pour le personnage ; tout se fait et se refait par le récit au présent, renouvelé et revécu, dans la coïncidence du je narré et du je narrant. Lorsque Marie-Claude, une des Prostituées philosophes, évoque mai 68, elle revit les sensations de l'époque : « Et là… ça me fait encore la chair de poule […] rien que d'y penser » (*PP* : 66).

Mais « maintenant » est aussi le mot qui affleure lorsque la narratrice traduit, dans le premier tome, ce qu'elle ressentait pendant la grève et l'occupation de l'usine. Maintenant, c'était en 1968 :

> Quelque chose se passe… C'était dans l'air pendant ces années-là, du moins on pouvait le penser. […] Que quelque chose vienne du dehors, à votre rencontre, et vous étonne, vous enlève, vous soulève, vous fasse basculer, c'est là, c'est maintenant, on est au bord, on est avec, on sent la pression et on la crée, tout arrive, tout peut arriver, c'est le présent, et le monde se creuse et enfle, et les parois reculent, elles sont transparentes et elles reculent, elles s'écartent, elles s'éloignent, elles laissent la place,

---

12 Leslie Kaplan, « Littérature et psychanalyse » (*O* : 34).

et c'est maintenant et maintenant et maintenant… C'est ce que l'on peut éprouver dans l'amour, dans l'art, il est rare de l'éprouver dans la société, où l'on est presque toujours confronté à une part d'inertie obligatoire, où l'activité que l'on déploie, que l'on peut déployer, va presque toujours avec le sentiment pénible de sa limite. Mais pendant la grève on pouvait le toucher du doigt, le frôler[13].

La rencontre, le rapt à soi-même, la dilatation du présent, l'éloignement des limites sont autant d'expressions auxquelles l'écrivaine a recours dans ses articles théoriques pour décrire la pratique de la littérature. Notons que ce passage – parce qu'il décrit une force transgressive et centrifuge – pourrait tout à fait expliciter le travail littéraire de Leslie Kaplan sur la catégorie, dont elle cherche à repousser les limites et qu'elle tente d'annihiler en inscrivant son récit *depuis maintenant*, dans un présent contraire au caractère définitif et prétendument éternel de la catégorie.

Écrire depuis maintenant, c'est écrire depuis mai 68. Cette double ambition – dire mai 68 et l'après, dire le présent voire dire mai 68 au présent – est confirmée par l'incipit polysémique d'un article publié en mai 1998 par l'écrivaine dans un numéro spécial des *Cahiers du Cinéma* : « Mai 68 et après : ET MAINTENANT ».

Rencontres

Dire mai 68 au présent en faisant exister ce moment par le récit qu'en font les personnages au présent nous semble plus particulièrement être le propos et l'enjeu des deux premiers volumes de la série : *Miss Nobody Knows* et *Les Prostituées philosophes*. C'est en effet dans le premier tome qu'apparaissent trois des Prostituées philosophes, aperçues par la narratrice lors de la grève et de l'occupation de l'usine dans laquelle elle travaille. Évocation fugace et fugitive puisqu'elle prend naissance et fin dans un seul paragraphe :

> Un matin trois femmes s'étaient arrêtées, elles étaient à vélo, très maquillées avec des bas résille et des minijupes. Elles avaient dit qu'elles formaient avec quelques autres un groupe, les Prostituées Philosophes. L'une d'elle était un travesti et s'appelait Marie-Claude. Elles n'avaient pas d'idées précises mais elles étaient contre l'oppression. Elles avaient voulu voir les différents ateliers, elles s'étaient tout fait expliquer, ensuite elles étaient reparties en laissant un numéro de téléphone[14].

---

13 Leslie KAPLAN, *Miss Nobody Knows*, éd. cit., p. 63.
14 *Id.*, p. 71.

Les Prostituées philosophes ne réapparaîtront que dans le second volume, éponyme puisqu'elles donnent leur nom à l'œuvre ; elles seront attendues par le lecteur, de surcroît, car les trente premières pages du roman dévoilent une autre histoire : celle de Zoé dans le métro, Zoé adolescente de 15 ans, rencontrant Thomas, revoyant Thomas, découvrant son père, *Hurricane* Stanley, l'ouragan. C'est par l'intermédiaire de Zoé que la narratrice renoue fortuitement avec ces femmes qu'elle avait rencontrées à l'usine. Intermédiaire démultiplié puisque la rencontre de Zoé avec Thomas est à l'origine de la rencontre avec Pierre, garçon de café, qui les emmène danser sur la péniche tenue par Marie-Claude, une des anciennes Prostituées philosophes. C'est enfin le récit de Zoé à la meilleure amie de sa mère, la narratrice justement, qui renoue le lien distendu entre les Prostituées philosophes et cette dernière :

> Le bar était tenu par un travesti, Marie-Claude. Le nom de la péniche avait frappé Zoé, les Prostituées philosophes.
> Ce nom me troubla. Marie-Claude, je l'avais croisée. C'était pendant les événements du printemps 68, pendant la grève et les occupations d'usines. À l'époque j'étais dans une usine occupée, beaucoup de monde passait, des étudiants, des gens du quartier. Un matin des femmes s'étaient arrêtées, elles étaient à vélo, très maquillées, elles portaient des bas résille et des minijupes. Elles avaient dit qu'elles formaient un groupe les Prostituées philosophes. L'une d'elles était un travesti : Marie-Claude.
> Je ne les avais jamais revues, ni pendant la grève, ni après. (*PP* : 34)

L'effacement de certaines informations (le trio inaugural et le numéro de téléphone) mais également la permanence de certains termes pour décrire la rencontre – le vélo, les bas, la minijupe, le maquillage excessif, etc. – révèle la rémanence du détail dans la scription du passé au présent, depuis maintenant. À l'exception de la bicyclette (qui introduit déjà le déplacement), ces détails-clichés de la prostituée sont transcendés par le nom oxymorique et transgressif du groupe : les « marcheuses » sont en mouvement. Si la description de l'ensemble formé à partir de chacune des femmes est préféré à l'individu, effacé au profit du groupe, c'est justement l'usage de la contestation qui unit ces femmes[15] – « elles étaient contre l'oppression » – et

---

15 Contestation explicite dans le premier roman et implicite dans le second, où le contexte activiste et politique de la période (« événements du printemps 68 » : grève, occupation d'usines, etc.) semble induire nécessairement la contestation, rétrospectivement avérée depuis maintenant, depuis une époque de surcroit dépolitisée, celle du second opus (celle de la lecture ?).

non la catégorie « prostituée », ou « femme » que vient d'ailleurs perturber la mention de Marie-Claude en travesti. Enfin, la position de la narratrice par rapport au lecteur ou à la lectrice révèle l'adéquation entre deux positions de savoir identiques. Ce principe défendu par Kaplan se traduit par le refus de la focalisation omnisciente, le refus de la complicité du narrateur au détriment des personnages, et s'érige en principe littéraire :

> Une littérature fondée sur l'explication [...] ne m'intéresse pas. Ce qui m'intéresse en tant qu'écrivain c'est une narration qui ne soit pas naturaliste, qui ne soit pas fondée sur un savoir préalable, qui ne vise pas à ramener à du déjà connu. Le point de vue du narrateur omniscient, non. Mais qu'il y ait le maximum d'égalité entre le narrateur et les personnages : ce que sait le narrateur, les personnages le savent aussi, ils ne sont pas en dessous de lui, sinon on tombe dans une complicité, une connivence avec le lecteur sur le dos du personnage. Cela implique le respect vis-à-vis de ses personnages, et c'est ce qui maintient la tension : la surprise, l'étonnement, la rencontre. (*O* : 33)

Si, lors des premières retrouvailles, Zoé sert de témoin à la narratrice, dans l'ensemble de l'œuvre, la narratrice n'est qu'un relais entre les Prostituées philosophes et le lecteur ou la lectrice, qui rencontre ces personnages *avec* elle. On ne prend connaissance du monde de la fiction que par l'intermédiaire d'un personnage (assumant ou non la narration) en focalisation interne. Cette position informe nécessairement son rapport à l'œuvre et à l'interprétation car il est impossible de prétendre à une *vérité* de la diégèse. L'objectif est au contraire de tenter de « faire l'expérience de l'autre, ou des autres » (*O* : 281) en écrivant « par tous les côtés en même temps, c'est-à-dire – ça veut *aussi* dire – donner sa voix et prendre au sérieux chacun des personnages » (*ibid.*). Lecteurs et lectrices découvrent l'histoire *avec* les personnages, sans que les informations transmises par l'un ne prennent le pas sur celles de l'autre. Cet *avec* est constitutif de la transgression de la catégorisation car, selon Leslie Kaplan, « on pense avec [...] et cet *avec* signe une forme particulière de pensée qui tient compte de la rencontre, d'une rencontre entre un sujet et une œuvre » (*O* : 9).

Les filles de la Mémoire

Les Prostituées philosophes sont au nombre de neuf : Marie-Claude, Sabine, Annie, Louise, Mireille, Dany, Lucienne, Sylvia et Mademoiselle Renée. De ces neuf muses, filles de la Mémoire, seules deux s'en sont sorties – sorties du métier de prostituée. C'est à partir du présent, depuis maintenant, que nous découvrons le passé, ou le présent, de chacune de ces neuf figures car selon l'écrivaine « le passé n'explique pas, il fait irruption » (*O* : 34). Figures précisément car les personnages se dessinent comme des formes dans la mémoire de Marie-Claude et Sabine, seules présentes pour mettre en récit le passé, par leur prise de parole. En effet, à l'exception de Marie-Claude, qui est décrite par la narratrice, le lecteur ou la lectrice n'a accès aux personnages constituant le groupe que par l'intermédiaire du récit qu'en font Marie-Claude et Sabine. Figures caractérisées par un simple détail comme la dent en or de Dany, un trait de caractère, une expression récurrente ou une scène éclairante sans qu'aucun de ces éléments ne se donne comme une définition métonymique du personnage en question. « Le personnage est un sujet » (*O* : 33) clarifie Leslie Kaplan, il n'est ni un cas, ni une catégorie. Il ne s'agit pas de définir mais de laisser advenir les figures, ce qui explique le recours à des traits de caractères ou à des expressions récurrentes, qui relèvent de l'itération mais également d'une potentielle variabilité. Il est, de même, impossible de dater avec précision les scènes (singulatives celles-ci) auxquelles les deux Prostituées philosophes font référence : était-ce pendant le groupe, juste après, des années plus tard ?

Lors de cette première entrevue entre la narratrice, Marie-Claude et Sabine, cinq figures sont abordées rapidement, à grands traits : Sabine s'est finalement mariée, elle a réussi à se défaire de son « type » grâce à Marie-Claude, elle tient une mercerie, comme sa mère, tout en aidant Marie-Claude au service de temps en temps – « Là c'est exagéré » est son expression fétiche ; Annie, dactylographe, est restée avec son « type », sacrifiant son intelligence ; Dany s'était fait poser une dent en or sur le devant, comme le voulait son « type » ; Lucienne, avec sa queue-de-cheval et ses bottes de *cow-girl* voulait refaire sa vie en Amérique ; Sylvia, sur laquelle nous reviendrons plus tard, haïssait les hommes. Soulignons que quatre femmes sur les cinq sont évoquées en fonction de leur rapport à un homme ou aux hommes. Or pour trois d'entre elles, le même terme est employé : « le type » avec qui elles sont ou étaient. L'homme qui vit avec une femme qui se prostitue est donc désigné par le terme « type », et non pas souteneur, proxénète ou même *mac* qui ne pourraient permettre la polysémie, ce qui induit nécessairement deux remarques. En dehors du contexte, ces figures de prostituées pourraient être des figures de femmes (ou d'hommes) non spécifiées par la catégorie « prostituées » puisqu'à aucun moment dans l'évocation de leurs souvenirs n'est abordé le travail du sexe, la vente des corps. De plus, l'usage du terme « type » rappelle à quel point le lien qui se tisse entre la personne qui se prostitue et la personne qui vit avec elle est complexe tant dans les faits (le lien réel qui peut se tisser) que dans la manipulation des faits (le proxénète se fait fréquemment passer pour le compagnon de la prostituée). Une fois encore, Leslie Kaplan ne recourt ni à la définition, ni à la catégorisation mais pose une question, qui reste ouverte, sans réponse. Chacune de ces femmes, par son trajet et son aspect singuliers, ne peut se résumer, ni même se résoudre, dans une catégorie – « femme » ou « prostituée ». La romancière, par l'énumération de détails, ne définit pas, n'enferme pas ses personnages dans le cadre catégoriel. De plus, lorsque Marie-Claude et Sabine évoquent leurs comparses, trois figures se détachent des autres : Mireille et sa beauté plastique, Louise devenue folle – « elle est partie » – lorsque son fils l'a rejeté parce qu'elle se prostituait, tout en lui précisant qu'elle n'avait finalement fait « que son devoir de mère » et Mademoiselle Renée, un travesti ayant commis un cambriolage et un meurtre, et n'utilisant que la première personne du pluriel pour référer à sa personne et son sexe. Là encore, l'évocation de la beauté plastique et de la maternité, qui pourrait mener à la catégorisation de la femme, est court-circuitée par l'absurdité de la réaction du fils de Louise, et surtout par le personnage de Mademoiselle Renée, travesti, voleur et meurtrier, désignant son sexe et son moi par un nous inclusif qui interdit, par l'amalgame obtenu, l'enfermement dans une catégorie.

La constitution du groupe

La seconde entrevue, au cours de laquelle Marie-Claude raconte la constitution du groupe des Prostituées philosophes, se fait en présence de Thomas, de Zoé et de Stanley. Se joue à ce moment précis une transmission du passé de génération à génération – comme le confirme la répétition de la question « tu comprends? », étymologiquement « prendre avec », que pose Marie-Claude à Thomas (*PP* : 66-67). À l'origine du récit, comme du groupe, est Marie-Claude. C'est elle qui évoque la raréfaction des clients lors des événements de mai, raréfaction qui lui laissait du « temps », élément le plus précieux qui soit car il est un prélude nécessaire à la rencontre (*PP* : 65). Il s'agit en l'occurrence de la rencontre entre Marie-Claude et une affiche sur un mur :

> Avant même de savoir ce que je lisais, j'ai été saisie. C'était une affiche très simple, dans le style de l'époque, on voyait un poste de télévision en grand, il prenait toute l'affiche, et dedans il y avait le visage d'un policier, d'un CRS. La matraque levée, la visière baissée. Tout noir. Au-dessus il y avait une phrase écrite en majuscules blanches, « La police à l'ORTF, c'est la police chez vous ». Je me suis mise à trembler.

J'avais déjà vu des affiches, des images de la répression. Ce n'était pas ça. C'était « la police chez vous », c'était cette phrase, avec l'image, le visage fermé, la matraque levée. J'ai vu quelqu'un, n'importe qui, entrer chez moi. Et je me suis dit, Mais c'est ce qui se passe. C'est exactement ce qui se passe. Quelqu'un en direct chez soi. Tout d'un coup le métier m'a paru insupportable. *(PP :* 66)

Cette scène inaugurale du groupe affirme le pouvoir des mots : le slogan paraît aussi réel qu'une phrase prononcée en direct. La polysémie joue à plein : « en direct » évoque le direct télévisuel et devient la présence directe sans barrière ; « c'est ce qui se passe » renvoie à « c'est la passe ». L'association psychanalytique – la matraque / pénis et « l'effraction » / pénétration pour la prostituée – se dévoile. Le « métier » est une désignation pudique de la réalité mais surtout une définition de la prostitution comme profession. C'est à questionner cette pratique comme une activité répétitive, à la chaîne – qu'accomplissait la mère de Marie-Claude en tant qu'ouvrière –, que l'équivalence se forme quelques instants plus tard : « Je m'étais toujours dit que c'était pareil, ça ou l'usine. » *(PP :* 67) C'est à partir de cette vision que Marie-Claude persuade celles qu'elle nomme ses « copines » de vivre en communauté.

Prendre la parole,
c'est « sauter en dehors de la rangée des assassins »

Après la mise en commun d'un lieu de vie, la maison[16], de leur argent, de leurs vêtements, c'est la parole qui se diffuse entre elles. Cette prise de parole, définie par Leslie Kaplan dans son œuvre critique – nous l'avons évoqué – comme une forme d'action transgressive, est au cœur de la démarche de ce groupe de prostituées qui se met à philosopher : « On avait un de ces plaisirs à parler, pour raconter sa vie bien sûr, mais pas seulement. On sentait que ça nous rendait intelligentes, de parler, toutes le disaient, et se sentir intelligentes, ce n'était vraiment pas, disons, la normale pour nous... » *(PP :* 77) Elles opèrent un travail sur la langue comme dans le jeu qui se forme entre elles autour de l'expression « les filles sont des filles », dans la polysémie du terme qui désigne la femme et la prostituée. Elles placardent ces trou-

---

16 Voir en écho les remarques de Marie dans *Les Amants de Marie* (2002, Paris, P.O.L., p. 42) : « Ce dont les femmes ont besoin […], ce dont tout le monde a besoin, […] pour vivre en pensant sa vie. Un peu d'argent, c'est-à-dire un peu de temps, et une chambre à soi ».

vailles de la langue sous forme d'affiches dans leur lieu de vie. La première, qui a donné naissance au groupe, est placée dans l'entrée, la seconde « une fille est une fille » (*PP* : 78) la rejoint quelques temps plus tard, enfin celle de *Miss nobody knows* « Une femme qu'est-ce que c'est » (*PP* : 81) en vient à interroger la catégorie « femme ». Le nom du groupe est choisi à partir d'une question, « *Pourquoi les prostituées philosophent* », posée par Marie-*Miss nobody knows*. De la péripatéticienne à la marcheuse, ces *femmes* parlent et se parlent, se posent des questions, pensent. La philosophie, qui qualifie leur *démarche*, passe par la mise en mots, la survenue des idées, la mise en questions du monde. Comme le précise Marie-Claude des années plus tard : « L'époque, elle disait, c'était ça, elle faisait un geste comme de la pluie, ce bruissement de questions » (*PP* : 88). À partir de la circulation du sens et de la parole au sein du groupe, elles se mettent à transmettre en écoutant et parlant avec d'autres dans la ville. Elles sortent ainsi de la « rangée des assassins ». Mais Sylvia, l'une d'entre elles, constitue un contre-exemple de cette révolution. Fermée aux autres à cause de la haine qu'elle ressent, Sylvia ne peut dialoguer : elle ne peut que répéter « Sylvia te dit Merde » (*PP* : 78). Lorsque Marie-Claude aperçoit Sylvia – étymologiquement la forêt –, des années plus tard, au Bois, elle assiste à une scène d'une violence inouïe : Sylvia, furieuse, bestiale, battant une jeune prostituée pour lui faire quitter le métier puis se retournant contre elle-même, s'automutilant, s'arrachant les cheveux, se griffant, se déchirant la peau. La scène s'achève sur la molestation de Sylvia par d'autres prostituées. Sylvia n'avait jamais pu philosopher, elle n'avait ni pris la parole, ni entamé le récit, ni réussi à mettre le monde en questions. Sylvia ne pouvait que rester parmi la rangée des assassins.

Marie-Claude est une question

On se souvient du commentaire de Leslie Kaplan sur le personnage incarnant, à un moment donné, une question. Marie-Claude, dont le double prénom – féminin allié au masculin par un simple tiret – reflète sa condition de travesti, en est une : celle que posait *Miss nobody knows* : « Une femme qu'est-ce que c'est » ? Elle/il est deux dans un même corps (*PP* : 83), une « femme déguisée en homme déguisé en femme » (*PP* : 84), une « femme avec un sexe d'homme » (*PP* : 105). Comme elle le suppose elle-même, elle est « une femme par adoption, par choix, enfin peut-être » (*PP* : 85), l'adverbe modalisateur qu'elle emploie relançant nécessairement le questionnement. Elle/il est le sphinx ou l'une des sorcières de *Macbeth* (*PP* : 101); elle porte une barbe d'homme, qu'elle rase consciencieusement chaque matin.

L'artifice qui la/le constitue est dénoncé à plusieurs reprises par la narratrice : « Le décolleté plongeant, ouvert sur quoi, sur une question. » (*PP* : 68) Or le sexe, affirme Marie-Claude, c'est le style (PP : 97), pourtant l'anecdote qu'elle choisit pour illustrer son propos n'a rien à voir avec le sexuel, et la narratrice évoque son impression négative quant à cette prise de position : là encore, le questionnement se revitalise. Une scène finale, réunissant Marie-Claude, Zoé, Thomas, Stanley et la narratrice, vient confirmer que la question que pose Marie-Claude ne sera jamais résolue :

> — Moi, dit Marie-Claude rapidement, elle parle à toute allure, mon père me demandait parfois ça. Si ça allait. Ça va ? ça va ? Je savais que je devais dire que oui, ça allait. En fait, ça allait ou ça n'allait pas, mais je devais dire que oui.
> Malaise, malaise. Pourquoi ? malaise. Quelque chose de gluant, de pénible. Où ? Là.
> Personne ne dit rien. Le côté pénible est redoublé.
> Question de Zoé : à quel moment le père de Marie-Claude demandait ça.
> — À quel moment, dans quel contexte, demande Zoé. Comment est-ce qu'il te demandait ça ton père ?
> Marie-Claude rougit. Elle rougit tellement qu'on peut avoir l'impression que la table est chauffante.
> — Je ne comprends pas ta question. Mon père disait ça… Elle ne termine pas sa phrase.
> J'ai une image. Marie-Claude allongée sur le ventre, son père sur elle. Je ferme les yeux, l'image reste.
> Personne ne dit rien. Ensuite Stanley commence à poser des questions à Thomas. (*PP* : 127.)

Si l'inceste est projeté par la narratrice sur le récit de Marie-Claude – « J'ai une image » – il n'est à aucun moment narré, assumé par cette dernière : conjecture d'un je narrant donc et non vérité de la diégèse. La transgression de genre – passer de l'un à l'autre, être l'un et l'autre – tout comme la dialectique homme/femme ne se résume pas par le passé, d'ailleurs incertain, du personnage, ne se résout pas par un déterminisme – *deus ex machina* de l'enfance. Marie-Claude reste une question posée au lecteur ou à la lectrice.

La fin des *Prostituées philosophes*, « Bras et jambes, épaules et cous, seins et dos. Les sexes sont là. Ils dansent » (*PP* : 127), par l'énumération de détails et le morcellement des corps qui la caractérise mais également par le recours au terme « sexes » au détriment de l'expression « hommes et femmes », illustre la poétique transgressive d'une pensée nomade qui ne résout pas les questions posées dans l'œuvre mais laisse circuler du sens. Le travail littéraire de Leslie

Kaplan consiste bien à dilater la catégorie, aboutissant à un dépassement de celle-ci par le questionnement, le détail et la prise de parole singulière. C'est ce qui nous permet, en tant qu'êtres, de rester ouverts à la multiplicité des possibles, de nous extraire de la rangée des assassins. Plus encore, ce refus rappelle le fil tranchant sur lequel nous nous tenons, en tant que critique, et le dilemme avec lequel doit parfois en découdre notre propre écriture : comment expliquer une œuvre, un parcours, sans réduire l'ensemble des possibles ?

Le sabbat de Catherine Millet

Armelle Le Bras-Chopard, *Université de Versailles Saint-Quentin-en-Yvelynes*

Catherine Millet est directrice de la revue *Art Press* mais nous laisserons de côté ses écrits de critique d'art pour nous concentrer sur son récit, *La Vie sexuelle de Catherine M.*, auquel nous ajouterons un court texte postérieur, *Riquet à la houpe Millet à la loupe*[1] (2003), non seulement parce qu'il apporte un autre éclairage sur le seul sujet qui intéresse Catherine Millet, c'est-à-dire elle-même, mais parce que l'auteure y revient sur l'écriture et la réception de *La Vie sexuelle de Catherine M.*

Ce livre a suscité de nombreuses réactions à sa parution en 2000 et des plus contradictoires, tantôt jugé honteusement pornographique, tantôt considéré comme libérateur en matière de sexualité féminine. Nous ne nous placerons pas du côté des jugements de valeur : ni de celui de la morale ni de celui des qualités littéraires. Sur ce dernier point, les quelques citations, en langage assez cru, qui seront données dans la suite de cet article, permettront d'en juger directement. Le propos ici est de déceler la persistance des schèmes les plus traditionnels et la reprise des stéréotypes les plus éculés sur la femme émancipée et la femme tout court, dans cet ouvrage autobiographique où Catherine Millet énumère les expériences sexuelles qu'elle a vécues. Pour cela, nous procéderons à une comparaison entre le portrait que Catherine Millet délivre d'elle-même et celui que les inquisiteurs et magistrats du xve au xviie siècle ont brossé de la sorcière démoniaque, d'après des aveux, le plus souvent extorqués sous la torture, que ces juges ont retranscrit dans leurs traités de « démonologie ». Si ces discours sur la sorcière, qui ont conduit au bûcher des centaines de milliers d'innocentes pendant plus de trois siècles, appartiennent aujourd'hui à une Histoire révolue et ont été prudemment occultés par les penseurs masculins, vu l'invraisemblance et

---

1 Catherine Millet, 2000, *La Vie sexuelle de Catherine M.*, Paris, Stock : *VS;* 2003, *Riquet à la houpe Millet à la loupe*, Paris, Stock : *RH.*

le ridicule des propositions avancées par ces auteurs pourtant très érudits[2], celles-ci ont néanmoins laissé des traces souterraines et inconscientes dans la perception encore très actuelle de ce que doit être et ne pas être « la » femme : respectivement, la maman et la putain.

En effet quel est le crime initial de la sorcière de jadis ? Le pacte avec le Diable, qui se concrétise par l'accouplement monstrueux avec Satan. La sorcière se définit donc par sa sexualité, tout comme Catherine M. : entre les pratiques de cette dernière et celles de la sorcière, il y a bien des similitudes. Ainsi retrouve-t-on d'abord chez l'une et chez l'autre un parallélisme entre nomadisme et transgression sexuelle. En second lieu, nous montrerons comment, à l'instar de la sorcière de jadis, Catherine M. s'est piégée elle-même à ce petit jeu, comment sa liberté s'est transformée en un nouvel esclavage. La figure de la sorcière nous servira donc de fil conducteur pour mesurer combien *La Vie sexuelle de Catherine M.*, au-delà de son côté provocateur, se coule en réalité dans des représentations conventionnelles de la femme. À la différence que ce que les inquisiteurs fantasmaient sur les agissements de la sorcière n'avaient aucune réalité tandis que ceux de Catherine Millet ont bien eu lieu ; à la différence que ce qui était jugé blasphématoire, se transforme chez Catherine M. en exploit ; à la différence que Catherine Millet n'a jamais été menacée du bûcher...

L'envol de la sorcière

Catherine M. refuse l'enfermement dans « une chambre à soi ». Son quotidien est dans l'évasion, l'itinérance, le hors les murs, vers un « partout » infini où elle rencontrera ses amants passagers. De même que, pour s'envoler du foyer où toute femme est normalement assignée, la sorcière utilise de préférence un balai ou un barreau de chaise, symboles phalliques par

---

2   C'est sans doute pour cette raison que la plupart de ces ouvrages ne sont disponibles qu'en vieux français et n'ont pas été republiés ; en particulier *De la démonomanie des sorciers* de Jean Bodin (1580, Paris, J. du Puys), l'illustre théoricien politique, auteur du non moins célèbre *Les Six Livres de la République* où il développe la théorie de la souveraineté politique qui pose les bases de l'État moderne. Une réédition de *De la Démonomanie*, livre souvent délirant dans ces attaques contre les femmes au travers des sorcières, entacherait sa haute réputation. L'ouvrage reste aujourd'hui inconnu des politologues et des juristes alors même qu'il explicite la construction de cette souveraineté impérativement masculine, comme nous l'avons montré dans *Les Putains du Diable : le procès en sorcellerie des femmes* (2006, Paris, Plon), auquel nous renvoyons pour la description de la sorcière et de ses agissements.

excellence, Catherine Millet utilise le sexe masculin (peu d'expériences homosexuelles) comme instrument et manifestation de sa liberté d'aller et venir. Le nomadisme est chez elle très clairement associé à la transgression sexuelle. Elle assimile « voyage et plaisir érotique » (*VS* : 116), « l'amour physique à une conquête de l'espace » (*VS* : 122). La recherche ou la découverte d'un paysage inconnu est pour elle parallèle à « l'idée de ne pas rencontrer de barrières sexuelles » (*VS* : 89), d'« élargir à l'infini un espace dont les yeux ne perçoivent pas de limites » (*VS* : 97) car, précise-t-elle, « d'une façon générale, il doit bien y avoir un lien intrinsèque entre l'idée de se déplacer dans l'espace, de voyager, et l'idée de baiser sinon cette expression "s'envoyer en l'air" n'aurait pas été inventée » (*VS* : 101). Dès lors, elle estime « les expériences sexuelles indissociables du besoin de prendre l'air » (*VS* : 114), ce pourquoi elle aime « la pratique de la baise à ciel ouvert » (*VS* : 109). Loin de privilégier des endroits désertiques, elle accentue l'incongruité de l'échappée belle par sa prédilection pour les lieux publics et, plus spécialement, les « lieux urbains » (*VS* : 112) qui correspondent au mieux à son « désir de transgresser les codes » (*VS* : 113). Par exemple sur les bas-côtés de grandes artères, dans les parkings, sur les terrasses…

Dans cette incessante pérégrination, Catherine M. fait exploser les barrières traditionnelles entre le dedans immobile où est censée se cantonner la femme, et le dehors où se meuvent ordinairement les hommes ; entre le privé, l'intime où se déroulent les ébats sexuels, et le public, offert à tous les regards. Il existe une totale porosité entre elle et ce qui l'entoure. Dans le coït, c'est le monde qui pénètre au plus profond d'elle-même. Elle se dit « une coque dont [elle s'est] retirée » (*VS* : 162), coque vide où elle n'est plus rien, parce qu'elle est tout : elle est devenue monde. Comment ne pas penser à cette volonté de toute-puissance que la sorcière est censée rechercher en copulant avec le Diable ? La contrepartie de ce pacte satanique, ce sont les pouvoirs maléfiques que la sorcière acquiert, faire mourir un voisin ou sa vache, provoquer la tempête…, ce que, bien évidemment, ne recherche pas Catherine Millet. Mais, dans la transgression et le nomadisme, elle éprouve le pouvoir à la fois de briser les murs d'un *sweet home* et de dépasser les bornes de ce qui est permis et réprouvé par les « codes ». Dans ces conditions, un seul partenaire, qui la clouerait au pilori de la monogamie et de la fidélité, s'avère insuffisant. Le *must*, c'est quand il y en a plusieurs. Entre partouzes réelles et sabbat des sorcières dans l'imaginaire des inquisiteurs, la correspondance est étroite.

Michel Bozon discerne chez les romancières contemporaines trois « types d'orientations intimes » : le désir individuel (Annie Ernaux), la sexualité conjugale (Camille Laurens), le réseau sexuel[3]. Catherine Millet appartient au dernier groupe. Ses ébats collectifs ressemblent à ces scènes de sabbat décrites par les inquisiteurs dont Sade s'était inspiré pour ses descriptions, en particulier dans *Les Cent Vingt Journées de Sodome*. Reprenons le parcours de la sorcière dans cette réunion nocturne : elle en connaît rarement le lieu et qui seront les autres participants. Car, en plus de Satan, elle devra s'unir à toutes sortes d'autres créatures : des démons subalternes, des monstres, des animaux (crapauds, boucs, chiens…) et des êtres humains eux-mêmes entrés en sorcellerie, qui portent des masques pour ne pas être reconnus et dénoncés en cas de procès. Catherine M., elle, ignore souvent l'emplacement de « la partie de sexe » et ne connaît pas ses futurs partenaires anonymes et dont elle oubliera le visage, la séance terminée. Elle en dénombre seulement 49 « identifiables » ! Elle avoue son « attirance pour le monstre, enfouie dans ses rêveries qui sont les plus secrètes parce qu'elles accompagnent des actes interdits » (*RH* : 41), trouve que « le crapaud est attirant pour sa plasticité sexuelle » (*RH* : 36), aime les partenaires « pas très nets non plus » (*VS* : 70), regrette de n'avoir jamais fait l'amour avec un nain. Elle mime en paroles le coït avec une bête à la demande d'un homme qui lui « a fait élargir fantas-matiquement et incommensurablement la collectivité fornicatrice », entrant avec complaisance dans le scénario, purement verbal, de ce partenaire qui lui dit : « le patron de l'hôtel amènera un chien et il y en a qui paieront pour te voir mise par le chien – Je devrais le sucer ? – Tu verras, il aura une queue très rouge puis il te grimpera dessus comme sur une chienne et il restera collé à toi » (*VS* : 42).

Au sabbat, tout est possible, même, et surtout, ce qu'il y a de plus répu-gnant. La cérémonie commence, en général, par « le baiser au cul du Dia-ble », celui-ci lâchant parfois ses excréments dans la bouche de la sorcière. Il arrive également à Catherine M. de « bouffer le cul » de ses amants, de se faire « chier » (*ibid.*) sur elle ou « pisser dessus comme avec un tuyau d'arrosage » (*VS* : 203). La scatologie est parfois transposée dans le registre du fantasme : dans un scénario ordonnancé par l'homme évoqué précé-demment, elle doit s'imaginer avec des jeunes garçons tandis qu'à chaque réplique, l'homme enfonce « un coup de bite un peu sec », celui-là bien réel.

---

3   Michel Bozon, 2001, « Orientations intimes et constructions de soi. Pluralité et diver-gences dans les expressions de la sexualité », in *Sociétés contemporaines*, n° 41-42.

Elle demande : « il y en a qui me chieront dessus aussi ? » Il répond : « oui, et tu leur boufferas le cul après. » Catherine obtempère : « ça me dégoûte mais je nettoierai les plis de leur cul avec ma langue » (*VS* : 42).

Le Diable apprécie le baiser à son postérieur mais prend aussi « plus de plaisir en la sodomie qu'en la plus réglée volupté et la plus naturelle[4] », rappelle un magistrat au tournant du xvie et du xviie siècle, évoquant, à l'instar de ses confrères, uniquement la sodomie avec une femme comme s'il était impensable que des mâles, fut-ce le démon, se livrent à des pratiques homosexuelles. Il n'empêche que, même entre hétérosexuels, y compris entre époux, cette position inversée est violemment prohibée par l'Église : elle dénote un comportement bestial (*more canino*, à la façon du chien, rappelle Freud) et aussi un moyen de faire l'amour sans risque de procréation. La « position en levrette » est habituelle chez Catherine M. : « j'étais sodomisée aussi couramment que prise par devant » (*VS* : 52-53). Là encore, comme pour la scatologie, on retrouve un écho des descriptions fictives de Sade. Mais Catherine Millet y voit, en plus, une « méthode contraceptive primitive » (*VS* : 59) qui nous ramène, par ce biais-là aussi, à la sorcière. Dans la *doxa* démonologique, et c'est ce qui est resté dans les contes populaires, la « méchante femme » tue les enfants, les fait cuire dans un grand chaudron et les consomme lors du banquet du sabbat. Contraception, avortement, infanticide, fréquents à l'époque, qualifiés uniformément d'homicides dans la doctrine de l'Église (encore aujourd'hui[5]), ont contribué à fabriquer cette image de la sorcière. Sans doute, Catherine M. ne déguste-t-elle pas des enfants bouillis dans une marmite, mais ils sont totalement absents de son récit. Elle ne les tue pas : ils n'existent pas, ce qui est une autre façon de les faire disparaître. Sa vie, en dehors de l'exercice de son métier (intentionnellement peu évoqué, à part quelques allusions mais qui renvoient elles-mêmes à l'image d'une femme libre), se réduit à « baiser fréquemment » (*VS* : 117). Les escapades sexuelles nécessitent une complète mobilité, incompatible avec la charge d'une marmaille : elle est l'antithèse de la « maman ».

Mais, de même que la sorcière ne peut plus se dégager du pacte avec le Diable grâce auquel elle croyait gagner son émancipation, de même Catherine M. s'est asservie au sexe en s'imaginant gagner sa liberté par le sexe.

---

4 Pierre de Lancre, 1982 [1612], *Tableau de l'inconstance des mauvais anges et démons où il est amplement traité des sorciers et de la sorcellerie*, Paris, Aubier.

5 Voir Armelle Le Bras-Chopard, 2006, « L'avortement comme infanticide dans la doctrine de l'Église », in *Revue générale de droit médical*, n° 19.

L'esclavage de la liberté

Dans l'élaboration du portrait de la sorcière, les démonologues utilisent les théories des naturalistes sur le tempérament de la femme, compilées à l'origine par des clercs et reprises jusqu'à une date récente par les méde- cins laïques ou les psychanalystes. Passivité, frigidité, masochisme faisaient partie de leur arsenal pour étiqueter la sexualité féminine. Or ce sont pré- cisément sur ces caractéristiques que Catherine Millet insiste le plus. Dès lors, en croyant secouer les chaînes des préjugés, elle semble plutôt s'être emprisonnée dans les stéréotypes les plus archaïques et une pratique plus contraignante que libératrice.

Depuis Aristote et jusqu'au XVIIIᵉ siècle, selon la théorie des humeurs, l'acti- vité est le fait du mâle, sec et chaud, tandis que, froide et humide, la femme est dans la passivité[6]. Loin de s'insurger, comme les féministes contempo- raines, contre cette assertion périmée, Catherine Millet la revendique fière- ment pour son compte : « vacante, je me suis trouvée être une femme plutôt passive, n'ayant pas d'objectifs à atteindre, sinon ceux que les autres m'ont donnés » (*VS* : 30). Elle s'exécute, « indifférente » (*VS* : 199), entre les mains de différents partenaires. Elle se laisse « aller à n'être qu'une masse broyée, bientôt plaquée sur le lit et retournée, sans plus de réaction propre qu'une boule de pâte à pain. Support amorphe d'une activité frénétique » tandis que le capiton de ses fesses se met « en paquets dans les mains qui le pétrissent » (*VS* : 196). Au fond, elle est bonne pâte, pâte à modeler tous les fantasmes de ses amants. Elle ne refuse rien. Elle se vante de sa « maniabilité » (*VS* : 44). Elle récuse toutefois un « goût de la soumission » et se croit sujet parce qu'elle a, de son plein gré, pris la posture de l'objet. Ce faisant, elle se soumet à d'autres codes qu'elle n'a pas édictés. Dès le début du récit, elle emploie le mot « rituel » et prétend ne pouvoir s'y soustraire : « je ne me suis prêtée à ces étreintes, et aux grougnottages afférents, que pour ne pas contrarier la règle du jeu » (*VS* : 48). Elle a fait le choix de ne plus revendiquer d'autre choix : « ma liberté n'était pas de celles qu'on rejoue au hasard des cir- constances de la vie, elle était celle qui s'exprime une fois pour toutes dans l'acceptation d'un destin auquel on s'en remet, sans réserve – comme une religieuse qui prononce ses vœux » (*VS* : 61). Nous dirions plutôt : comme une sorcière dans son irréversible pacte avec le Diable... Si la sodomie n'est

---

6   Voir Armelle Le Bras-Chopard, 2004, *Le Masculin, le Sexuel et le Politique*, Paris, Plon.

pas le mode de pénétration qui a ses préférences – elle « aime être retournée et plantée classiquement » (*VS* : 181) – elle n'en obéit pas moins aux désirs du partenaire. Dans ces conditions, où est le plaisir ?

Il est, en effet, surprenant que, appartenant à une génération qui a réclamé le droit au plaisir et l'a obtenu, Catherine Millet en reste à l'ancien schéma de la femme froide, voire frigide, brossé par les plus éminents scientifiques des temps passés. Elle avoue : jusqu'à 35 ans, « je n'ai pas envisagé que mon propre plaisir puisse être la finalité d'un rapport sexuel » (*VS* : 198). Elle se soucie peu de la qualité de celui-ci, n'en éprouve pas beaucoup de plaisir ni de déplaisir, savoure, en fait, comme seule jouissance, le « confort de ne rien ressentir, rien d'agréable, ni de désagréable non plus ». Elle est « patiente » (*VS* : 199) quoique, selon elle, « il arrive qu'on s'ennuie en baisant » ; aussi est-elle « bien contente lorsque l'autre décharge » même si elle n'en tire pas elle-même « un grand profit » (*VS* : 200).

Nous sommes exactement dans le cas de la sorcière. Bien que lubrique, elle n'atteint pas la jouissance. Bien que ce soit précisément cela qu'elle recherche auprès du Diable – soit, parce que trop laide ou trop vieille, elle n'a pas trouvé d'« amoureux », soit parce qu'elle est déçue par les piteuses performances de son mari – elle ne parvient pas à jouir. Pire : le rapport est douloureux, sanglant, à cause du gros sexe « tortu » de Satan, dont les écailles métalliques se rebroussent quand il se retire. De semblables souffrances sont épargnées à Catherine M. mais, comme la sorcière qui revient épuisée de ces séances nocturnes au point d'être obligée de garder le lit pendant deux ou trois jours, Catherine Millet avoue avoir « passé des nuits exténuantes » à force d'être « pilonnée » (*VS* : 55).

N'ajouterait-t-elle pas à cette pauvre appétence pour le plaisir, qui renvoie à l'image traditionnelle de la frigidité de la femme, un peu de masochisme, poncif tout aussi masculin, Freud à l'appui, qui veut que la femme soit plus masochiste que l'homme ? La sorcière est battue, fouettée. Catherine Millet évite la violence et se défend d'aimer la douleur pour elle-même. Elle se fait toutefois gifler dans la réalité ou dans des scènes fantasmées. Dans le cas évoqué plus haut, pour être sûre de bien rester dans le scénario fictif voulu par son partenaire, elle demande : « Et d'abord je refuserai ? Je me débattrai ? » Et l'homme de répondre : « Oui, on te donnera des gifles. » Si les sévices corporels restent minimes, en revanche, sa recherche de l'humiliation est constante. Elle avoue son « inclination à l'auto-avilissement » (*VS* : 151), toute excitée à l'idée de n'être qu'un sac à foutre, à « jouir d'un état d'avilissement maximum » (*VS* : 118). D'ailleurs, les autres disent d'elle : « tu faisais les choses avec naturel ; ni réticente ni vicelarde, juste de temps en temps un petit peu maso… » (*VS* : 44).

Enfin, il faut s'interroger sur les limites des transgressions sexuelles de Catherine Millet, même dans ses fornications les plus débridées. Force est de constater que sa pratique érotique est semée d'interdits les plus conventionnels et d'autocensures. La bienséance, la morale imposent encore leurs codes, qu'elle respecte : la bestialité (accouplement avec un animal) est vécue sur le mode fantasmé et verbal, comme, la plupart du temps, les violences physiques ; l'homosexualité est marginale ; elle se défend d'être une putain, précisant qu'elle ne s'est jamais fait payer, comme si elle avait besoin de se justifier. Même ses ébats dans les lieux publics sont contrôlés. Elle prend soin de ne pas être vue : dans la rue, elle se cache derrière une voiture ; dans les bureaux, elle choisit l'horaire où tous les employés sont partis… Quant à la sodomie, s'il peut encore exister « une excitation liée à une transgression[7] », l'enquête de Janine Mossuz-Lavau sur *La Vie sexuelle en France* atteste qu'il y a « de plus en plus d'amateurs[8] », pour conclure : « que reste-t-il d'"interdit" dans ce domaine ?[9] »

Que subsiste-t-il du comportement « scandaleux » de Catherine M. ? Tout au plus une expérience mondaine dont seule la répétition un peu monotone peut susciter l'étonnement. Catherine Millet répond à l'analyse que font Christine Détrez et Anne Simon des romancières pornographiques de ces quinze dernières années : elles reprennent cette « série d'impératifs et de figurations que les femmes entérinent malgré elles. Ce sont ces normes sociales qui, omniprésentes, tentent de conformer le féminin à ce qu'on attend de lui, et qui n'est pas bien nouveau[10]. »

Ainsi, pour citer à nouveau ces deux auteures, « un certain style en vogue aujourd'hui […] ne parvient pas toujours à créer une nouvelle forme d'expressivité du franchement sexuel qui ne soit pas calquée sur le modèle masculin[11] ». Si certaines romancières inversent des attitudes masculines pour se les réapproprier (sadisme, torture…), comme on le voit au début de *La Nouvelle Pornographie* de Marie Nimier, Catherine M., elle, par sa docilité,

---

7   Janine Mossuz-Lavau, 2002, *La Vie sexuelle en France*, Paris, La Martinière, p. 208.

8   *Id.*, p. 204.

9   *Id.*, p. 211.

10   Christine Détrez et Anne Simon, 2006, *À leur corps défendant : les femmes à l'épreuve du nouvel ordre moral*, Paris, Seuil, p. 15.

11   *Id.*, p. 32-33.

sa disponibilité, se coule dans la plus pure tradition de ce que doit être une femme (aux yeux de l'homme…), y compris dans les parties coquines.

En fait, on se rend compte que cette « maniabilité » n'a à voir ni avec le sexe, ni avec le fait d'être contre les préjugés, au demeurant déjà bien effrités, ni avec une liberté ou libération quelconque, mais avec un problème tout à fait personnel de reconnaissance par l'autre : « j'avais un besoin de reconnaissance de ma personne. Que j'y trouve ou non la satisfaction immédiate des sens était secondaire. Ça aussi passait aux pertes et profits. »

Mais pourquoi fait-elle passer cette reconnaissance par l'acte sexuel, le corps ? Le texte *Millet à la loupe* éclaire cet aspect. Catherine M. est lucide sur son physique. Il correspond au jeu de mots que faisait son père sur leur nom de famille : selon une certaine prononciation, Millet s'entend « mi-laid ». Elle connaît l'équation classique selon laquelle la beauté est inversement proportionnelle aux capacités intellectuelles : « pour l'esprit commun, on ne peut pas tout avoir et il est entendu qu'une personne qui a la beauté ne saurait avoir en même temps l'intelligence. » Et *vice versa*. Elle-même a « partagé cet esprit commun car c'est sans doute parce que je ne me trouvais pas assez belle que j'ai voulu devenir intelligente » (*RH* : 48). Pari réussi – son succès dans le métier de critique d'art le démontre – dans la mesure où, côté physique, elle n'avait pas grand chose à espérer. Regret ? Elle ne s'est même pas fait refaire le nez (*ibid.*) ! D'où, première solution : « puisqu'il me semble que je contrôle mieux ma pensée, je veux bien me séparer de mon apparence physique et la laisser à la seule appréciation des autres, tandis que je m'appliquerai à être chaque jour plus intelligente » (*RH* : 49). La chose aurait pu en rester là : Catherine Millet aurait pu être pur intellect à défaut d'être parfaite beauté. Mais elle refuse l'alternative : elle veut l'esprit *et* le corps, et c'est par ce dernier qui a trahi ses attentes, qu'elle obtiendra sa revanche. Puisqu'il ne peut être reconnu par le regard, il le sera en acte, dans le rapport sexuel. Quelle que soit la gratification pour elle pourvu qu'il satisfasse le partenaire. Elle triomphe après la parution de *La Vie sexuelle de Catherine M.* : « certains s'étonnent qu'avec le physique qui est le mien j'ai pu avoir autant d'amants » (*RH* : 57). Dès lors, on comprend pourquoi la majorité de ses partenaires ne laissent pas de trace dans sa mémoire. Ils n'ont en fait aucune importance à ses yeux, simples instruments dans sa « quête du Graal sexuel » (*VS* : 204) où elle se lance un défi à elle-même, toute expérience même avilissante étant un jalon de plus dans sa soif de reconnaissance, une sorte d'entraînement dont le but n'est pas le plaisir mais le bien-faire : « je baisais pour que baiser ne soit pas un problème » (*VS* : 214). Ce faisant,

elle est tombée dans le « corporéisme » des années soixante-dix, alimen-
tant cette inflation des discours sur le corps qui « est elle-même le signe
paradoxal du fait que l'homme (comme la femme) n'est pas libéré de son
corps : si l'on était aussi affranchi du corps qu'on le prétend, en parlerait-on
autant[12] ? » Dans le cas de l'ouvrage de Catherine Millet, tout aussi dénué
de sentimentalité que dépourvu de la promotion d'une thèse quelconque,
simple et sec témoignage de la vie sexuelle de Catherine M., l'intellect n'a-t-il
pas encore et toujours le dernier mot ? Car il pouvait, seul, mettre en récit les
aventures du corps.

---

12 *Id.*, p. 42.

La quête familiale dans les écrits de Marie NDiaye : nomadisme, (in)hospitalité, différence

Shirley JORDAN, *Queen Mary University of London*

> « J'arrive de loin et je suis écœurée [...].
> J'ai besoin d'un toit[1]. »

Repenser le nomadisme

Nomade : celui qui erre à la recherche de pâture ; individu étranger sans résidence fixe. En quoi le trope du nomadisme est-il utile pour interpréter la problématique des écrits lancinants, oniriques, de Marie NDiaye ? Quels rapports envisage cette écrivaine entre l'individu et ses racines ? L'individu et l'espace ? L'individu et la communauté ? Quelles trajectoires dessine-t-elle ? Comment les interpréter ? Trajets, errances, lieux de transit, départs, retours, attentes et arrivées ponctuent ses écrits : le *topos* du voyage est, nous le savons, d'une importance primordiale chez Marie NDiaye. Pourtant, on est bien loin ici d'un nomadisme réfléchi, assumé et revendiqué – d'une « conscience nomadique » – telle que la décrit Rosi Braidotti dans son étude féministe *Nomadic Subjects*[2]. Prenons néanmoins comme point de départ le paradigme braidottien d'un nomadisme positif, pour mesurer sa distance de celui que n'a cesse d'élaborer Marie NDiaye.

Le nomadisme braidottien, dénué de nostalgie, est à la fois condition existentielle, position philosophique et figure théorique idéale pour la subjectivité postcoloniale. Il implique une certaine mobilité intellectuelle, promeut la création de liens et de réseaux inattendus (entre idées ; entre individus),

---

1 Marie NDiaye, 2004, *Rien d'humain*, Besançon, Les Solitaires Intempestifs, p. 18 : *RH*.

2 Rosi Braidotti, 1994, *Nomadic Subjects : Embodiment and Sexual Difference in Contemporary Feminist Theory*, New York, Columbia University Press.

résiste à la fixité et peut mener à de nouvelles étapes de connaissance. Le sujet nomade, accueillant son état de transition permanente, est source d'énergie et de renouveau. Par contraste, les héroïnes de Marie NDiaye restent à un stade antérieur, ne bénéficiant pas d'une distance critique par rapport à leur déracinement. Incapables de se repenser, elles sont soumises à leur nomadisme, le vivant plutôt comme exil.

Les nombreux trajets, autour desquels se construit la fiction de Marie NDiaye, sont traités de façon spécifique. À la différence du mouvement libérateur célébré par Rosi Braidotti, ils fournissent le contexte de multiples moments de tension, entre incorporation et expulsion, dont nous voudrions souligner ici l'importance d'une catégorie particulière : celle de l'arrivée différée. Plusieurs récits de Marie NDiaye commencent ainsi. On pense à Fanny qui, dans le roman au titre ironique *En Famille*, arrive avec ses valises, devant les portes de la maison de l'aïeule, au moment d'une réunion de famille, à laquelle ses proches ne veulent pas l'admettre[3] ; à Rosie Carpe, qui attend en vain son frère Lazare, à l'aéroport en Guadeloupe[4] ; à Bella, protagoniste de la courte et troublante pièce de théâtre *Rien d'humain*, qui, au retour d'un long séjour aux États-Unis, est exclue de son appartement, piégée sur le seuil. Cette arrivée différée, situation dramatique que Marie NDiaye reproduit à volonté, mine l'individu. Soulignant perte et exclusion, elle renforce à la fois la nostalgie de l'appartenance et la hantise de l'appartenance impossible.

La figure de prédilection de cette appartenance chez Marie NDiaye est, bien évidemment, la famille : pour ces nomades, la famille – idéalisée – représente l'oasis des rêves, dont l'image rend l'exil et la pauvreté des contacts humains gouvernant la fiction de cette écrivaine d'autant plus angoissants. Une fois trouvée par les protagonistes, cette pâture familiale s'avère foncièrement hostile, terrain ambigu, plus propre à empoisonner qu'à nourrir. Plus intensément que toute autre écrivaine actuelle, Marie NDiaye décortique notre besoin partagé de liens solides, évoquant déception et désarroi par la multiplicité de blessures dont ses textes sont tissés, parfois à l'aide d'un glissement savant dans le fantastique, que l'auteure elle-même préfère appeler le « réalisme exagéré[5] ». Elle produit une mise en question originelle de l'expérience de la famille par son insistance sur une tension

---

3   Marie NDiaye, 1991, *En famille*, Paris, Minuit : *EF*.

4   Marie NDiaye, 2001, *Rosie Carpe*, Paris, Minuit : *RC*.

5   Marie NDiaye, 2007, « Maudits soient-ils… », in *Télérama*, 14/02, p. 54.

fondamentale : celle entre l'isolement et l'écart, d'une part, et, d'autre part, les pratiques de proximité et d'échange qui sont hautement physiques, viscérales, dérangeantes. Son insistance obsessionnelle sur le corps de la famille, sur la ressemblance visuelle, sur le toucher et sur l'odorat, produit une écriture familiale troublante et toujours tiraillée entre distance et proximité, amour et dégoût, reconnaissance et rejet, ou indifférence. Marie NDiaye suit toujours de très près l'expérience d'une protagoniste centrale, obsédée par la généalogie, posant la question des racines et essayant sans cesse, et sans succès, de saisir la nature et la qualité des rapports réciproques formant le lien entre elle et la cellule familiale éclatée de ses « proches ». Cet article ébauche donc une analyse du nomadisme chez Marie NDiaye comme partie intégrante d'une quête familiale – métaphorique et mythique – toujours désorientante, toujours à reprendre.

Le moment seuil

Plutôt que d'examiner le trajet lui-même, le nomadisme ndiayen exige qu'on analyse l'articulation du seuil, endroit à la fois d'arrivée et de départ, d'accueil et d'expulsion. C'est à leur association avec des endroits seuils, aussi bien qu'à leurs bagages métonymiques, que nous reconnaissons celles qui, comme Fanny, Rosie ou Bella, ne peuvent être incorporées. Essentielle est ici la façon dont Marie NDiaye tourne autour d'une même situation, la généralisant par une poétique de la répétition. Ses textes commencent souvent par la *fin* d'un voyage, fin qui s'avère fausse, qui perpétue l'exclusion ou qui relance un nouveau cycle d'errance. La destination espérée – un chez-soi, un foyer qui représenterait la fin de ses pérégrinations – est toujours différée. Qui croit avoir (re)trouvé est vite désabusé.

Le motif du voyageur rejeté, parfois brutalisé, une fois arrivé à sa destination, a une longue histoire. Il reçoit l'une de ses expressions littéraires les plus accomplies et soutenues dans le roman magnifique de Rachid Boudjedra, *Topographie idéale pour une agression caractérisée*[6], roman qui fournit, cela vaut la peine de le souligner brièvement, un intertexte valable pour une étude de l'hospitalité chez Marie NDiaye. L'histoire de l'immigré anonyme, enfermé à jamais dans les dédales du métro parisien, incapable de déchiffrer quoi que ce soit, butant contre des obstacles physiques, rencontrant

---

6 Rachid Boudjedra, 1975, *Topographie idéale pour une agression caractérisée*, Paris, Denoël.

l'indifférence ou l'hostilité généralisée et dont l'odyssée se termine dans la mort, commence ainsi :

> Le plus remarquable, ce n'était pas la valise en carton-pâte bouilli qu'il portait presque toujours à la main gauche (l'enquête prouvera plus tard qu'il n'avait jamais été gaucher) avec le bras quelque peu en avant de telle façon qu'à chaque détour de couloir ou à chaque tournant d'escalier mécanique, on la voyait apparaître – bourrée à craquer, avachie et au bout de son vieillissement avec sa peau tavelée de centaines de rides, créant une sorte de topographie savante à force de ténuité menant vers une abstraction de mauvais aloi pour une valise aussi malmenée d'autant plus que ses ferrures rouillées donnaient à sa clôture une fragilité supplé-mentaire – précédant le corps de son propriétaire ou plus exactement le bras de ce dernier [...][7].

Les caractéristiques que partage cette interminable scène d'arrivée avec de telles scènes chez Marie NDiaye comprennent : la valise métonymique (chez R. Boudjedra celle-ci est piétinée avant que le protagoniste lui-même soit tué) ; la fausse arrivée (le protagoniste croit être arrivé en pays de cocagne, mais ne parvient jamais à sortir du labyrinthe hostile du métro) ; notre conscience, dès le début, que le protagoniste n'avancera pas mais fera du surplace ; l'en-trée en matière abrupte, au milieu d'une phrase « fleuve », qui nous perd dans ses méandres (chez Marie NDiaye la phrase – sauf dans le cas de son dernier roman[8] – est longue, voire labyrinthique) ; finalement, l'esthétique de répétition, qui renforce le sentiment qu'il est déjà trop tard. Prenons par exemple l'incipit de *Rosie Carpe* : « Mais elle n'avait cessé de croire que son frère Lazare serait là pour les voir arriver » (*RC* : 9). Cet adversatif « mais », curieux premier mot d'un roman, nous plonge d'emblée dans un champ d'anxiété qui évoque, en minuscule, les grandes questions de notre ère. Au fond, quels que soient le personnage et le contexte, toute l'œuvre de Marie NDiaye ne fait que répéter les éléments fondamentaux d'un même scénario d'exclusion, scénario seuil qui évoque de façon aiguë tout ce que l'enjeu de l'hospitalité implique. Pleinement consciente de l'importance de l'imaginaire de l'hospitalité, de sa valeur comme thème narratif et comme éthique, Marie NDiaye persiste dans l'élaboration de scènes d'hospitalité manquée : d'inhospitalité. Chez Marie NDiaye, on accueille, on est accueilli, à bras fermés.

---

7 *Id.*, p. 7.
8 Marie NDIAYE, 2007, *Mon cœur à l'étroit*, Paris, Gallimard.

L'accueil à bras fermés

Regardons de plus près le *topos* de l'hospitalité, depuis longtemps lieu commun de la littérature et de l'anthropologie, devenu, dès les années quatre-vingt, un champ fertile pour la critique et la théorie – notamment pour tout ce qui concerne les questionnements postmodernes sur l'appartenance et l'identité. La scène littéraire tout comme les pratiques réelles de l'hospitalité font référence à une tradition très codifiée. Dans une étude des scènes d'hospitalité chez Homère, Steve Reece en isole dix-huit, pour déceler une « syntaxe » lui permettant de conclure que la scène d'hospitalité homérique comprend vingt-cinq étapes possibles, depuis la fin du voyage jusqu'au départ de la maison des hôtes[9]. Les scènes d'hospitalité manquée chez Marie NDiaye empruntent bon nombre d'éléments au poète épique. On peut y retrouver, selon l'exemple choisi : le soutien d'un guide ; l'arrivée et l'attente à la frontière ou au seuil ; la description des environs ; la supplication ; la réception ; le repas ; l'identification de l'étranger ; le don ; et ainsi de suite jusqu'au présage prononcé avant la continuation du voyage.

L'un des moments intertextuels les plus marquants concerne le motif du chien à la porte. Ce motif, répété cinq fois dans *L'Odyssée*, est très clairement repris dans l'incipit d'*En famille*, et donne lieu plus tard à des comparaisons tacites entre la nature sauvage et le comportement civilisé dans l'hospitalité. Chez Homère, les chiens de garde les plus significatifs sont les quatre chiens d'Eumée qui, telles des bêtes sauvages, attaquent Ulysse lui niant accès à son propre foyer. Le comportement des chiens préfigure celui des prétendants qui habitent chez lui, symbolisant l'impuissance initiale du maître revenu. Le chien, symbole double, évoque à la fois l'inhospitalité du mauvais hôte *et* la figure du voyageur abusé : une comparaison est tirée chez Homère entre Argus, le vieux chien abandonné d'Ulysse, et son maître, Ulysse lui-même. De la même façon, dans *En famille*, Fanny, prise dans un cercle vicieux quelque peu masochiste, subit les coups, cherche les caresses et dort – tel un chien – au fond du lit de Lucette.

Un autre aspect de l'hospitalité est qu'elle vise à « incorporer », avec un fort sens physique attribué à ce mot. Dans un essai sur le motif de l'hospitalité chez Flaubert, Alain Montadon parle du « corps à corps de l'hospitalité » expliquant que celle-ci « a à voir avec le contact : baiser d'accueil, poignée

---

9   Steve REECE, 1993, *The Stranger's Welcome. Oral Theory and the Aesthetics of the Homeric Hospitality Scene*, Ann Arbor, University of Michigan Press, p. 8-30.

de main, accolade de bienvenue. Les corps se touchent, les corps se rencon-
trent. Chaleur d'une présence dans la proximité[10]. » Il poursuit ainsi : « certaines tribus d'aborigènes d'Australie du Nord se frottaient la peau pour en
recueillir la sueur afin d'en recouvrir le corps de l'arrivant […], bel exemple
de proxémique où le don de l'odeur corporelle est signe de partage et d'identification à la personne, au groupe[11] ». Surtout, l'effet d'un tel rite est d'abolir
les signes de la différence. Or chez Marie NDiaye de tels gestes d'assimi-
lation sont systématiquement ébranlés. La scène d'hospitalité devient une
scène d'inhospitalité, avec une syntaxe propre, déroutante, qui emprunte
des éléments à la convention pour mieux les flouer. Un moment privilégié
d'incorporation potentielle devient une occasion – rarement manquée par
Marie NDiaye – de souligner le rejet. L'expérience de Fanny et de Rosie est
rythmée par des rencontres décevantes avec une famille hostile ou indifférente ; de même Marie, narratrice intradiégétique et quasi autofictionnelle
d'*Autoportrait en vert*, a une famille peu accueillante, qui prolifère de façon
malsaine, brouillant « l'ordre des générations[12] » et confirmant son étrangeté
repoussante à chaque visite. On pense aussi à Djamila, l'amie de Bella, qui
feint de ne pas la reconnaître et dont l'énoncé suivant, aux antipodes des
principes de l'hospitalité, est lui-même une réaction à la fausse hospitalité
à laquelle elle a longtemps été soumise au sein de la famille de Bella : « Je
veux que Bella ne trouve dans l'appartement que malaise, gémissements et
antipathie à son endroit. » (*RH* : 23)

Les nombreux repas partagés soulignent le trouble dans les rites et
brouillent les positions d'hôtes. C'est à contrecœur que la famille de Fanny
l'admet à la table commune (*EF* : 10-12). Invitée à manger dans le restaurant
de son père, Marie est attablée et servie avec trop de cérémonie, ce service
formel constituant une forme très élaborée de rejet (*AV* : 33-34). Rosie est
exclue, au sein même de la famille, bannie de la table familiale et catégori-
sée par son fils Titi comme « intouchable » (*RC* : 327-328). En particulier, la
sensibilité physique mentionnée par A. Montadon, extrêmement appuyée
dans les moments de rencontre et d'accueil élaborés par Marie NDiaye, sert
moins à incorporer qu'à repousser : une visite chez la famille, toujours marquée par de multiples rejets sensoriels, est une rencontre avec ce qui est *peu*

---

10 Alain Montadon, 2002, *Désirs d'hospitalité : de Homère à Kafka*, Paris, Presses universitaires de France, p. 127 pour les deux citations.

11 *Id.*, p. 126.

12 Marie NDiaye, 2005, *Autoportrait en vert*, Paris, Mercure de France, p. 56 : *AV*.

reconnaissable, *peu* familier, *unheimlich*. Au contact de la peau, de l'haleine, de l'odeur de l'autre, une peur de la contamination est ressentie très fortement, soit par les hôtes, soit par celui ou celle qui visite, soit par tous.

Les exemples les plus extrêmes de rupture des normes de l'hospitalité se trouvent dans l'invasion et l'usurpation d'un côté, et l'expulsion de l'autre. Le premier cas est illustré par le comportement du frère de Rosie Carpe, Lazare, qui force l'hospitalité de Max et sa femme, s'introduisant dans leur maison sans se faire inviter, dormant dans leur lit, s'habillant avec les vêtements de Max, s'établissant donc en colonisateur (*RC* : 105-111). *Rien d'humain* se construit autour de deux exemples similaires : d'abord Djamila s'approprie l'appartement de son ancienne amie Bella, ensuite Bella finit par s'installer elle-même dans l'appartement d'Ignace, celui-ci se trouvant expulsé à son tour. Dans *Mon cœur à l'étroit*, roman qui fournit une reformulation fort ambiguë des notions d'hôte, Noget s'insinue dans le foyer de Nadia, lui prépare des repas gras et trop lourds afin de la *sur*-nourrir, et contribue à son expulsion et mise en route. On pense aussi à la figure de la sirène, protagoniste du très beau texte illustré *La Naufragée*[13] : symbole même de l'altérité, la sirène repousse par sa différence et se trouve littéralement dans un élément inhospitalier puisqu'elle commence à se dessécher, ne trouvant plus la mer.

Une visite que fait le personnage Lagrand – le Noir qui accueille Rosie Carpe à l'aéroport à la place de son frère Lazare – chez la mère de Rosie, nous servira d'exemple du remaniement de la syntaxe de l'hospitalité et de l'association de l'incorporation avec la contamination. Au bout d'un trajet long, pénible et semé d'une succession d'obstacles, Lagrand arrive à un bâtiment délabré où une vieille muette indique la porte qu'il cherche. En route, conscient d'être étranger – il proclame que les obstacles qu'il rencontre sont « réservées aux Noirs » (*RC* : 181) –, il est agressé par une vieille femme répugnante, qui enfonce sa langue dans son oreille, la barbouillant d'une salive dont « il croyait sentir l'odeur même » (*RC* : 179). Plus près de l'appartement, « une soudaine puanteur le f[a]it s'arrêter [...], une odeur de fosse sceptique » (*RC* : 183) le suffoque. Mal à l'aise dans la chaleur de l'appartement, il refuse le *punch* que Diane Carpe persiste à lui offrir, et ressent un fort dégoût face au défi que cette « foutue famille de bâtards dégénérés » (*RC* : 188) lance à la loi des générations. Des impressions sensorielles, extrêmement désagréables, vont de pair, alors, avec son dégoût moral.

---

13 Marie NDIAYE, 1999, *La Naufragée*, Charenton, Flohic.

Qui dit hospitalité, dit aussi évidemment schéma éthique. Dans la mytho-
logie grecque et romaine, comme dans de nombreux contes, la « théoxé-
nie », ou « la visite d'un dieu dans la maison des mortels[14] » met à l'épreuve
leur hospitalité, leur respect des droits et devoirs, et donc leur humanité.
Comme l'explique Alain Montadon, la même trame est inéluctablement suivie : « châtiment de la collectivité inhospitalière [...], le plus fréquemment
un déluge[15] », et une récompense pour les plus accueillants. Chez Marie
NDiaye, ce schéma moral n'opère plus : l'auteure analyse de façon très fine
certaines formes de pouvoir, certains abus, certains rapports de violence
– plus rarement de générosité – mais les infractions à la règle implicite ne
sont pas punies puisque la famille inhospitalière peut prospérer et l'individu,
rejeté, sombrer dans un état dépressif. Qui plus est, si, comme le constate
Mireille Rosello, « la précondition même de l'hospitalité veut que dans les
rapports de l'hôte à l'hôte tous acceptent la possibilité peu confortable et
parfois douloureuse d'être changé par l'autre[16] », voilà un autre aspect éthique – sans doute le plus important – qui fait défaut ici. On remarque très peu
de changements suite aux rencontres chez Marie NDiaye ; seulement une
série de déceptions, se déroulant dans une atmosphère qui reste « figée dans
une tension inhospitalière » (*RC* : 257). Au lieu d'une reconnaissance réciproque, c'est la honte qui règne. La question de la honte chez Marie NDiaye
est, d'ailleurs, un champ fertile qui mériterait une étude approfondie[17]. On
se limitera ici à une remarque : ce n'est pas le mauvais hôte qui connaît la
honte, chez Marie NDiaye, seulement celle qui est exclue.

De la différence

Pour parler maintenant de cette conscience très aiguë de la différence
chez les protagonistes de Marie NDiaye, nous voudrions insister sur la possibilité d'un rapprochement entre les méditations de Julia Kristeva dans
Étrangers à nous-mêmes, et l'univers fictif que nous analysons ici. En fait,
la première partie de l'étude de Julia Kristeva, « Toccata et fugue pour

---

14 Alain Montadon, *op. cit.*, p. 49.

15 *Ibid.*

16 Mireille Rosello, 2001, *Postcolonial hospitality: The Immigrant as Guest*, Stanford, Cali-
fornia, Stanford University Press, p. 276.

17 Étude amorcée par Jean-Pierre Martin en 2006 dans *Le Livre des hontes*, Paris, Seuil.

l'étranger[18] » serait presque un manifeste pour Marie NDiaye, qui, elle aussi, invite à (re)penser et l'étranger, et notre propre façon de vivre en étranger ou avec des étrangers. Comme Julia Kristeva, elle explore avec insistance ce seul phénomène : l'être étranger. La qualité principale de ses protagonistes est non seulement d'être étrangers – « chacun [...] un petit Meursault » comme le suggère Pierre Brunel[19] – mais aussi de l'être à outrance, de façon emblématique. Quels sont les éléments du portrait, très fin, d'une psychologie d'étranger esquissé par Julia Kristeva qui invitent un rapprochement avec ces personnages de conte?

L'étranger selon Julia Kristeva est « étranger à sa mère » (*EN* : 14) – situation courante chez Marie NDiaye. Il peut ressentir une exaltation perverse dans le plaisir de la souffrance (on pense à Fanny). Il est « un écorché » (*EN* : 16), « un déprimé exquis » (*EN* : 21), enlisé dans la « dialectique du maître et de l'esclave » (*EN* : 32). Son visage « *si autre* » (*EN* : 12), son « comportement non conforme [et sa] parole incompréhensible » (*EN* : 15) veulent dire qu'il est toujours « en outre » (*EN* : 12), toujours suscitant animosité et agacement (c'est également la description que l'on pourrait faire de Fanny). Enfin, « toutes les souffrances, toutes les insultes, tous les rejets lui sont indifférents dans la quête de ce territoire invisible et promis, de ce pays qui n'existe pas mais qu'il porte dans son rêve » (*EN* : 14). Cet étranger évoque aussi Rosie Carpe : « tellement anesthésié [...], apparemment dénué de principes » (*EN* : 39), manifestant à l'excès « la dissociation du déraciné; sa douleur indolore » (*EN* : 45); happé par une « mémoire morcelée », ne parvenant donc pas « à restituer un passé continu et compact » (*EN* : 52). Ainsi Rosie finit-elle par oublier les détails de sa jeunesse à Brive la Gaillarde, perdant définitivement ses racines, en même temps que tout sens d'appartenance dans le présent. La protagoniste ndiayenne ne sait ni d'où vient sa différence, ni où est sa faute; repoussée, elle risque de devenir repoussante même à ses propres yeux, comme le montre l'étude semi-fantastique du devenir-étranger de Nadia dans le roman le plus récent *Mon cœur à l'étroit*.

Mais l'étrangère de Marie NDiaye diffère de l'étranger de Julia Kristeva par le pas libérateur que fait ce dernier et qui consiste à se concevoir, non plus comme étranger à cause de son *contexte* social, mais comme « déjà

18 Julia Kristeva, 1988, *Étrangers à nous-mêmes*, Paris, Gallimard, p. 9-60 : *EN*.

19 Pierre Brunel, 2002, *Voix autres, voix hautes : onze romans de femmes au xxe siècle*, Paris, Klincksieck, p. 213.

un étranger de l'intérieur » (*EN* : 26) : « l'étranger commence », écrit Julia Kristeva, « lorsque surgit la conscience de ma différence et s'achève lorsque nous nous reconnaissons tous étrangers, rebelles aux liens et aux communautés » (*EN* : 9). Cette façon d'envisager l'étranger rejoint, de par son côté positif, le nomade de Rosi Braidotti, mais les protagonistes de Marie NDiaye, enlisées dans la douleur nostalgique de la perte, ne suivent pas.

Le nomadisme ndiayen n'offre donc pas de voyages de *Bildung*, grâce auxquels les protagonistes pourraient se retrouver. Il privilégie, comme nous l'avons vu, moments et lieux d'incorporation possible (arrivées, retrouvailles, seuils), mais s'en sert pour mieux souligner une aliénation incontournable. Avec une portée mythique qui lui est particulière, Marie NDiaye confirme, dans tout ce qu'elle écrit, que l'étranger est définitivement parmi nous, *en* nous, et que la rencontre avec l'étrange est la condition permanente de notre postmodernité. Notre « village global » – terme qui juxtapose sans les réconcilier l'intime et l'étranger – se caractérise par une hypermobilité et de nouveaux brassages culturels et interculturels, qui exigent de porter une attention accrue aux lois et à la définition de l'hospitalité. Or Marie NDiaye persiste à tisser un univers dans lequel de telles lois, avec leurs normes sous-entendues tout en étant évoquées au maximum, n'opèrent plus.

En tant que lecteurs, errant à la recherche d'un appui dans les plis énigmatiques et sur le terrain peu stable des écrits de Marie NDiaye, happés et hantés par le dire de l'inhospitalité perpétuel chez cette écrivaine, nous nous trouvons à la fois accueillis et repoussés dans notre rencontre avec des textes qui invitent à méditer sur, et à ressentir à tout moment, tout ce que l'hospitalité engage. Bien qu'elle refuse de se laisser circonscrire par une interprétation purement postcoloniale, il est évident que la grande question éthique de l'œuvre de Marie NDiaye est celle de l'adaptation à l'autre. Dans une étude sur « Le Dire de l'hospitalité », Lise Gauvin et Pierre L'Hérault suggèrent que la littérature peut aider à engendrer « la lente maturation, en chacun et pour chacun, de notre capacité d'accepter de nouveaux modes d'altérité[20] ». Ils continuent en ces termes : « Il ne s'agit pas simplement – humanistement – de notre aptitude à accepter l'autre; mais d'*être à sa place*, ce qui revient à se penser et à se faire autre à soi-même[21]. » Or il se peut que les écrits de Marie

---

20 Lise Gauvin *et al.* (dir.), 2004, *Le Dire de l'hospitalité*, Clermont-Ferrand, Presses universitaires Blaise Pascal, p. 25.

21 *Ibid.*

NDiaye et le trouble qu'ils provoquent chez le lecteur, contribuent à encourager une empathie de ce genre ; à produire une réflexion sur l'étrangeté comme art de vivre, et une ouverture à l'autre qui est l'opposé de la position finale de Bella. Citons pour terminer la résolution avec laquelle celle-ci clôt *Rien d'humain* : « Aucun étranger ne doit plus pénétrer chez-moi. Avec toutes mes excuses. Je ne suis pas forte. Je dois être méfiante. » (*RH* : 45)

Homeland : Voyageurs et patrie dans les romans de Marie Darrieussecq

Simon KEMP, *St John's College, Université d'Oxford*

L'œuvre de Marie Darrieussecq offre au lecteur une véritable invitation au voyage. Ses romans nous transportent à travers six continents, en passant par l'Islande, l'Angleterre, Gibraltar, l'Afrique, les États-Unis, l'Argentine et la Tasmanie, pour parvenir jusqu'au pôle Sud ; sans compter les territoires imaginaires d'un proche avenir ou d'un présent alternatif. Pour accompagner le lecteur dans son dépaysement, les personnages de Marie Darrieussecq sont très souvent eux aussi des voyageurs, qui découvrent ces nouveaux territoires en même temps que le lecteur. On partage leur trajet, on ressent leurs premières impressions à l'arrivée, et ensemble on s'habitue peu à peu aux nouveaux paysages et coutumes. Si l'on examine la motivation de ces personnages dans leur voyage, on découvre souvent une clef importante qui permet d'interpréter leur caractère, et leur histoire. Certains sont des explorateurs à la recherche de l'inconnu, comme la mère de la narratrice de *Naissance des fantômes*[1], qui, lasse du climat malsain et de la ville étouffante, réserve sa place sur un bateau en partance pour on ne sait où ; ou comme Edmée et Peter dans *White*[2], qui quittent leur pays civilisé – l'Islande pour lui, la Floride pour elle – pour gagner le paysage étrange et hostile de l'Antarctique. D'autres sont en fuite, comme la mère dans *Le Mal de mer*[3], en cavale avec sa fille et poursuivie par un détective privé, ou comme Jeanne dans *Bref Séjour chez les vivants*[4], se déplaçant de pays en pays pour s'installer finalement très loin de l'endroit où son frère est mort par sa faute. D'autres encore se sont exilés pour vivre loin de leurs origines, comme Marie Rivière ou

1   Marie DARRIEUSSECQ, 1998, *Naissance des fantômes*, Paris, P.O.L.
2   Marie DARRIEUSSECQ, 2003, *White*, Paris, P.O.L. : *W.*
3   Marie DARRIEUSSECQ, 1999, *Le Mal de mer*, Paris, P.O.L.
4   Marie DARRIEUSSECQ, 2001, *Bref Séjour chez les vivants*, Paris, P.O.L. : *BS.*

son mari dans *Le Pays*[5], et entreprennent le voyage de retour à la recherche de leurs racines. Le plus souvent, plusieurs de ces motivations entrent en jeu et se révèlent même contradictoires : une mission exploratrice peut également être une fuite ; un retour au pays natal peut être, dans le même temps, un exil.

Nous nous proposons d'élucider les implications de cette situation de voyageur pour l'identité du personnage, non pas par le biais du voyage lui-même, ni de sa destination, mais, au contraire, en mettant l'accent sur le point d'origine, le chez-soi du voyageur qu'il délaisse pour se mettre en route, si toutefois un tel point d'origine existe. Cette analyse nécessite le recours au concept anglophone d'un *homeland*, un « pays-chez-soi », qui n'est tout à fait ni pays natal ni patrie, notion fort utile dans la tentative visant à décrire l'effet du voyage sur le moi du voyageur chez Marie Darrieussecq.

Homeland – le mot date de 1670 – se définit comme le pays où se trouve le, ou qui vous sert de, *home*. Ce sont les connotations de ce vieux terme anglo-saxon *home* qui le rendent si difficile à traduire – Samuel Beckett a renoncé à le faire dans sa version française de *Fin de partie*[6] – connotations de bonheur, de famille, de confort, et surtout d'appartenance. Ces connotations montrent qu'un *homeland* n'a pas exactement le même sens qu'un pays natal – expression neutre qui n'implique rien au sujet de l'*affect* du pays sur la mentalité de l'indigène – et qu'il y a une différence importante aussi entre *homeland* et patrie : ce dernier mot comporte les notions de patriotisme, de fierté virile envers la nation, elle-même conçue comme le « pays du père » d'après l'origine étymologique du mot, ce qui est loin des implications plus paisibles, plus féminines peut-être, du mot anglais[7].

Pour les personnages de Marie Darrieussecq, la question du « pays-chez-soi » est rarement simple. Certains ont vécu, par exemple, une rupture géographique pendant l'enfance, qui les a empêchés de nouer des racines en un lieu. Paulo, dans *Le Pays*, est transporté à travers l'Atlantique par des

---

5   Marie Darrieussecq, 2005, *Le Pays*, Paris, P.O.L. : *P.*

6   Samuel Beckett, 1957, *Fin de partie*, Paris, Minuit, p. 56 : « Hamm. – Ma maison qui t'a servi de home ».

7   Ces implications rassurantes, soit dit en passant, ont conduit à quelques usages du mot plutôt sinistres, si l'on se réfère à l'histoire récente : pendant les années soixante-dix, le régime d'apartheid de l'Afrique du sud s'est servi de ce terme pour désigner sa politique de ghettoïsation de la population noire ; aux États-Unis aujourd'hui, l'appellation de « *homeland security* » rend plus acceptable des mesures anti-terroristes jugées oppressives par plusieurs commentateurs de gauche.

parents adoptifs européens qui cherchent à remplacer leur enfant mort. Edmée, dans *White*, est déplacée de Bordeaux à Vancouver par la séparation de ses parents, et Peter, dans le même roman, est évacué en Islande, à l'âge de six ans, d'un pays en guerre dont on n'apprend même pas le nom. Dans d'autres cas, l'héritage familial s'accorde mal avec la nationalité officielle du personnage, comme Jeanne l'explique dans *Bref Séjour chez les vivants* : « mon père est tout de même anglo-irlandais ma mère est basque et la France n'est qu'un trait d'union, on ne peut pas dire que ça me constitue, loin de moi toute idée de patriotisme » (*BS* : 260). Finalement, si ce n'est pas le personnage qui est entre deux terres, c'est le pays lui-même qui est doté d'une identité troublée, comme le pays Yuoangui, pays Basque imaginaire du roman *Le Pays*. Marie Rivière passe son enfance dans le sud-ouest de la France ; devenue une jeune femme parisienne, elle revient à sa région natale, qu'elle trouve transformée en une nation indépendante, fière de sa langue et de sa culture. Francophone et parisienne, elle s'y sent désormais exclue.

Ces troubles géographiques dans les romans de Marie Darrieussecq représentent une mise en question du chez-soi des voyageurs, qui menace d'en faire de vrais nomades, toujours étrangers en n'importe quel pays, y compris celui qu'ils habitent et celui où ils sont nés. Selon Jean-Frédéric Hennuy, une telle situation est si répandue de nos jours qu'il est impératif de réévaluer la notion d'identité à l'aune de celle-ci. Hennuy explique que « le voyage devient un acte spécifique qui se veut être une constante remise en question de soi, une éternelle reconstruction », de sorte que le concept d'une identité stable déterminée par la nationalité se voit remplacé par un processus continuel d'identifications changeantes, baptisé par Hennuy « identification diasporique[8] ».

Une version bipolaire de ce processus est manifeste chez la narratrice du *Pays*, qui parle de « rentrer au pays » (*P* : 17), mais en fait reste prise entre son pays natal et son pays adoptif :

> La rue anciennement de la République monte et descend autour de moi. Je pourrais rester là, immobile, mes ours et mes bougeoirs à la main, dans le verdict des rues natales. Je pense à la place Saint-Sulpice et à la civilisation. Je pense à mes amis à Paris et à Londres, je pense aux villes où j'ai des liens. Je suis dans la rue anciennement de la République, celle

---

8   Jean-Frédéric HENNUY, 2006, « Examen d'identité : voyageur professionnel et identification diasporique chez Jean-Philippe Toussaint et Abdelkébir Khatibi », in *French Studies*, n° 60, p. 349.

qui monte en courbe vers la cathédrale de B. Nord, et dont je ne sais pas prononcer le nom aujourd'hui. (*P* : 137)

Ce sentiment d'exclusion du Pays n'implique pas que la narratrice s'est simplement trompée au sujet de l'endroit auquel elle appartient. Les liens du sang et de la naissance, qui l'attachent au Pays Yuoangui, s'opposent aux liens d'habitude et de caractère qui l'attachent à la France. En conséquence, elle vit ces deux liens comme un exil :

> la nostalgie de Paris me coupait en deux. [...] Un renversement s'inau-gurait : Paris devenait là-bas. Le sentiment de l'exil est un poids d'abord léger, puis la balance penche, l'axe de la géographie s'incline... le Pays, Paris ; Paris, le Pays : le point d'exil basculait. (*P* : 265)

On retrouve le même sentiment d'aliénation chez la narratrice de la nou-velle « Noël parmi nous[9] », qui, elle aussi, de Paris à la maison familiale provinciale, tente « de renouer avec les lieux » (*N* : 211) mais découvre que le déplacement a ébranlé le sens de sa place dans le monde, et par là même, son sentiment d'identité :

> Je déteste que les rêves me prennent sans prévenir. Après je ne sais plus qui je suis, où je suis. [...] Quelque chose manquait, une pièce au puzzle, un sentiment d'appartenance, un lien. Loin de me recentrer, la maison de Céranges m'éloignait du monde. (*N* : 214-15)

Ce sentiment s'explique en partie, comme on le découvre lors de la révéla-tion finale, par le fait que la narratrice est, littéralement, une revenante, fan-tôme de la femme qu'elle aurait pu devenir, si elle n'avait pas été tuée, enfant, dans un accident de la route. Le statut de revenant devient lui-même une métaphore puissante pour tisser les liens complexes entre la voyageuse et le chez-soi familial : suspendue entre deux mondes, ni présente ni absente, elle se trouve attachée à l'endroit qu'elle doit hanter, mais exclue, par définition, de la vie qui s'y poursuit.

Que signifie cet attachement involontaire au chez-soi ? Pourquoi les héroïnes voyageuses de Marie Darrieussecq retournent-elles à leur lieu de naissance, ou se culpabilisent-elles de ne pas le faire, même si elles se sont installées ailleurs dans le monde, et ont des sentiments fort ambivalents envers ce lieu ? L'équilibre incertain entre l'attraction et la répulsion exercées sur le voyageur par son *homeland* s'exprime dans *Bref Séjour chez les vivants* à travers le vieux souvenir d'un film, *La Maison qui chuchote*, raconté par

---

9   Marie DARRIEUSSECQ, 2002, « Noël parmi nous », in 2006, *Zoo*, Paris, P.O.L., p. 203-217 : *N*.

Jeanne à son analyste pendant une séance de psychanalyse : « *C'est une femme, jeune, pas d'enfants, mariée, et pour une raison qui m'échappe très attachée à une maison – je revois la maison – mais c'est une maison maléfique. Elle-même le sait et tente de résister ; pourtant, elle le sait aussi, cette maison, c'est* chez elle. » (*BS* : 260)

Il est clair que, pour Jeanne, cette maison représente la maison familiale, et, par extension, sa famille et le Pays basque, à sept mille kilomètres de chez elle en Argentine. Les chuchotements de la maison du film dont elle se souvient sont « *des souffles de voix qui complotent, tissant leur toile pour la reprendre, elle, la jeune femme, pour la ramener* where she belongs... » (*BS* : 261), projet que la maison finit par mener à bien en avalant la jeune femme comme de la nourriture sous les yeux horrifiés de son mari et de son frère. Mais c'est un détail de la fin de l'histoire qui semble captiver Jeanne : après la disparition de la jeune femme, les deux témoins entendent toujours sa voix mêlée aux autres chuchotements de la maison, une voix qui semble heureuse et qui chante.

On peut interpréter cette histoire cauchemardesque en termes de conflit intérieur de l'émigré par rapport au pays natal et à la famille qui y reste. Le retour définitif de l'émigré, qui s'est pourtant créé une nouvelle vie ailleurs, semble indiquer l'échec de cette vie, échec qui, on peut le craindre, entraînerait la capture de l'échappé dans le piège de son point de départ, et l'absorption de son identité individuelle par la culture familiale ou régionale qu'il avait cru dépasser en s'éloignant. Privé de l'exotisme de son statut d'étranger, il redevient membre de famille et indigène typique, et ce sont précisément les qualités qui l'avaient distingué des autres pendant sa vie d'émigré qui l'assimilent à ses compatriotes et le font disparaître dans la foule de ses semblables. Mais un tel retour en arrière peut aussi avoir ses charmes : comme dans une régression psychologique, le voyageur qui rentre cherche l'écho familier de son enfance, dont il comprend les codes de pensée et de comportement par instinct. La perte d'individualité exerce aussi une fascination sur l'esprit. L'assertion de sa différence dans une société d'étrangers peut accabler celui qui s'y emploie ; abandonner cette différence pour s'intégrer à un groupe homogène paraît dans ce contexte comme le relâchement d'une tension mentale, un état de repos. Il y a donc un paradoxe. Pour l'émigré, le *homeland* peut représenter la perte du moi dans la réabsorption – menacée ou désirée – de l'individu par la culture de ses origines. Pour le voyageur revenu, c'est plutôt le manque d'intégration dans sa première communauté qui est source d'angoisse.

Le rôle de la langue dans la relation du voyageur au pays est considérable et mérite d'être quelque peu approfondie. L'oubli de la langue maternelle est un thème important dans les romans de Marie Darrieussecq ; l'écrivain elle-même a déclaré en 2001 qu'elle était en train de réapprendre le basque, sa propre langue maternelle, oubliée à l'âge de deux ans[10]. L'importance de la langue maternelle est soulignée dans *Bref Séjour chez les vivants* par les expériences psychologiques d'Anne, conçues pour démontrer la reconnaissance des phonèmes de cette langue chez le très jeune nourrisson. Les recherches du psychologue Jacques Mehler, sur lesquelles Marie Darrieussecq a fondé les expériences d'Anne, prouvent que le bébé peut en effet distinguer la langue maternelle d'autres langues à l'âge de seulement quatre jours, s'étant déjà familiarisé, selon toute vraisemblance, avec les sons et les intonations de la langue dans l'utérus avant sa naissance[11]. La perte de ce lien primordial avec le pays natal ne peut être qu'une coupure radicale et traumatique. Elle est ainsi vécue par les deux personnages de Marie Darrieussecq qui en font l'expérience. Pour Peter, dans *White*, elle symbolise la perte définitive de son enfance, dont les souvenirs disparaissent avec les mots :

> De sa langue maternelle il ne lui restait rien, absolument rien, la langue qu'il avait sans doute parlée, pourtant, jusqu'à l'âge de six ans, sous un autre prénom ; rien, pas un rythme, pas un son, c'était comme si on avait basculé un interrupteur dans sa tête. Il paraît que ce genre d'amnésie est un phénomène courant chez des enfants déracinés. (*W* : 112)

À la différence de la plupart des enfants déracinés, cependant, Peter tarde à apprendre la langue de son nouveau pays de résidence ; l'état de quasi-mutisme qui est le sien jusqu'à l'âge adulte ressemble à un deuil du *home-land* perdu.

Dans *Le Pays*, Marie Rivière est profondément consciente de son statut « [d']écrivain yuoangui de langue française » (*P* : 58). Elle se compare au « Grand Écrivain » Unama, lauréat du prix Nobel, qui écrit en langue yuoangui, et prétend être le porte-parole de la nation, dont, selon lui, « la poésie jaillissait du sol comme la lave qui a formé les montagnes de ce pays » (*P* : 62). Cette association de la langue à la géographie physique du pays,

---

10 Martha HOLMES et Becky MILLER, page consultée le 05/09/2007, « Entretien réalisé par Martha Holmes et Becky Miller en décembre 2001 », http://www.uri.edu/artsci/ml/durand/darrieussecq/fr/ent_exclusif.html.

11 *BS* : 167-169. Cf. Jacques MEHLER *et al*, 1988, « A Precursor to language acquisition in young infants », in *Cognition*, n° 29, p. 143-178.

vue d'un œil sceptique par la narratrice, réussit néanmoins à ébranler sa confiance en sa propre appartenance au pays : « lui, pas de doute, il était yuoangui » (*P :* 61) écrit-elle de son rival, tandis que pour elle-même elle n'en est pas certaine. La comparaison avec son jeune fils, Tiot, s'avère aussi éclairante. Lui, « petite éponge à mots » (*P* : 143), arrive très vite à parler couramment yuoangui, ce qui transforme sa mère « en mamma, en fatma » (*P* : 145), réduite à le suivre muettement pendant qu'il s'intègre à la vie de ce nouveau pays. La compréhension miraculeuse de la langue yuoangui par Marie elle-même pendant la naissance de sa fille, qui sera yuoangui de souche, représente un rêve d'appartenance. Mais la courte durée du phénomène la ramène vite à la réalité de son exclusion : elle est encore celle « qui ne comprend rien » (*P* : 293).

Cependant, ce n'est pas seulement du pessimisme linguistique que l'on retrouve chez Marie Darrieussecq. Si la langue maternelle sert à exclure ceux qui sont, ou sont devenus étrangers, l'apprentissage d'une autre langue donne l'espoir d'une intégration plus globale. Marie Darrieussecq se déclare pour la mondialisation de la langue anglaise[12] et dépeint dans *White* la communauté harmonieuse des scientifiques internationaux réunis au pôle Sud, dont la communication est facilitée par l'« anglais approximatif, parlé par la moitié de la planète » (*W* : 114). La mondialisation culturelle et commerciale est également vue d'un œil plutôt favorable ; selon la formule de Marc Augé, « l'espace mondial de la consommation » fournit au voyageur des « repères rassurants[13] » où qu'il soit. Ainsi, les sœurs Johnson de *Bref Séjour chez les vivants*, séparées par l'immensité de l'Atlantique, sont unies par leur lecture d'horoscopes identiques (en espagnol et en français) publiés sous licence dans des journaux à travers le monde (*BS* : 147 et 230) ; les futurs amants Peter et Edmée partagent quelques « repères communs » (*W* : 68) pendant leur enfance grâce à la télévision qui diffuse les mêmes images dans leurs différents pays ; pour Marie Rivière, « dans tous les Starbucks on se sent chez-soi » (*P* : 131).

Cette dernière possibilité d'un chez-soi, qui ne dépend pas de racines géographiques, qui est même tout à fait indépendant de la géographie, va à l'encontre de ces *homelands* si peu accueillants. À ce propos, Marie Darrieussecq se souvient avoir cru pendant son enfance, « comme tous les

---

12 *Ibid.*

13 Marc Augé, 1992, *Non-lieux : introduction à une anthropologie de la surmodernité*, Paris, Seuil, p. 134.

enfants », que son pays était le centre du monde[14]. Les adultes dans l'œuvre de Marie Darrieussecq ont perdu cette illusion, comme Edmée dans *White*, qui emporte avec elle, dans chacun de ses voyages, cette lancinante question : « où est le centre du monde? » (*W* : 187). Chez Marie Darrieussecq, le secret, pour ceux qui ont résolu l'énigme, est de se créer un point fixe, qui n'a plus besoin d'un lieu spécifique. Anne l'exprime dans *Bref Séjour chez les vivants* : « ce qui compte, c'est ce sentiment, d'être là pile au centre, pile où il faut être » (*BS* : 130) ; et dans *Le Pays*, pour Marie, c'est le lien conjugal qui l'ancre dans son monde :

> le territoire conjugal se déployait en longitudes et latitudes. La Terre tournait, la capitale était Diego. Pour bien savoir où elle-même se situait, elle l'avait épousé, et quand l'adjointe du maire leur avait donné les papiers à signer, il lui avait semblé lire le « vous êtes ici » des plans de ville. (*P* : 34)

À partir de la confiance en soi ou de l'amour d'un autre, ces personnages montrent la possibilité de fabriquer une identité qui échappe à la géographie. Dans plusieurs romans de Marie Darrieussecq on peut lire le passage des personnages par des « non-lieux » – espaces ni identitaires, ni relationnels, ni historiques[15] – comme une libération de la géographie, et une occasion de recréer son identité. Ainsi, dans *Le Mal de mer*, l'histoire se termine dans l'anonymat d'un aéroport, alors que la protagoniste s'apprête à commencer une nouvelle vie à l'autre bout du monde. Dans *White*, le lecteur accède au non-lieu de la base antarctique par le moyen des non-lieux du bateau d'Edmée et de l'avion de Peter, et le fait d'être coupés de la géographie de leur passé, remplie d'histoires et de traumatismes, permet à ces personnages de se débarrasser de leurs fantômes et de commencer une nouvelle vie ensemble. On a vu que les liens complexes entre le moi et son *homeland* donnent au voyageur davantage d'angoisse que de sécurité. Trouver un terrain neutre – littéral ou figuratif – pour se construire une identité indépendante de toute appartenance géographique paraît être la clef du problème. Le voyageur qui parvient à un tel changement de perspective peut dès lors se sentir chez lui n'importe où ; celui qui n'y arrive pas court le risque de ne plus jamais être chez lui, nulle part dans le monde.

---

14 Jeannette GAUDET, 2002, « Des Livres sur la liberté : conversation avec Marie Darrieussecq », in *Dalhousie French Studies*, n° 59, p. 116.

15 Marc AUGÉ, 1992, *Non-lieux : introduction à une anthropologie de la surmodernité*, Paris, Seuil, p. 100.

Géo/graphies

Caravane de phrases

Pierrette FLEUTIAUX

Là, sur la page blanche immense, t'élancer, toute seule, sur ta première phrase. Page vide jusqu'à l'horizon, une rumeur pourtant, des sons, des voix confuses, des silhouettes fugitives, aussitôt avalées dans l'étendue. La phrase s'ébranle, une autre la suit, mais où vont-elles toutes ces phrases, qui serpentent sur la page blanche? Elles le savent, te dis-tu, il faut les suivre, leur faire confiance.

Mais voici qu'elles s'arrêtent, butent sur un obstacle. Mots fatigués, mots usés. Elles ont fait un bel effort, ont essayé d'ouvrir une voie, l'ont presque ouverte, mais leurs vaillantes sonorités se sont perdues dans le silence et l'immensité.

Descendre de ces phrases alors, chercher les pièces usées, les assemblages vétustes. Il y en a partout, c'est qu'elle a déjà servi à beaucoup de monde, cette langue qui fait les phrases. Si tu voulais aller sur les pistes que tu connais, elles t'auraient conduite jusqu'au bout, sans trop de peine, mais ce n'est pas là que tu voulais les emmener. Où d'ailleurs voulais-tu les emmener? Tu n'en sais rien toi-même, tu as cru deviner quelque chose là-bas, c'était peut-être un mirage.

Ce que tu cherches en somme, c'est un pâturage pour tes phrases, où elles trouveront leur subsistance, où elles pourront croître et féconder, et t'enseigner enfin ce que tu as toujours voulu savoir. Et bien sûr, le pâturage s'épuisera, ce que tu croiras avoir appris s'évanouira, il te faudra repartir, mais c'est cela ta vie, cette quête incessante des pâturages pour tes phrases, alors poursuis, et ne geins pas.

Reprends tes phrases comme elles sont, elles iront bien un peu plus loin, tu n'as qu'elles pour l'instant. Tu es perdue, oui, pourtant tu sens comme une force qui tire ton attelage, un point magnétique quelque part. Cette fois, tu es en avant de tes phrases, c'est toi qui les tires, quelque chose se profile que tu devines plus que tu ne le vois, c'est là soudain, et ce n'est pas un mirage. C'est une formation qui se dresse, passablement ancienne semble-t-il, mais oui tu'reconnais, ce sont les contes de fées. Tu tournes autour un moment, intriguée de les retrouver là, tu les touches, ces vénérables, tu entres dans leurs replis, tu t'enfonces dans ton enfance, puis plus loin dans les siècles, tu déchiffres des parois obscures, des émotions complexes s'agitent en toi.

Tu retournes à tes phrases qui t'attendaient là, couchées à l'ombre, tu les fais se relever d'un coup de fouet et, surprise, elles sont fraîches et vigoureuses, elles ont dû trouver nourriture dans ces abords. Elles font des figures de toutes sortes sur la page, si excitées qu'elles se prennent dans des nœuds, tu dois les démêler, les modérer. Elles sont étrangement travesties, ces phrases revigorées, et leurs mouvements ont une curieuse rythmique, mais elles croissent, et tu sais que tu as trouvé le lieu que tu cherchais, car désormais ce sont elles qui te guident, qui dessinent le contour de ta nouvelle histoire, de ton nouveau livre.

Toi, tu n'as qu'à veiller aux détails mineurs, faire ton travail d'artisan, bricoler ici, réparer là, infléchir d'un côté, retenir de l'autre, tu connais. C'est cela que tu aimes, le temps passe, bientôt tu comprendras ce qu'il y avait dans ces phrases qui t'ont conduite, et tu feras au mieux pour que tout le monde le comprenne, tu iras aussi loin que tu pourras, et puis ta caravane s'arrêtera, refusera un seul mot de plus.

De nouveau, tu es seule devant la page blanche immense, tu tournes en rond autour de ton campement, oh bien sûr tu vaques aux tâches habituelles, tu parles à ton entourage, tu cuisines, tu lis les journaux, les livres des autres, relis les textes anciens, tu penses à ta mort, à la mort du soleil, tu penses à tous les humains qui font leurs affaires d'humains là-bas derrière l'horizon, tu téléphones à tes enfants et soignes tes vieux maux. Et tu t'efforces de remplir tes devoirs, mais tu sens bien l'impatience qui grandit en toi.

Tu te rappelles d'autres voyages avec tes phrases, les gouffres et les pays que vous avez explorés, des gens, des peuplades, à en perdre le sens parfois... Tu te rappelles New York, et là quels riches pâturages elles ont trouvés, et ailleurs encore, tiens, un couvent de Visitandines, c'était dans le Vercors, et pas de tout repos, elles étaient contentes, tes phrases, mais toi tu es revenue troublée et malade.

Tu te rappelles comme vous vous êtes battues parfois, tes phrases et toi. Tu étais lasse, tu voulais les caser dans un jardin fleuri avec au milieu une jolie histoire d'amour, et les nourrir au picotin de midinette, mais elles n'ont rien voulu entendre et t'ont tirée vers les terres noires de la désolation, cinq ans tu as roulé avec elles, dans un attelage de plus en plus chargé de gens que tu ne voulais pas quitter, à qui tu voulais donner leur comptant de vie, de beauté et d'éternité.

Tu penses à tout cela, et voilà que, profitant de ton incertitude, tes phrases t'ont déposée dans une île au milieu du Pacifique, mais elles ne sont pas de taille, tu le vois bien, elles hésitent, les mots qu'elles ont emmenés ne conviennent pas. Pendant ce temps, toi, tu visites, tu parles aux gens, tu te remplis les yeux de paysages et l'esprit de tout un autre pan d'humanité, mais tes phrases s'étiolent. Tant pis, te dis-tu. Tu penses que l'écriture, c'est fini pour toi. Tant pis. Tu ramènes ce qui survit de tes phrases à ton campement de base, tu les abandonnes et t'en vas visiter, au Musée de l'Homme, les grands explorateurs-chroniqueurs d'autrefois. Or quand tu reviens tes phrases se sont redressées, elles veulent faire tout pareil que celles de Cook et Lapérouse, elles ont soudain plein à dire et à faire. Et toi, tu dois les tancer, tu les traites de copieuses, d'anachroniques, tu détestes qu'on oublie le monde où tu vis, celui d'aujourd'hui, avec les gens qui le partagent avec toi. Il va falloir te faire obéir, garder leur fougue, mais la tordre, la discipliner, puis... laisser aller.

Tu n'es que le cornac vigilant, ce sont elles qui savent, en elles est inscrit tout le savoir auquel tu peux prétendre, ne l'oublie jamais. Ainsi vous cheminerez sur les chemins inconnus de l'immense page blanche, tantôt dans la lumière et tantôt dans l'obscurité, sous la voûte du ciel aux milliards d'étoiles, qui ne vous diront qu'une chose, encore et encore, c'est que tu n'es rien, que tout ton labeur n'est rien, et les plus belles phrases du monde ne sont rien non plus, mais que c'est ainsi que tu dois vivre, écrire et mourir.

Et parfois, il y a des oasis, où se retrouvent tous les nomades de ces territoires de l'écriture, le campement s'élargit, certains viennent de loin, ça palabre ferme sous la tente de la Sorbonne, cette année pas le droit de fumer le narguilé, mais on peut rire et échanger et songer, et comme cela fait du bien !

Trajets d'un souffle nomade :
Zahia Rahmani

Aline BERGÉ-JOONEKINDT, *Université Sorbonne Nouvelle-Paris 3, UMR 7171*

> « Vivre, c'est passer d'un espace à un autre, en essayant le plus possible de ne pas se cogner[1]. »

Archétype d'une forme de nomadisme au féminin, la figure d'Agar dans le désert est récurrente dans les littératures francophones du Maghreb où elle traverse les genres et s'est prêtée à de multiples réécritures d'Albert Memmi (*Agar*, 1955) à Abdelwahab Meddeb (*Talismano*, 1989) ou d'Assia Djebar (*Loin de Médine*, 1991) à Mohammed Dib (*L'Aube Ismaël*, 1995). Elle occupe encore une position centrale dans le triptyque que forment les récits de Zahia Rahmani, *Moze*[2], « *Musulman* » *roman*[3] et *France, récit d'une enfance*[4]. Mais autour d'elle et dans les trois livres gravitent et se font signe bien d'autres figures nomades, qui empruntent autant à la trajectoire complexe de la narratrice autobiographe et à la violence de l'histoire contemporaine qu'à la mémoire culturelle de différents peuples, des mythes et contes d'hier à la littérature mondiale d'aujourd'hui. Dans le fond, avant toute *figuration*, c'est un souffle nomade qui porte l'écriture de Zahia Rahmani, traverse et déconstruit formes et figures d'écriture, guidé par le travail d'une mémoire vive qui se déploie entre anamnèse et invention. On tente ici d'en ressaisir quelques trajets, depuis une scène emblématique d'une rare intensité : la nuit de cauchemar où la narratrice enfant décide de quitter sa chambre et de s'exiler des siens pour projeter son existence au dehors (*MR* : 23).

---

1 Georges PEREC, 1985, *Espèces d'espaces*, Paris, Galilée, p. 14.
2 Zahia RAHMANI, 2003, *Moze*, Paris, Sabine Wespieser : *M*.
3 Zahia RAHMANI, 2005, « *Musulman* » *roman*, Paris, Sabine Wespieser : *MR*.
4 Zahia RAHMANI, 2006, *France, récit d'une enfance*, Paris, Sabine Wespieser : *F*.

À la lecture des trois récits, on est en effet frappé par ce contre quoi cette écriture se déploie, la réalité et la menace réitérées d'un double enferme-ment : l'occultation d'un pan de l'histoire de la guerre d'Algérie, d'une part, et l'aliénation à une représentation fausse de soi, d'autre part. *Moze* relate ainsi la vie engloutie du père de la narratrice, ancien harki, soldat indigène supplétif de l'armée française. Privé de ses biens et déplacé, fait prisonnier et torturé pendant cinq ans, puis évadé et assigné à des camps, il est par la suite interdit de séjour dans son pays et comme mort vivant parmi les siens : « Ni nomade ni apatride, ni errant ni exilé » mais « banni » (*M* : 23). Le récit suivant, « *Musulman* » *roman*, tente alors de combattre cet autre héritage de l'histoire coloniale européenne, la fiction de ce nom générique, le Musul-man ou l'Arabe, qui vise à dominer, exclure ou tuer l'autre, l'étranger. D'un côté, une « identité impossible » (*M* : 24), de l'autre, une identité meurtrière : l'écriture de Zahia Rahmani s'efforce d'échapper à ces deux horizons de mort qui signent la fin du nomadisme comme forme vitale de déplacement et de respiration dans l'espace.

Le vrai déplacement et le seul récit de soi ne se feraient-ils donc jour qu'à partir de *France, récit d'une enfance*? Le titre en boucle assonancée de ce tiers récit semble doter l'enfance déplacée d'un lieu d'où renaître à soi, le récit de la fille prenant enfin le relais de celui des pères et des mères : moment dialectique d'affirmation de soi, une fois dépassée la négativité de l'histoire personnelle et collective? Scénario irrecevable. Car dans chaque récit se font entendre diverses époques mêlées au présent de la narration : « le présent n'est pas un temps homogène, mais une articulation grinçante de temporalités différentes, hétérogènes, polyrythmiques[5] », notait Régine Robin dans *La Mémoire saturée*. Et chaque récit doit s'arracher sur le fond de ceux qui ont précédé, rappelle Jean-François Hamel dans *Revenances de l'histoire : répétition, narrativité, modernité* :

> Chaque expérience du temps reçoit sa forme, avant même d'être racon-tée, par les récits antérieurs qui en constituent pour ainsi dire la condition de possibilité; et chaque récit porte au langage une expérience tempo-relle selon des modalités qui entrent *en tension plus ou moins grande* avec les récits qui au même moment saturent les discours et la mémoire d'une collectivité[6].

---

5   Régine Robin, 2003, *La Mémoire saturée*, Paris, Stock, p. 37.

6   Jean-François Hamel, 2006, *Revenances de l'histoire : répétition, narrativité, modernité*, Paris, Minuit, p. 222. Nous soulignons.

Tension extrême, chez Zahia Rahmani. Car son écriture nomade passe les frontières des genres et fait voler en éclats le récit pour l'ouvrir au poème et au dialogue, à l'« entretien » et au « drame » (*M* : 25 et 120), au témoignage et à la plaidoirie. Mieux encore, afin de faire sauter d'illusoires ou d'hypocrites huis clos et de marquer l'essentielle porosité des sphères du privé et du public, elle livre l'intime du « journal » personnel (*M* : 167), publie l'article de presse (*F* : 105-114) refusé par un journal d'Algérie, et lève le secret des archives militaires et familiales, des directives ministérielles officielles aux mesures confidentielles et du « certificat d'hérédité » aux « attestations de service » de Moze (*M* : 35 et 62). Intranquille, le récit avance en une suite de fragments qui déplacent et multiplient les points de vue, de l'histoire du père à celle de la mère, des sœurs et des frères, et du roman familial élargi à l'histoire d'un groupe ou d'un peuple, et à d'autres encore : des Kabyles aux Juifs d'Europe, des Noirs aux Indiens d'Amérique. Le regard pèlerin de la narratrice s'étend ainsi d'un drame bien localisé dans l'espace, entre France et Algérie, à d'autres lieux du monde, de l'Afrique du Nord à l'Europe nazie et de l'Amérique du Nord à l'Afrique du Sud.

Les variations de voix creusent encore la variété des points de vue jusqu'au conflit, lorsque le drame prend le relais du récit : les trois livres présentent à quelques nuances près le même dispositif, un prologue suivi de cinq chapitres assez comparables à des actes. À peine le récit est-il ouvert qu'il donne lieu à un tutoiement : un « je » toujours en dialogue ranime les absents, les rend présents sur la scène de l'écriture. Cette force d'interpellation atteint son plein éclat dans l'acte central de *Moze* : « III. La Justice, la fille de Moze est reçue par la commission nationale de réparation » (*M* : 105-144). Retentissent alors, dans ce théâtre de voix, le procès véhément du colonialisme et de ses aberrations et l'appel d'une fille de harki au débat public sur l'histoire : double coup de force pour le premier cercle dont Zahia Rahmani est issue, lequel, rappelle Assia Djebar, ne connaît pas le rituel collectif et cathartique de la tragédie et se prête moins encore à entendre le témoignage d'une enfant. Les filles, « d'ordinaire, ne hantent pas les tragédies. Elles sont dans l'ombre, elles stationnent derrière le rideau, tout au plus en coulisses[7] ». Or cette veine dramatique s'impose avec force dans les deux premiers récits de Zahia Rahmani, jusque dans les titres de chapitres, qui disparaissent ensuite dans *France, récit d'une enfance*.

---

7   Assia DJEBAR, 1999, *Ces voix qui m'assiègent*, Paris, Albin Michel, p. 144.

Ces variations de récits et de voix, de scènes et de tons procèdent plus radicalement d'une écriture poétique dont le premier signe est la mise en espace des textes, le retour à la ligne et l'espacement des blancs. À l'ouverture de *Moze*, le lecteur découvre un poème : « Je me souviens. / Écris que tu te souviens. / Que tu t'en souviens. » (*M* : 11) Tutoiement pressant et tâtonnement têtu de la langue s'accordent à entrouvrir l'espace encore inarticulé du souvenir. Mais qui parle ici, qui dit « je », qui est « tu » ? Le père, la fille, ou bien le frère défunt à qui le livre est dédié : « À la mémoire de mon frère Mokrane » (*M* : 7) ? Impossible de trancher, parfois : « Fille, fils, de père-soldatmort-faux français-traître, même douleur. » (*M* : 21) L'écriture brouille donc parfois les voix et légitime plusieurs lectures au fil des pages, jusqu'au dialogue *post mortem* du père avec sa fille : « Moze parle – la voix de Moze glisse en sa fille » (*M* : 175). Le mort hante le vivant : rumination ventriloque du drame. Celui qui parle en soi, c'est l'autre, c'est lui, c'est elle – ce que traduit encore le nom de *Moze*, « contraction du nom du père et du nom de la fille[8] », précise l'auteur.

Une page blanche, et un autre poème suit le premier : « Je me souviens de mon lit en fer, / de tous ces lits de fer, / du hangar gris, / de la petite musique militaire. » (*M* : 13) Ces premières mesures de *Moze* font entendre le rythme à la fois heurté et ample de l'écriture de Zahia Rahmani, la tension d'une voix qui élève le témoignage à la puissance de la poésie tragique[9]. Image flottante aux premières pages, le lit en fer reparaît ensuite lesté de la description circonstanciée du camp de Saint-Maurice-l'Ardoise (*M* : 41), de sinistre mémoire pour les familles de harkis[10]. On est alors saisi par ce qui fait retour, se trame, se tord et résonne au fil d'une syntaxe labile, prise et reprise au mot même. En vers ou en prose, la parole de Zahia Rahmani nomadise à l'entour de différents points d'intensité antérieurs à toute phrase orientée vers un sens univoque, points de douleur ou de torture, événements qu'il s'agit de dénouer et qui font entendre la présence sensible d'un sujet tâtonnant vers le sens. À la mort du père, en six brèves variations sur les pleurs, le souffle est conduit aux frontières de la parole, rendu au seul langage du corps : « Je t'ai pleuré en tremblant. / Et puis ma voix est partie ailleurs. Ma bouche s'est

---

8   Entretien inédit avec Zahia Rahmani, 23 janvier 2007.

9   Est éclairant à ce titre le parallèle que l'on peut établir avec les récits de témoignage de Dalila KERCHOUCHE, auteur en 2003 et 2006 de *Mon père, ce harki*, et *Leïla, avoir 17 ans dans un camp de harki* (Paris, Seuil).

10   Voir Tom CHARBIT, 2006, *Les Harkis*, Paris, La Découverte.

collée à la vitre. » (*M* : 15) Butant et tournant à l'entour des termes et des scènes de terreur qui l'obsèdent, la voix coupée s'arrête et reprend souffle au début, au milieu ou en fin de phrase :

> Ces soldatmorts n'étaient pas des hommes. Ils furent abandonnés pour être tués. Tués durant des semaines. Tués par les leurs. Les frères héros devenus. Tués devant leurs mères, devant leurs sœurs, tués devant leurs femmes, leurs enfants, leurs enfants vivant encore. Tués par les leurs. Les frères héros. (*M* : 20-21)

L'énumération d'une série de participes se change elle aussi en tournoi pour dire le tourment d'un passé qui ne passe pas, la roue de la torture se liant à chaque déplacement :

> Moze n'a pas été tué.
> Il fut arrêté, torturé, interné, vendu, *déplacé*, recelé, acheté, *déplacé*. Il ne fut pas tué.
> Durant cinq années, il fut interné, transféré, frappé, négocié, *racheté*, emprisonné, torturé, recelé, *déplacé*, frappé, vendu, *racheté*. (*M* : 22. Nous soulignons.)

Puisant dans les possibles de la langue à petite ou grande échelle, l'écriture de Zahia Rahmani se livre ainsi par intermittences à une poétique de la variation qui évolue du parallèle nuancé au contrepoint antithétique, du syntagme à la phrase, du chapitre au livre entier, voire d'un livre à l'autre. C'est le cas, particulièrement, des figures de l'eau, qui transitent ou se changent d'un récit à l'autre, livrant ainsi le paysage changeant de l'existence, présente ou passée, en une suite discontinue d'images. Au suicide du père dans l'étang fait suite l'effondrement intérieur de la fille, qui note dans son journal, le 28 septembre 1998 : « Mon corps intérieur a décroché. [...] Je n'ai plus de corps, je suis de l'eau. » (*M* : 147) Inscrits au seuil de « *Musulman* » *roman*, le souvenir de *Moby Dick* et le geste salvateur d'Ismaël fuyant son ennui en mer suggèrent ensuite le ressaisissement et le gouvernement de soi par la navigation : « prendre le large » (*MR* : 9). Mais, une fois quittée l'Algérie, encore faut-il que la narratrice enfant puisse renaître à soi, dans le mouvement sans fin d'une nage haletante à travers les ventres emboîtés d'une cohorte d'éléphants, matière du cauchemar inaugural. De *Moze* à « *Musulman* » *roman*, un trajet s'accomplit donc, entre père et mère, des eaux mortes aux eaux vives, du fond du deuil à la surface de respiration : « J'ai surgi d'un nulle-part. Ni poisson ni dauphin. Mais comme sortie de l'eau, enfin. » (*MR* : 41) Même image au chapitre final, appliquée à toutes les femmes de sa génération. Cependant, la narratrice du tiers livre dira encore

l'aspiration de sa prime adolescence au monde marin, « monde de silence »
opposé à la fureur de l'histoire, au mutisme et aux cris nocturnes du père :

> Je ne rêve ni de voyage ni de pays, mais je me projette sous l'eau, fouillant
> les fonds marins. Le silence de la mer en guise d'altérité provenait d'un
> emballement que je ne comprends qu'à présent. Un monde inconnu, le
> seul et dernier qui pouvait encore accueillir mon envie d'être au monde
> sans violence. J'écris au commandant Cousteau pour qu'il me prenne
> dans son équipe. (*F* : 134)

Sous l'eau, sur l'eau ; dedans, dehors : ces allées et venues de la langue poétique à travers différents espaces s'inscrivent dans le temps d'une écriture
qui se confronte à plusieurs époques. Dans chaque livre, le récit du présent
s'enchevêtre à ceux du passé : l'écriture de Zahia Rahmani s'inspire ainsi du
travail d'une mémoire vive qui se déploie à double sens, en retours amont
et aval, entre anamnèse et invention. *Moze* reprend la fabrique de l'histoire :
le drame des harkis ; « *Musulman* » *roman*, la fabrique du nom meurtrier ;
France, récit d'une enfance, la fabrique des lieux et des récits. Mais chaque
livre refigure aussi partiellement la matière de l'autre pour résister à la fixation univoque du récit et du sens. *Moze* explique l'absence des pères ; et
c'est à la lumière de l'histoire d'Agar chassée dans le désert par Abraham,
père d'Ishmaël, que « *Musulman* » *roman* relit l'absence des pères, exposée
dans *Moze*.

MOZE : inscrire ainsi le nom du père en lettres capitales et caractères
blancs sur noir sur la page de couverture, c'est afficher d'emblée l'existence
spectrale de celui qui a été deux fois relégué dans les oubliettes de l'histoire
officielle, tant par l'État français, qui a inventé la figure inhumaine du « sol-
datmort », que par l'État algérien, qui cultive le mythe du peuple unanime,
uni dans la révolution et la décolonisation. Nationalismes étroits, aveugles
et sourds. Une fois franchie la sombre page de garde, on entre dans le récit
d'une vie de harki, dans « la fabrique de cet homme-là », où se fait jour la
part honteuse de l'histoire, « le colonialisme et ses excès, l'ignorance et
le mépris, l'absurdité tragique d'une situation et en toute fin la bêtise des
hommes. » (*M* : quatrième de couverture) Car, depuis l'exemple des harkis
d'Algérie et dans ses trois livres, Zahia Rahmani prête attention plus largement aux « engloutis de toutes origines » (*F* : 67), en tous lieux, des parias de
l'Amérique du Nord et de l'Afrique de l'*apartheid*, aux hommes et femmes du
monde rural ou artisanal français « sacrifiés[11] » aux guerres du siècle ou à la

---

11 Zahia RAHMANI, 2006, « Écrire le peuple comme étranger » (Entretien), in *Chaoïd*, page
   consultée le 05/09/2007, http://www.chaoid.com/numero10/chaoid10.pdf, p. 86 : *E*.

modernité technique et urbaine. Faisant ainsi œuvre de mémoire, elle contribue littérairement à l'histoire la plus contemporaine, celle des « engloutis » et des « effacés », celle des « oubliés[12] » (*E : ibid.*) d'une Histoire restée trop longtemps et trop étroitement héroïque et complice des pouvoirs.

Une telle attention universelle ne vise pas à confondre toutes les destinées, mais bien plutôt à garder en vue la singularité des situations et des trajectoires individuelles, la diversité de « l'aventure humaine » (*F* : 57). C'est pourquoi le travail généalogique engagé par la fille de Moze au nom de son père se poursuit dans « *Musulman* » *roman* par un combat contre les simplifications identitaires : « Mon père portait l'ambiguïté de ce siècle : l'humanité ignominieuse. [...] Nous avons été donnés parce que nous n'étions rien ! Des Arabes, des musulmans. Nous avons servi à couvrir la fuite d'une armée ! » (*M* : 128) « Dire la généalogie », précise encore Zahia Rahmani, « c'est ramener l'histoire familiale d'un individu à un nom. À l'histoire d'hommes et de femmes pris dans les mouvements culturels, politiques et économiques d'un territoire. Et non à un terme générique. Noir, arabe, musulman. » (*E* : 78)

« *Musulman* » *roman* fait vite entendre, une fois ouvert, la nécessité de ce second retour amont sur la généalogie, attaché cette fois aux fondements de la culture musulmane : « Il me fallut prendre le chemin d'un retour. » (*MR* : 15) Rappelant la proximité et les échanges des premiers temps de l'islam avec le judaïsme et l'étranger, Zahia Rahmani insiste sur l'enchevêtrement et les récits mêlés des origines et des cultures ; croisant ses lectures de la Bible et du Coran, elle relit l'histoire d'Agar chassée dans le désert, attentive aux points d'« énigme » de l'histoire (*MR* : 35). À sa manière, elle effectue un travail comparable à celui d'Assia Djebar dans *Loin de Médine-Filles d'Ismaël* (1991). En aval de l'histoire, elle traite aussi de l'Algérie contemporaine et des méfaits de sa politique d'arabisation, de la langue et de la culture berbère dont elle a hérité, et de la diaspora des Kabyles à laquelle elle appartient. Hommage est rendu dans ces pages au sage Vava El Hadj, qui incarne le dépassement des particularismes et des haines qu'ils génèrent, et la cohabitation possible des langues et des cultures.

Ce faisant, dans le sillage d'un Edward Said qui dénonçait, dans *L'Orientalisme*, la fiction du monde arabe élaborée par l'Occident, mais avec les

---

12 C'est la démarche qu'adoptent plus volontiers aujourd'hui des sociologues ou des historiens, tel Michel Roux dans *Les Harkis, ou les oubliés de l'histoire* (1991, Paris, Albin Michel) ou Alain Corbin dans *Le Monde retrouvé de Louis-François Pinagot. Sur les traces d'un inconnu* (1998, Paris, Flammarion).

armes de la littérarité, Zahia Rahmani revient aussi sur l'invention coloniale du « Musulman », comme l'indique le titre provocant et polysémique de son second livre. Permutation syntaxique : elle retourne à la lettre ce roman du « musulman » que l'Occident n'a eu de cesse de convoquer au fil des siècles pour identifier l'autre, l'ennemi ou l'étranger, à l'homme dégradé, à la figure du sous-homme ; et cela, du Moyen Âge aux camps nazis, comme le rappelle Giorgio Agamben dans son livre sur Auschwitz[13]. À l'essai de ce dernier, Zahia Rahmani a souhaité apporter une « réponse critique[14] » d'écrivain : combattre la reconduction de ce stéréotype mortifère en Occident et faire appel à un discours alternatif sur le « Musulman », à des « romans » qui ne soient pas que de haine et d'extermination. Approfondir encore, en somme, la démarche éthique dont l'essayiste se réclame. Dans le même livre sont donc renvoyées dos à dos les logiques d'exclusion identitaire d'Orient et d'Occident et les formes de pensée unique de l'histoire et des contacts entre cultures.

Dans *France, récit d'une enfance*, c'est encore un singulier pluriel qui se déploie : une variété de lieux et une floraison de récits qui vont de pair avec l'aspiration à un monde ouvert et un plaidoyer pour la fiction. Une fois en France, quelques lieux entrevus fugitivement puis les espaces de jeux ou d'évasion de l'enfance et adolescence dispensent des instants de bonheur et de douceur. Telle la résidence des Vignes, premier vrai lieu de vie après la sortie du camp de Saint-Maurice :

> Dans cet endroit, avec des filles et des garçons qui nous ont aimé, nous passions sans crainte des balcons aux paliers, des chambres aux salons, des cours aux jardins et même si cette vie fut courte, ça ressemblait à la vie. On se donnait des spectacles du monde. Nos mères nous prêtaient leurs habits, on ramassait les tissus, les laines et les foulards. Avec, on se fabriquait des forêts et des fleurs, des pays et des frontières, des rivières et des ponts. On se faisait des guerres et des paix. Les joies, on les chantait en cœur, par amour de nous. (*M* : 68)

Un espace de circulation et de respiration libre se fait jour entre le dedans et le dehors, entre l'ici et l'ailleurs, entre soi et l'autre. Autres bonheurs vagabonds à l'heure romantique de l'adolescence :

---

13 Giorgio Agamben, 1999 [1998], *Ce qui reste d'Auschwitz : L'archive et le témoin*, trad. Pierre Alferi, Paris, Payot et Rivages. L'essai rappelle que le « musulman » désignait, dans les camps nazis, les hommes réduits à l'état le plus avancé de la déshumanisation.

14 Entretien avec Zahia Rahmani, art. cit.

On sort de notre périmètre. On fréquente de nouveaux lieux. On se sent solidaires et en union. D'autres se greffent à nous. [...] On ne dort pas, on mange à peine, on rit, on se sauve jusqu'à la mer, on mange des moules et l'on revient dans la nuit. On se jette dans les eaux nocturnes de l'étang voisin, rentrant dans les vergers, croquant les fruits planqués dans l'herbe. (*F* : 159)

Diverses séquences du même livre montrent ainsi comment résister à l'étroitesse et à l'étouffement de son environnement familial et culturel et s'employer à trouver ou fabriquer des lieux à soi : grenier de la maison, jardins paysans et monts écartés de la France du Nord. L'enfance blessée trouve ainsi refuge auprès de voisins accueillants – ils sont loin de l'être tous –, comme chez Madeleine, sous un chapeau de jardin, sous un coquelicot : « Je me couche dans son pré, le nez sous un coquelicot. Je reste là sous sa douceur. Comme lui. Fragilement né pour une vie trop courte. » (*F* : 118) En marge de ces vibrants récits d'espaces ouverts aux accents tantôt jubilatoires, tantôt mélancoliques, Zahia Rahmani laisse ainsi entendre plus gravement son attachement à une culture qui ne se coupe pas du dehors et des forces vives de la nature, et son aspiration à « cultiver son jardin » envers et contre toute l'horreur du siècle (*MR* : 102).

Il arrive cependant que les espaces du dehors viennent à manquer ou à se refermer : le père enferme sa famille et interdit à ses enfants de sortir. C'est dans l'ailleurs des livres que l'enfant ou l'adolescente trouve alors un espace de respiration, un « répit[15] » : « Quoi d'autre que les mots pour guérir les lendemains barbares ? » (*M* : 164) La littérature déploie en effet des espaces que le lecteur est susceptible de parcourir en nomade, comme Michel de Certeau l'avait bien senti[16]. *A fortiori* quand elle porte sur des livres qui traitent de la *migrance* des peuples et des hommes. Dès lors, parce qu'elle « s'est vouée au corps du déraciné, à l'homme arraché et à ses marches », parce qu'elle a su « dire son peuple comme étranger », la littérature américaine répond exemplairement aux attentes de celle qui aspire à de nouveaux horizons : « Je cherche l'homme déplacé et ses espoirs. » (*F* : 64-67) Mieux encore. Cette littérature en phase avec l'histoire moderne et contemporaine fait aussi office de modèle, puisqu'elle a su dire « les engloutis de son pays », les faire « nôtres » par la traduction : « Nous annexant à jamais à une universalité.

---

15 « Je sais ce que je dois à la culture. C'est par la lecture, la littérature et la musique que j'ai acquis ce droit [au répit]. » (*E* : 86)

16 Michel de CERTEAU, 1980, *L'Invention du quotidien*, Paris, 10/18.

Celle des anonymes maintenus dans l'ignorance de leur nombre. » (*F* : 67)
Mais il est d'autres espaces de récits encore.

Aux heures les plus sombres de la dépression, c'est l'ailleurs merveilleux
des contes et de la tradition orale qui sauve des épreuves et invite à les passer. *Moze* rend un très bel hommage à la mère conteuse qui laisse trace de
ses histoires dans les trois récits. À celle qui ne sait ni lire ni écrire, mais qui
appartient, comme son père, à une lignée de conteurs attachés aux vertus
de la poésie, on « a transmis le monde en fables », qui se jouent allègrement
des limites et des pesanteurs du monde réel :

> Vous pouvez tenter de la convaincre qu'il en va autrement des choses
> d'ici, elle vous embarque tout aussi vite sur le dos d'un poisson qui des
> heures durant vous fera traverser les continents, vous transformera en
> fille de roi, en rossignol survolant les cimes, en lampe à huile, en pomme
> roulant tout autour du monde pour finir sur le pont d'un bateau qui vous
> déposera là où vous deviez arriver. (*M* : 165-166)

De tels récits lient le devenir et la réalisation de soi au déplacement nomade
et à la métamorphose. Parole de « vie » (*M* : 154), le merveilleux recrée « un
monde de beauté et d'équilibre » (*M* : 157), en contrepoids aux épreuves
les plus rigoureuses de l'histoire et de l'existence. Vie, beauté et équilibre :
la vertu des fables consiste à toujours lier l'amour du vivant à une vision
esthétique du monde et à une éthique. « Il faut faire du monde un chant »
(*M* : 165-166), rappelle encore la narratrice de *Moze*. C'est le « secret » de la
mère et de toutes ces femmes migrantes, qui ont « retourné » l'épreuve de
l'adversité comme un « gant » (*M : ibid.*) en traversant la Méditerranée. À
l'exemple de sa mère, la fille invente à son tour une fiction nomade, celle
d'un ancêtre Cherokee dont elle imagine le voyage d'Amérique jusqu'en
Kabylie (*F* : 56-57). Inversant, elle aussi, le cours de l'histoire moderne, elle
réinvente le Nouveau Monde et le métissage au nom de l'amour : « Il faut que
la douceur revienne. » (*M* : 167) Même si la violence et la douleur reviennent.
C'est là le projet éthique et politique qui aimante l'œuvre de Zahia Rahmani
et guide ses entretiens : « On se doit de se tenir debout sur des ruines et des
millions de cadavres. » (*E* : 91)

Orchestration d'un souffle. À l'ouverture de son troisième récit, Zahia Rahmani inscrit les traces d'un rêve : « Cette nuit, je fais jouer une symphonie, sans rature et sans gras. J'ai peu d'instruments. Percussions et flûtes.
Debout, j'orcheste un souffle. » (*F* : 13) Mais ce rêve tourne court, entravé,
souffle coupé, « chemins cassés » sur la feuille et mouvement d'un nouveau

départ[17]. On ré-entend à travers lui les premières mesures de *Moze* et les
marches suspendues de « *Musulman* » *roman*. Contre les puissances de mort
et de clôture à l'œuvre dans le monde, et à partir d'une constellation d'événements qui leur sont communs ou particuliers, le souffle nomade de Zahia
Rahmani échafaude donc trois récits polyphoniques. Au partage et à la
poétique de chacun correspond la nécessaire partition et orchestration des
histoires, des voix et des figures en genèse et en mouvement. Les lire séparément et ensemble permet seul de mesurer l'amplitude de cette symphonie
interrompue et recommencée, entre la scie de la torture et la note colorée
du coquelicot.

Relater et relier ; avancer et recommencer. Avec une conscience du monde
ouverte à la variété des lieux, des langues et des cultures, contre la politique
coloniale de la séparation et le terrorisme d'un récit unique, le récit en éclats
de Zahia Rahmani œuvre à l'ouverture des horizons, à une mise en relation
des histoires et des hommes, à la quête et au tremblement du sens qui habite
et porte les êtres, la vie et l'écriture. Il renoue ainsi avec une intelligence
nomade du monde et des hommes en marche, trait fondateur commun à
nombre de cultures et de grands récits : « Je récuse les territoires étroits,
celui de l'exilé comme celui de l'homme assiégé. Ils sont l'endroit d'une
mort certaine, d'un monde réduit. » (*E* : 80)

---

17 Zahia Rahmani entrevoit à travers ces figures « la métaphore d'une littérature possible
et empêchée. Mais aussi d'une vitalité exacerbée, celle d'une enfance qui se cognait
constamment aux certitudes des autres. » (*E* : 74)

Pas à pas :
l'œuvre vagabonde d'Assia Djebar

André Benhaïm, *Université de Princeton*

De la crainte de devoir commencer par un faux-pas : l'aveu presque gênant que, par bien des côtés, l'œuvre d'Assia Djebar nous échappe. Puis d'ajouter alors que c'est précisément parce qu'elle nous échappe, que c'est dans la mesure où elle tente d'échapper à la lecture, où elle met l'interprétation au défi de la saisir, qu'il faut suivre cette œuvre. Or il n'est pas facile de suivre son écriture qui, plus que tout, file.

Entre l'Orient et l'Occident, entre l'Algérie et la France, entre l'arabe et le français, entre la voix des femmes et la loi des hommes, et à tant d'égards encore, le texte d'Assia Djebar est en mouvement perpétuel. Perpétuel et imprévisible. Insaisissable – non pas parce que « difficile » à comprendre, mais parce que, faite d'ambiguïtés, l'écriture d'Assia Djebar évite l'impasse du sens unique. Elle file dans tous les sens de la langue française. Qu'ils fassent entendre le travail (manuel) du fil, ou le phénomène (pédestre) du pas (pas hâtif, de la course, de la fuite), les sens de « filer » sont comme autant d'évocations des différentes pratiques du corps – du corps féminin – que j'imagine à l'origine de la poétique d'Assia Djebar; pratiques duelles, de la marche et du tissage.

La marche, la romancière l'a souvent dit, inspire son écriture. La marche, aussi, anime ses personnages. Et si l'on a pu affirmer que la marche fait de nous des hommes, celle d'Assia Djebar semble résolument l'affaire (ou l'épreuve) des femmes. Ailleurs, nous avons suggéré que, du travail du pas à l'ouvrage du fil, lire Assia Djebar comme un texte qui file, révèle que l'écriture née du mouvement et le confinement lié à la couture sont moins en concurrence qu'en *coïncidence*[1]. Ici, nous voudrions davantage insister sur l'étrangeté du déplacement qui anime son œuvre.

---

1 La dynamique entre la mobilité et le confinement du corps féminin ne se limite pas à des relations convenues comme, par exemple, entre la France (qu'on serait tenté de

Sur les pas d'Assia Djebar, le parcours se fera insolite et cosmopolite, de l'avènement d'une écrivaine presque encore adolescente, venue d'Alger en début de guerre étudier à Paris l'histoire de sa terre natale. De France, où elle écrivit ses premiers romans d'Algérie, et où elle se fit un nouveau nom[2], en Algérie où le retour se fit comme une traversée du désert, où, faute de publier, dans un silence scriptural délibéré, elle se mit à filmer les femmes de son pays. Puis à travers ces périples, multiples allers-retours entre Europe et Maghreb, d'un Occident à l'autre, on suivrait Assia Djebar en Allemagne, en Italie, en Amérique enfin, du Québec aux États-Unis où, moins conquérante que convoitée, consacrée chantre postcoloniale, elle séjourna parmi ceux qui ne demandaient qu'à l'entendre. Filer Assia Djebar, c'est aller sur les premiers pas d'une pionnière, d'une première maghrébine, de l'École normale supérieure en 1955 à l'Académie française, exactement un demi-siècle plus tard.

En emboîtant le pas d'Assia Djebar, on commencera par faire attention à la marche.

« Fais attention à la marche »

Faire attention à la marche, comme Nfissa qui rentre chez elle, libérée par son père d'une prison militaire française, pendant la guerre d'Algérie. Et en la faisant rentrer dans sa maison natale, qu'elle avait quittée pour prendre le maquis, son père la met en garde :

> « Fais attention à la marche », murmurait-il ainsi qu'il le faisait toujours avec les visiteurs, comme si, d'être allé chercher sa fille trois cents kilomètres au sud, dans cette caserne, qui ne semblait pas une prison, plutôt un camp de légionnaires romains sur le limes des plateaux berbères [...] l'avait rendue étrangère à ces lieux qui ne s'étaient point altérés[3].

Faire attention à la marche, c'est donc devenir étrangère à son père, étrangère en sa demeure. Faire attention à la marche, c'est se figer sur le seuil,

---

voir dans la marcheuse « occidentale » émancipée) et l'Algérie (la couturière « orientale » cloîtrée). Lire l'œuvre d'Assia Djebar comme un texte qui file nous engage à en découdre avec la dualité. Voir notre essai « Shadowing Assia Djebar », *in* Élisabeth Boyi et Dan Édelstein (dir.), *Empire Lost: France and Its Other Worlds*, Lanham, Lexington Books, à paraître.

2   Fatma-Zohra Imalayène est devenue Assia Djebar dans un taxi filant à travers Paris pour aller signer son premier contrat d'édition (voir *infra*).

3   Assia Djebar, 1997 [1967], *Les Alouettes naïves*, Arles, Babel/Actes Sud, p. 19 : *AN*.

comme Nfissa à qui le clair-obscur des lieux rappelle celui de sa cellule. De la prison étrangère à la maison natale, il n'y a qu'un pas.

Telle est l'ouverture du roman le plus remarquable (sinon le plus connu) de l'œuvre d'Assia Djebar : *Les Alouettes naïves*, publié en 1967. Ce roman *est* une marche. Une marche, comme un seuil : c'est le quatrième et dernier volume du cycle des romans de jeunesse de l'auteure qui en révèle un autre aspect singulier : « Je l'ai écrit plus longuement [que les trois premiers], de 1962 à 1965 : premières années de l'indépendance, à Alger, où je ne faisais que marcher dehors […]. Pourtant, ce roman, une fois publié, m'a amenée à dix ans de silence…[4] »

Les Alouettes naïves ouvre la marche vers le silence « volontaire » où, entre 1967 et 1980 – jusqu'aux *Femmes d'Alger dans leur appartement* – Assia Djebar ne publie pas. *Les Alouettes naïves* est une marche qui mène à une autre écriture, celle du cinéma[5], puis vers la voie des autres romans, voie déjà annoncée par ce livre « qui […] introdui[t] des éléments autobiographiques[6] ». *Les Alouettes naïves* fait donc la transition entre les deux grandes parties de l'œuvre romanesque, où l'autobiographie survient d'abord comme un obstacle.

Cette marche paradoxale est en vérité la dynamique (le leitmotiv) qui est à l'origine du roman, comme l'annonce l'exergue extrait du *Journal intime* de Franz Kafka qui évoque une marche impossible, verticale, qui ne mène qu'à reculons[7]. Et avant même cet exergue, la préface, adressée aux ex-colonisés et publiée dans *Jeune Afrique* en octobre 1967, conclut que *Les Alouettes naïves* incarne un « tangage incessant » :

> Parce que nous faisons constamment le grand écart entre le passé paralysé dans le présent et le présent accoucheur d'avenir, nous, Africains, Arabes et sans doute d'ailleurs, nous marchons en boitant quand nous pensons danser, et *vice versa*. C'est pourquoi nous nous demandons parfois si nous avançons. Je ne prétends pour ma part avancer qu'en écrivant. (*AN* : 8-9)

---

4   Assia Djebar, 1999, *Ces voix qui m'assiègent*, Paris, Albin Michel, p. 64.

5   Assia Djebar, 1977, *La Nouba des femmes du mont Chenoua*, 115', prix de la critique internationale – Biennale de Venise en 1979 et 1982, *La Zerda ou les chants de l'oubli*, 57'.

6   Assiadjebar.net, page consultée le 05/09/2007, « Assia Djebar: interview with Wadi Bouzar, 17/09/1985 », http://www.assiadjebar.net/first_novels/main_first.htm.

7   Mais qui n'est tout de même pas sans espoir car « les pas en arrière ne peuvent être provoqués que par la confirmation du sol ».

Chez Assia Djebar, l'écriture et la lecture participent d'une marche « équivoque ». À l'instar de Nfissa, en mouvement perpétuel, Nfissa l'héroïne du roman, mais pas sa narratrice. La narration est l'œuvre d'un homme. C'est lui, le témoin effacé de la liaison de Nfissa et de son fiancé ; c'est lui qui s'écrie : « Je suis là moi, l'auteur, non, l'imitateur, qui suit en boitillant la même route » (*AN* : 183). Démarche incertaine du narrateur qui rappelle celle qu'évoquait l'auteure, cette claudication commune aux lecteurs et à elle-même. Démarche de vagabonds (personnages, auteure, lecteurs) qui vont clopin-clopant, réveillant les origines du nom du nomade des rues, le clochard, qui dérive du latin *cloppiccare*, « boiter ». Dans ce sens, sens d'une marche ambiguë, quelque chose *cloche* dans l'écriture d'Assia Djebar. Quelque chose cloche dans la démarche inquiétante de ce narrateur qu'on entend prendre la parole une dernière fois : « Voici que j'interviens, moi, le narrateur, qui les ai suivis pas à pas jusque-là et qui, à ce terme où tout commence pour eux, m'apprête à couper le fil de leur histoire. » (*AN* : 481)

Parce que raconter l'histoire des autres se fait en les prenant en filature – filer quelqu'un ou mieux encore, comme dit l'anglais d'un mot plus éloquent : *to shadow* / « ombrer ». De l'ombre omniprésente chez Assia Djebar. De la silhouette aussi, que nous voyons érigée au seuil du premier roman, publié par Assia Djebar après un long silence délibéré.

La (première) marche du texte

Présence qui apparaît dès la première marche. Marche de « fillette allant pour la première fois à l'école, un matin d'automne, main dans la main du père, en costume européen, instituteur dans une école française ». C'est l'ouverture de *L'Amour, la Fantasia*[8], le premier livre du projet autobiographique. Première marche, avec le père, illustrant son être à venir de femme arabe libre de circuler ; première marche qui est une image s'opposant d'emblée au cri de défi et de révolte de la narratrice : « Voilez le corps de la fille nubile »… Apostrophe de désillusion qui fait entendre que la marche a lieu *contre* le voile, contre le tissu qui emprisonne le corps de la femme.

Voici donc l'une des nombreuses contradictions qui animent l'œuvre d'Assia Djebar : l'écriture de femme se fait par l'amour – et par le corps – du père. Mais le père, qui offre à sa fille la clef de la libération, est aussi son

---

8   Assia DJEBAR, 1995 [1985], *L'Amour, la Fantasia*, Paris, Livre de Poche : *AF.*

premier geôlier. En déchirant la première lettre d'amour que recevra sa fille adolescente (à 17 ans), en la cloîtrant le même été, et, par là même, en la forçant à une correspondance clandestine, le père, qui donne et reprend la langue de l'écriture et de la libération, le père est à l'origine de la naissance de sa fille en écrivaine de l'ombre.

Paradoxe : l'amour, comme la langue française qui l'écrit et le rend possible, s'est fait tour à tour libération et oppression. Paradoxe qui nous mène à l'étrangeté de la fin de ces premières révélations du premier roman ouvertement autobiographique :

> Silencieuse, coupée des mots de ma mère par une mutilation de la mémoire, j'ai parcouru les eaux sombres du corridor en miraculée, sans en deviner les murailles. Choc des premiers mots révélés : la vérité a surgi d'une fracture de ma parole balbutiante. [...] J'ai fait éclater l'espace en moi, un espace éperdu de cris sans voix, figés dans une préhistoire de l'amour. Les mots une fois éclairés – ceux-là mêmes que le corps dévoilé découvre –, j'ai coupé les amarres. Ma fillette me tenant la main, je suis partie à l'aube. (*AF* : 13)

Signal du départ, fin du commencement, la dernière phrase du premier chapitre de l'autobiographie répond, presque mot à mot, à la première phrase. D'une marche l'autre, la fillette du début est devenue mère, a pris la place de son père, et sa propre fille a pris la sienne.

Or couper les amarres, n'est-ce pas aussi mettre les voiles ? Les voiles au féminin qui répondent – ou s'opposent ? – au voile, au masculin du commencement (« Voilez le corps de la fille nubile »). Certes, le dédoublement des « voiles » demeure sous-entendu. Ce double sens tacite fait entendre la contradiction – le paradoxe – qui fait l'œuvre d'Assia Djebar. Entre le voile qui engloutit, emprisonne le corps de la femme, et la voile qui permet au corps de l'écrivaine de s'échapper, demeure l'étoffe du texte, à entendre à la fois comme l'écrit et le tissu (*textus*), et son mouvement.

Étrange patron

On retrouve une variation de cette contradiction dans l'étrangeté du premier souvenir d'enfance, que nous raconte la narratrice de *L'Amour, la Fantasia*, le récit de « Trois jeunes filles cloîtrées... », trois sœurs à qui elle rendait visite pendant ses vacances, et qui portaient le voile. La narratrice, complice de leurs actes subversifs, est aussi la confidente avec qui les sœurs partagent un secret, « lourd, exceptionnel, étrange » :

> Les jeunes filles cloîtrées écrivaient [...] des lettres à des hommes aux
> quatre coins du monde [...] arabe. [...] Ces missives parvenaient de
> partout! Envoyées par des correspondants choisis dans les annonces
> d'un magazine féminin largement répandu, à l'époque, dans les harems;
> l'abonnement permettait de recevoir, avec chaque numéro, un patron de
> robe ou de peignoir dont se servaient même les analphabètes. (*AF* : 21)

Cet insolite patron dit que la couture est le palimpseste de l'écriture et rappelle que le texte est toujours double, textile et textuel. Rappelle du texte
l'autre origine : *textus*, en latin, c'est le tissu. Mais le patron rappelle aussi le
pater, qui est à l'origine de son nom. Or si le père est le prétexte de l'écriture
de femme, la femme peut-elle écrire pour devenir son propre patron ? À la
lire, ce n'est pas au fil de la plume qu'Assia Djebar est devenue « le patron »,
mais par le film. Au cœur de *Vaste est la prison*[9], troisième roman de son
projet autobiographique, on entend les hommes qu'elle dirige (techniciens
et acteurs) lui donner ce nom sur le tournage de son premier long métrage,
film de femme pour les femmes : *La Nouba des femmes du mont Chenoua*
(*VP* : 112 et 199). Et Assia Djebar rappelle qu'elle est devenue le « patron » en
mettant en scène son tout premier plan :

> Un homme assis sur une chaise de paralytique regarde, arrêté sur le seuil
> d'une chambre, y dormir sa femme. Il ne peut entrer : deux marches
> qui surélèvent ce lieu font obstacle à sa chaise d'infirme. [...] Premiers
> « plans » de mon travail : une certaine défaite de l'homme. J'ai dit
> « Moteur ». Une émotion m'a saisie. Comme si avec moi, toutes les femmes
> de tous les harems avaient chuchoté : « moteur ». (*VP* : 173)

« Attention à la marche » s'entend autrement maintenant. C'est la marche des
femmes qui regardent, qui écrivent. La marche du « patron » : Assia Djebar
qui inverse le voile pour en faire une caméra bouleversante[10]. Cette transformation participe de ce que Mireille Calle-Gruber appelle « une diffraction
narrative[11] » qui

> ne produit pas seulement fragmentation, déplacement, dissémination. De
> nouvelles constellations se forment, des tressages arabesques, la propa-

---

9   Assia Djebar, 1995, *Vaste est la prison*, Paris, Livre de Poche : *VP*.

10   « Cette image, [...] voici qu'elle surgit au départ de cette quête : silhouette unique de
     femme, rassemblant dans les pans de son linge-linceul les quelque 500 millions de
     ségréguées du monde islamique, c'est elle soudain qui regarde, mais derrière la caméra,
     elle qui, par un trou libre dans une face masquée, dévore le monde » (*VP* : 174).

11   Mireille Calle-Gruber, 2001, *Assia Djebar ou la Résistance de l'écriture*, Paris, Maison-
     neuve et Larose, p. 214.

gation d'ondes narratives aux croisées aléatoires. [...] Processus de *trans*-transport, transfigure, transfiguration, transit – le récit diffracté semble être, dans l'économie de la scène djebarienne, la seule démarche possible pour aller au dehors, la seule marche pour porter au jour *la scène du secret* qui est par excellence celle des femmes d'Islam – maintenues au secret, sécrétant légendes immémoriales[12].

La démarche transformative engagée par la scène d'Assia Djebar révèle les deux pans, les deux faces du voile. Le voile qui opprime, mais aussi qui permet de se déplacer en public, pour observer sans être reconnue. Et dans *L'Amour, la Fantasia*, le voile c'est encore la langue française, voile ambigu qui à la fois camoufle et dénude. Comme la langue française, le voile devient un text(il)e ambigu. Pour Assia Djebar, le français n'est pas la langue de l'amour. La langue de l'amour, c'est la langue de la mère. Les mots d'amour en français ne la touchent pas; elle leur résiste, et au mieux leur est indifférente. Or par cette réserve, Assia Djebar découvre bientôt qu'elle était, elle-même, « femme voilée, moins déguisée qu'anonyme » et que cette réserve « signifiait une reprise du voile symbolique » (*AF* : 180-181).

Mais le plus étrange est peut-être cette autre confession : « Je ne m'avance ni en diseuse, ni en scripteuse. [...] je me veux porteuse d'offrande, mains tendues vers qui, vers les Seigneurs de la guerre d'hier, ou vers les fillettes rôdeuses qui habitent le silence qui succède aux batailles... » (*AF* : 203)

Tout est peut-être là : ce qui *lie* l'écriture d'Assia Djebar, de la marche au tissage, c'est l'acte de *porter un texte*. Les porteurs de textes peuplent l'œuvre d'Assia Djebar – messagers, interprètes, facteurs... –, tous voués à un destin fatal, qu'ils soient gardiens d'une voix étrangère, ennemie, ou dépositaires, transmetteurs d'un texte clandestin. Assia Djebar, elle, se dit moins porte-parole que porteuse de don. Mais on l'a entendu, porteuse d'un présent équivoque, voire fatal, à cause de cette langue qui est son seul instrument pour accomplir ce geste. Le paradoxe repose à l'origine même de ce don, comme le rappelle l'écrivaine en convoquant la première image à la fin du roman :

> Le père [...] marche dans la rue du village; sa main me tire et moi qui longtemps me croyait si fière – [...] moi qui devant le voile-suaire n'avait nul besoin de trépigner ou courber l'échine [...], je marche, fillette, au-dehors, main dans la main du père. Soudain, une réticence, un scrupule me taraude : mon « devoir » n'est-il pas de rester « en arrière », dans le gynécée, avec mes semblables? (*AF* : 297)

---

12 *Ibid.*

L'image s'est inversée : maintenant le père *tire* la fille par la main. Marche forcée, « mariage forcé » : en l'envoyant à l'école française, le père [...] l'aurait « donnée » avant l'âge nubile à la langue étrangère (*AF* : 298) – « Je cohabite avec la langue française. [...] Le français m'est langue marâtre. Quelle est ma langue mère disparue, qui m'a abandonnée sur le trottoir et s'est enfuie?... [...] je me retrouve désertée des chants de l'amour arabe. » (*AF* : 255)

Pour dire cette errance, Assia Djebar en appelle à un autre étranger, inattendu frère d'ailleurs : « J'écris, dit Michaux[13], pour me parcourir. Me parcourir par le désir de l'ennemi d'hier, celui dont j'ai volé la langue. [...] Croyant "me parcourir" je ne fais que choisir un autre voile » (*AF* : 302).

Autre odyssée

Or, près de vingt ans après ce constat, ce parcours ambigu aboutit, en 2003, à *La Disparition de la langue française*[14] : titre le moins romanesque de son œuvre, le moins poétique, le plus contradictoire; titre qui semble annoncer un essai sur la fin du roman, qui s'érige, tout de même, dans une ironie pathétique sur la couverture. Or c'est bien de la fin de l'écriture qu'il s'agit, d'un roman inachevé. Roman au titre pénible – maladroit, boiteux –, *La Disparition de la langue française* demeure, selon nous, le roman le plus étrange de l'œuvre d'Assia Djebar. Le plus intriguant, trompeur, comme le dit l'anglais avec *misleading* : « malguidant ». Charmant par la prose la plus entraînante de la romancière, par sa polyphonie harmonieuse, ses entrelacs fluides, et l'énigme qui la sous-tend, ce roman (mal)mène son lecteur en bateau.

Pour commencer, avant une disparition, il raconte l'histoire d'un retour. Si le retour qu'il raconte est insolite, l'est également, et peut-être davantage, le retour d'une manière de raconter. *La Disparition de la langue française* rappelle *Les Alouettes naïves*. On y retrouve l'entrelacement de l'histoire et de l'Histoire, le tissage du présent et du passé, entre la guerre d'Indépendance et la guerre civile trente ans plus tard[15]. Histoire d'une écriture, qui advient

---

13 L'intertexte est signifiant : Michaux, autre écrivain « francophone » – mais un homme, occidental, belge... Une page plus loin, Assia Djebar refait allusion au poète : « *Ma nuit remue de mots français malgré les morts réveillés...* » (AF : 303)

14 Assia DJEBAR, 2003, *La Disparition de la langue française*, Paris, Albin Michel : *DLF.*

15 Respectivement 1992 et 2002, après que les Islamistes remportèrent les premières élections pluralistes du pays.

enfin une fois rentrée au pays natal, en Algérie, après un long exil en France, *La Disparition de la langue française* raconte le retour d'une voix. Une voix demeurée inouïe depuis *Les Alouettes naïves* : la voix d'un homme.

Comme dans *Les Alouettes naïves*, la narration alterne entre la voix du protagoniste masculin et la voix du narrateur omniscient, dont le genre nous échappe, mais qui ressemble fort à celle d'Assia Djebar elle-même. Certes, ce roman n'est pas ouvertement autobiographique. Mais secrètement... D'un secret à la fois gardé et révélé par le nom même du héros. Un nom qui, comme tous les noms, comme le voile, à la fois dissimule et expose son porteur[16]. Un voile comme « Djebar » lui-même. La métamorphose de Fatma Zohra Imalhayène en Assia Djebar a tous les accents du mythe antique[17]. Mérite le détour l'histoire de cette scène primitive, où la très jeune auteure (à peine 21 ans) se donna naissance, en créant son propre nom de plume, dans un taxi filant à travers Paris pour l'emmener signer son premier contrat d'édition. Or cette naissance impromptue fut facilitée, et même engendrée, par un intermédiaire capital, le fiancé de la jeune femme à qui elle avait demandé de réciter les 99 noms d'Allah. Elle choisit *djebbar*, l'expression qui loue « Allah l'intransigeant ». Mais dans sa hâte, elle l'épela *djebar*, transformant involontairement l'arabe classique en arabe vernaculaire où *djebar* signifie le guérisseur. Dans cette histoire, merveilleuse légende de la naissance de l'écrivaine, nous entendons tous les paradoxes de l'œuvre d'Assia Djebar. Comme tous les textes qu'elle devait écrire, Assia Djebar est advenue en mouvement. Le paradoxe principal tient dans le fait que ce nom de plume, qui devait voiler l'identité de l'écrivaine pour ne pas heurter ses parents, son père surtout, après la publication d'un livre où la sexualité féminine s'exprimait en toute liberté (*La Soif*, 1957), le pseudonyme de Djebar donc, qui devait préserver le nom du père, apparaît comme le nom du Père. Mais le nom altéré. Par cette faute de transcription, en transformant *djebbar* en *Djebar*, l'auteure métamorphosa le nom de Dieu en nom commun pour en faire enfin un nom propre. En mouvement et par hasard. Non par erreur,

---

16 Sur le nom de Djebar, voir Alison RICE, 2001, « The Improper Name. Ownership and Authorship in the Literary Production of Assia Djebar », in *Assia Djebar*, Ernstpeter RUHE (dir.), Würzburg, Königshausen & Neumann.

17 Semblable à un mythe répété à l'infini, cette histoire nous parvient comme un récit oral de l'auteure, transcription par Clarisse Zimra dans la postface de la traduction américaine de *Femmes d'Alger* en 1992 (*Women of Algiers in Their Apartment*, trad. M. de JAGER, postface de Clarisse ZIMRA, Charlottesville, University of Virginia Press, p. 159-160).

mais dans l'erreur. Une erreur en apparence infime. Il s'en fallait d'un « b ».
Mais, c'est peut-être dans cette série de passages, de l'oral à l'écrit, de l'oral
arabe à l'écrit français, dans cette faute de transcription de son « propre »
nom, la première et la plus importante – mais aussi la plus secrète, la moins
visible – de sa carrière littéraire, c'est dans cette erreur primitive, que se
trouve l'origine de l'errance de l'écrivaine Assia Djebar. Vagabondage du
nom du père, par lequel signe celle qui dit écrire abandonnée à la rue par
sa langue maternelle.

Jusqu'à *La Disparition de la langue française*, où le nom recèle également
un secret. D'où vient, en effet, le nom du protagoniste, « Berkane » ? Le retour
de la voix d'homme, inouïe depuis la fin du premier cycle romanesque,
marque aussi le retour de la figure tutélaire. Quant à Berkane, le nom du
protagoniste, nous y entendons l'écho à peine altéré de Berkani, des Berkani
du Dahra, la tribu d'origine de Bahia Sahraoui, la mère d'Assia Djebar. En
d'autres mots, *La Disparition de la langue française* est le lieu du retour de la
mère, des ancêtres de la mère, ceux qui ont toujours été, pour Assia Djebar,
les gardiens de la mémoire originelle, du temps de l'invasion française. Tout
comme le père avait été altéré par le choix du pseudo-patronyme, la mère
revient ici transformée, inspirant de son nom effacé, la voix d'un homme
longtemps absent. Une voix qui hésite, naviguant entre l'Algérie et la France,
entre le français et l'arabe, entre la langue de l'exil et la langue maternelle.
Comme *Les Alouettes naïves*, sa première œuvre « vraiment » autobiographique, *La Disparition de la langue française* est l'histoire d'une marche, aussi
difficile et périlleuse que l'usage de la première personne :

> J'ai commencé à écrire par défi, pour me distancer le plus possible de
> mon vrai moi. Quand il s'agissait de ma fiction, j'ouvrais une sorte de
> parenthèse dans ma vraie vie. Et puis vint *Les Alouettes naïves* [...] Ma
> fiction m'avait soudain rattrapée. [...] Ma vie de femme m'a fait trébucher.
> [...] Dans *Les Alouettes naïves*, [...] j'ai compris que l'écriture ramène
> toujours à soi[18].

Pour finir, nous voudrions revenir sur le retour de Berkane. Retour chan-
celant qui en rappelle un autre. Un autre homme qui, comme lui, revint en
sa terre natale après un exil de vingt ans. Comme lui, ou presque : « Quand
Ulysse revient, après une absence moins longue que la mienne, c'est à Itha-
que qu'il débarque dans l'anonymat, même si seul le chien qui le hume le
reconnaît sous ses hardes de vagabond. » (*DLF* : 89)

---

18 *Id.*, p. 168-169.

Cette référence explicite d'Assia Djebar à *L'Odyssée* est si rare qu'il faut s'y arrêter[19]. À l'instar du héros d'Homère, Berkane rentre chez lui comme un vagabond, un étranger en sa demeure. Et à la fin, toujours comme Ulysse, il rentre chez lui pour disparaître presque immédiatement. Tel est le dénouement tragique du dernier roman d'Assia Djebar. Après la victoire des Islamistes aux élections, quand le pays a commencé à sombrer dans le chaos de la guerre civile, Berkane, qui était parti retrouver le site de la prison française où il avait été interné à la fin de la guerre d'Indépendance, disparaît sur une route de Kabylie. Son corps ne sera jamais retrouvé. Perçu comme un « émigré de passage » (*DLF* : 249), on se demande même s'il a jamais vraiment été là. Comme Ulysse dans la grotte du Cyclope, Berkane est devenu « Personne[20] ».

En vivant un exil plus long que celui du héros grec, en ne revenant que pour disparaître, Berkane pousse l'Odyssée à son terme. Berkane est plus Ulysse qu'Ulysse. Un Sur-Ulysse. Ceci dit, si Berkane est Ulysse qu'en est-il de Pénélope ? Berkane lui-même le reconnaît : « Je n'ai pas, moi, d'épouse fidèle à demeure, certains pourraient penser que mon retour, je m'y suis engouffré à la suite de la rupture décidée par elle, la "Française", comme la nommait, mélancoliquement, ma mère ! » (*DLF* : 89) Cette femme est devenue son interlocutrice, et même la destinatrice, la lectrice idéale du livre qu'il a fini par se mettre à écrire depuis son retour. Actrice, femme à deux noms, nom de ville, nom de scène, quasi homonymes, Marise/Marlyse, la muse de l'écrivain paraît une Pénélope bien équivoque.

Pénélope ne serait-elle pas plutôt l'autre femme de *La Disparition de la langue française*, Nadia, l'Algérienne, elle-même en exil, qui a le dernier mot et qui, ignorant sa disparition, écrit à Berkane du Caire, de Padoue, de Trieste, de Venise ; Nadia qui ne sait même plus d'où elle écrit, où elle

---

19 Comme Ernstpeter Ruhe, un des rares lecteurs à avoir relevé les empreintes de et les emprunts à Homère chez Djebar. Voir Ernstpeter RUHE, 2005, « "Écrire est une route à ouvrir". L'écriture transfrontalière d'Assia Djebar », in *Assia Djebar : nomade entre les murs*, Mireille CALLE-GRUBER (dir.), Paris, Maisonneuve & Larose. Et aussi Ernstpeter RUHE, 2003, « Les sirènes de Césarée : Assia Djebar chante *La femme sans sépulture* », in CELAAN, n° 2.

20 Pour échapper à la mort dans la grotte du Cyclope, Ulysse avait usé d'une ruse. Il s'était présenté à son hôte abominable sous le nom de « Personne ». Une fois meurtri, le monstrueux fils de Poséidon ne put donc qu'accuser « Personne » du méfait. Or Ulysse, une fois échappé, ne put retenir la bravade de dévoiler au monstre floué son patronyme. Cette erreur fut à l'origine de son errance.

se trouve, où elle atterrira, voyageant, volant autour de la Méditerranée, qu'Ulysse jadis parcourut en tous sens ; Nadia, elle aussi, vagabonde ?

Comme Assia Djebar.

Vagabonde, Assia Djebar, du mot qu'elle affectionne.

Vagabonde, le mot d'Assia Djebar qui en souffle un autre : interlope. Interlope, que dit le français d'un mot étranger, emprunté à l'anglais, du verbe *to interlope* « courir entre deux parties et recueillir l'avantage que l'une devrait prendre sur l'autre » d'où, poursuit l'histoire de la langue qui nous sert de guide[21], « s'introduire, trafiquer dans un domaine réservé à d'autres ». Interlope, comme dit, dans un premier sens, plus près de nous, la langue française pour désigner un navire marchand qui trafique en fraude (dans des pays concédés à une compagnie de commerce), l'écriture d'Assia Djebar circule, entre ici et là-bas, entre les milieux, entre les eaux et les lieux de la Méditerranée (la mer blanche du milieu[22]) et d'ailleurs, en douce, à la faveur de l'obscurité. À la faveur de l'ombre qui anime l'œuvre dans tous ses recoins. À l'image du clair-obscur des orientalistes qu'elle admire, l'œuvre d'Assia Djebar a quelque chose en elle d'interlope, enfin, comme on l'entend aujourd'hui : louche, suspect. Étrange(r).

Quelque chose se trame dans l'ombre de cette écriture. Se trame, comme dans le crépuscule d'Alger, juste avant que le jour ne fuse et que commence la « marche des errants », les passants de cette ville qui « ne semblent pas ses véritables habitants », « pullulement de nyctalopes[23] ». Se trame un secret, comme en cette aube finale d'*Ombre sultane*, dont est témoin l'héroïne rêvée par l'auteure, comme la sœur bienveillante de Schéhérazade, celle grâce à qui la conteuse vivra un jour encore. Mais se trame aussi comme dans l'autre complot nocturne, d'une autre sœur, peut-être plus discrète, peut-être plus distante d'Assia Djebar, et dont le nom n'est jamais par elle prononcé. Au sur-Ulysse correspond une sous-Pénélope. À l'Ulysse sur-incarné, une Pénélope sous-entendue. Interlope, nyctalope, Pénélope qui, comme Schéhérazade captive en sa demeure, liée au corps du mari (le sultan par sa présence tyrannique, le roi par son intolérable absence), Pénélope dont la main à défaut du corps allait et venait, faisant et défaisant la trame de l'œuvre, dans

---

21 Voir « Interlope », Alain Rey (dir.), 2000, *Dictionnaire historique de la langue française*, Paris, Dictionnaires Le Robert. *Lope* serait une forme dialectale de *to leap*, « courir, sauter », issue du vieil anglais (cf. le correspondant néerlandais *loopen*, « courir »).

22 En arabe, *bahr al-abiad al-moutawassat*.

23 Assia Djebar, 2006 [1987], *Ombre sultane*, Paris, Albin Michel, p. 223.

un rythme qui la disait encore maîtresse de son destin, d'un geste lui sauve-
gardait encore un peu de temps. Travail de femme, cette œuvre interlope de
Pénélope, première œuvre textile inachevée, premier texte clandestin inédit,
rappelle la concurrence qui est aussi coïncidence que Assia Djebar entend à
l'origine de sa propre écriture. Elle écrit, dit-elle, pour celles qui ne peuvent
« que » tisser. Pour celles qui ne peuvent « que » filer. Mais où « filer » doit
encore s'entendre, selon l'acception française, comme « échapper ».

Interlope, hybride, l'écriture d'Assia Djebar vagabonde entre les genres,
comme celle d'un écrivain qui serait à la fois Ulysse et Pénélope, Pénélope
devenue Ulysse, sortie, courant le monde, faisant entendre la course – *lope* –
qu'inspire son nom.

Dernière énigme

Dernière énigme qui nous ramène au tout début du dernier roman. Quand
Berkane-Ulysse revient, quand il prend la parole pour la première fois, celui
qui a tant navigué entre la langue natale et la langue coloniale, ne raconte
son histoire ni en français ni en arabe : « Je reviens donc, aujourd'hui même,
au pays… "Homeland", le mot, étrangement, en anglais, chantait, ou dansait
en moi, je ne sais plus : quel est ce jour où, face à la mer intense et verte, je
me remis à écrire. » (*DLF* : 13)

Comme si Ulysse, après tant d'années d'exil, après une si longue absence,
avait oublié sa « propre » langue. Et si c'était là la véritable raison, secrète,
de son nouveau départ, à peine rentré ? Comme si Ulysse, revenant après
une éternité pour dire qu'il doit repartir, pour voir son père avant d'aller
trouver, loin de la mer dit-il, bien à l'intérieur des terres – un lieu où reposer
à jamais – comme si Ulysse avait découvert entre l'exil et la demeure, entre
la guerre et la paix, une autre voie.

La disparition de la langue française commence par une langue autre :
l'anglais, langue tierce, de l'autre exil, de l'autre séjour, en Amérique. Et
comble de l'étrangeté, c'est dans le sillage de ce roman « américain » – signé
de « New York, 2003 » – sur la disparition de la langue française, que l'Algérienne Assia Djebar fut élue à l'Académie française[24]. L'Académie dont elle
aidera à remplir la mission « avec tout le soin et toute la diligence possibles,
à donner des règles certaines à notre langue et à la rendre pure, éloquente et

---

24 Assia Djebar fut élue à l'Académie française le 18 juin 2005 et intronisée le 18 juin
2006.

capable de traiter les arts et les sciences[25] ». Ainsi Assia Djebar devra, comme
il est encore dicté par l'Académie, « veiller sur la langue française[26] », ce tré-
sor qu'elle appelait jadis son « butin ». Nul ne connaît encore la voie que
choisira Assia Djebar à l'Académie. Peut-être contribuera-t-elle, comme il est
demandé aux Immortels par les statuts, à « fixer la langue », à en « défini[r]le
bon usage […] en élaborant son dictionnaire » ? Ou bien, au lieu de fixer la
langue française, contribuera-t-elle à la rendre nomade, la faire filer comme
une vagabonde – pas à pas ?

---

25 Les statuts de l'Académie française sont consultables sur le site de l'Académie à
l'adresse http://www.academie-francaise.fr/role/index.html. Statuts et règlements de
février 1635, article XXIV pour la présente citation.

26 L'ensemble des citations suivantes est extrait du site de l'Académie française, page
consultée le 05/09/07, http://www.academie-francaise.fr/role/index.html, dont nous
restituons ici le texte intégral : « Le rôle de l'Académie française est double : veiller sur
la langue française et accomplir des actes de mécénat. La première mission lui a été
conférée dès l'origine par ses statuts. Pour s'en acquitter, l'Académie a travaillé dans
le passé à fixer la langue, pour en faire un patrimoine commun à tous les Français et
à tous ceux qui pratiquent notre langue. Aujourd'hui, elle agit pour en maintenir les
qualités et en suivre les évolutions nécessaires. Elle en définit le bon usage. Elle le fait
en élaborant son dictionnaire qui fixe l'usage de la langue, mais aussi par ses recom-
mandations et par sa participation aux différentes commissions de terminologie. La
seconde mission — le mécénat —, non prévue à l'origine, a été rendue possible par les
dons et legs qui lui ont été faits. L'Académie décerne chaque année environ soixante
prix littéraires. Mention particulière doit être faite du grand prix de la Francophonie,
décerné chaque année depuis 1986, qui témoigne de l'intérêt constant de l'Académie
pour le rayonnement de la langue française dans le monde. » Il s'agit d'ailleurs d'une
synthèse des statuts de juin 1816.

L'Écriture anachorète :
les *Marches de sable* d'Andrée Chedid

Mireille Calle-Gruber, *Université Sorbonne Nouvelle-Paris 3, UMR 7171*

> Saül-Paul : « Si je n'ai pas l'amour, je ne suis
> qu'une cymbale retentissante... si je n'ai pas
> l'amour, je ne suis rien. »

Nomadismes : c'est le mot donné. C'est le mot de passe. C'est le mot qui nous a été donné comme on donne un talisman (*telesma :* rite) contre – nous en sommes d'entrée avertis et j'en reviens au texte d'invitation – contre « cette réduction de la littérature contemporaine féminine à l'auto-enfermement [qui] ne rend pas compte d'un champ créatif beaucoup plus complexe ».

Un mot généreux, donc : « nomadisme ». Au pluriel, qui plus est. Comme si nos hôtesses craignaient encore quelque possible clôture du côté du singulier... Comme s'il fallait toujours veiller : à ouvrir l'ouverture ; à la rouvrir sans cesse.

J'ai choisi de me rendre à cette invitation avec Andrée Chedid et son roman *Les Marches de sable*[1]. Andrée Chedid est aussi l'auteur de *La maison sans racines*, autre titre emblématique pour le motif qui nous retient ici.

Les Marches de sable, paru en 1981, inscrit le récit dans l'Égypte du IVe siècle, déchirée par les conflits religieux entre un paganisme sur le déclin et le christianisme prosélyte. Le roman inscrit le récit à l'enseigne de « l'argile et l'horizon » : du « Nil immense qui brasse dans un mouvement constant l'argile et l'horizon » (*MS* : 106). Sans que le mot « nomade » soit dit, l'écriture se livre généreusement à cette façon-là d'être-au-monde : « brassage

---

1   Andrée Chedid, 1981, *Les Marches de sable*, Paris, Flammarion : *MS*. Toutes les citations réfèrent à l'édition de poche « J'ai lu », n° 2886.

des origines », terre de « croisements [...] qui m'aidai[en]t à sortir de mes enclos, à imaginer la planète ! » (*MS* : 107-108). Croisements qui « renforcent » une population, empêche qu'elle ne « suffoque parmi ses seules racines » (*MS* : 108).

Plaidoyer pour un désancrage, donc.

Pour autant, nomadisme n'est pas errance. S'il y a déplacement, c'est selon un trajet, migratoire, nourricier : *nomas nomados*, c'est celui qui fait paître ; qui élève son troupeau, le conduit à la recherche de sa subsistance.

Le nomade est du côté de la vie ; le départ, la perte, c'est : pour la vie. Nomadisme n'est pas sans retours – et je mets un *s* pointé au retour. L'aller ou plutôt l'allant est plein de retours de tous moments et de toutes sortes d'allers retours. Les nomades ne se fixent pas mais ils ne sont pas sans repères ; et pour être hors champ, ils ne sont pas sans règles.

Déjà, on entend ici comme en écho venir les mots de l'écriture nomade telle qu'elle chemine chez Andrée Chedid : le principe d'intranquillité qui l'informe, ses énergies migrantes, la volatilité du discours et ses agencements vibratiles. Et le calcul de la phrase pour que vienne l'incalculable. Et la construction narrative pour rendre sensibles les sols mouvants sur quoi elle s'essaie.

Déjà, on l'entend venir, la question des marches de l'écriture. Quelles formes pour les formes du mouvement que le récit prospecte ? Donnant au texte du champ où puissent se révéler des hors-champs fabuleux, inouïs mais point inaudibles, leurs marges à l'œuvre, leur scène exorbitée.

Ces formes, elles relèvent du processus de déplacement que le titre fait jouer d'entrée : avec les « marches de sable », nomadisme signifie retrait au désert, et se charge d'une dimension anachorétique. S'éloigner (*anakhôrein*) non pour s'enfermer au couvent ou dans une grotte, mais pour avancer inlassablement dans les sables, les brûlures du soleil – « cloître de feu » (*MS* : 49) –, en quête de nourriture spirituelle : tel est le mouvement des trois *figures* (car elles sont plus que des personnages) de femmes qui est raconté dans ce roman. Écriture plus philosophique que romanesque, plus spéculative que spéculaire, où il apparaît que le choix du nomadisme narratif permet de prendre de la distance par rapport au dispositif mimétique :

> Oui, parfois je pense que ce monde stagne ; sinon dans ses entreprises, du moins dans sa signification. Que ce monde se singe et que nos paupières enduites de résine emmurent notre vision.

Ni la passion ni la raison ne peuvent rendre compte de l'énigme. Celle-ci, je la suppose d'une autre nature que la nôtre : insaisissable, indicible. Elle échappe, elle échappera toujours à l'esprit humain (*MS* : 98).

La triade féminine, réunie hors toute vraisemblance, en un non-lieu que seul l'espace de la phrase avère, constitue dès lors pas seulement l'image mais la *cheville ouvrière* de cette énigme, et entraîne la fabuleuse liberté de penser l'énigme comme telle – je veux dire : sans résolution.

Ainsi marchent-elles. Elles marchent, Cyre puis Marie puis Athanasia, séparément, puis toutes trois ensemble. Et le récit marche avec elles. Car il est déjà en marche, récit de récit, ou plutôt récit de traces, récit de traces de récits, fragiles, friables, effaçables. C'est le récit de Thémis qui témoigne :

> J'ai connu ces trois femmes : Cyre, Marie, Athanasia ; leur aventure me poursuit. Je ne voudrais pas que leurs traces se perdent à jamais dans ce désert qui enserre largement notre vallée. Ce désert où elles ont cherché asile, ou bien ont choisi de se retirer. […]
> Étroit et fécond territoire que le nôtre !
> […]
> Vieil homme à peu de distance de sa mort, j'entreprends ce récit pour parler d'elles. (*MS* : 11)

Ainsi s'ouvre le livre, où la géographie de l'Égypte porte à retracer une cartographie des sols de l'humain. Ainsi ouvre le texte qui raconte *au nom de Thémis* – j'insiste : pas *de lui* le récit mais *en son nom*, imprimé au-dessus en capitales. Légère mais décisive non-coïncidence du sujet à l'écriture. Dépropriation, impropriété du nom d'autant plus déroutante que le surtitre varie sans que change la voix narrative : passe à Cyre puis Marie puis Athanasia, puis à « Cyre Marie Athanasia » (*MS* : 144) puis retourne à Thémis. Ce qui tremble ici, c'est le propre du nom. Le propre du nom est de trembler. De vaciller entre le statut de surtitre, de sujet d'énonciation et d'objet du récit. Toujours dépassé par *cela* qui vient qui parle qui part, et qui est plus grand que lui, qu'elle, qu'elles. Plus grand que nous. Et le récit est moins raconté que *renseigné* par lui qui, d'ailleurs, et cependant plus concerné, plus *cerné*, qu'il n'y paraît, d'ailleurs cherche à viabiliser cette insondable histoire des territoires de l'humain. À les rendre parcourables…

Car lire le roman, c'est aussi s'inscrire dans le passage des transmissions, passage qui se conjugue au futur antérieur : « Pour moi, ces trois femmes auront fortement survécu. Je souhaite qu'elles survivent encore. Encore et plus loin, pour d'autres… » (*MS* : 13).

Lire, c'est déjà faire passer l'histoire à légende : à ce qui doit être lu et relu et ne jamais s'arrêter.

Le récit d'Andrée Chedid marche avec l'écriture et la lecture des marches : il est moins à plusieurs voix qu'à plusieurs lèvres, décloses. Dans leurs disjointures passe la narration. Il est à plus d'un bord et à toutelangues, lesquelles s'efforcent en vain de se traduire les unes les autres.

Laissons que dissonent un moment les langues de ce roman.

Il y a : la langue de la foi religieuse, qui est celle d'Andros retiré au désert pour soustraire son fils à l'intolérance et pardonner l'intolérable (la mort de son second fils sur le bûcher).

Il y a : la langue du mystique, celle de Marie la belle courtisane devenue « racine de bois calciné » (*MS* : 26), qui se jette. Du monde à l'absolu – sans transition.

Il y a : la langue de l'athée, Thémis, frayant à tâtons la voie humaniste, et qui par amour pour Athanasia ne lui dira jamais son amour. Par lui, du récit, ou plutôt du récitable, arrive.

Il y a : la langue de l'amour, celle d'Athanasia qui ne croit pas et cependant se fait moine – oui : *elle* se fait *un* moine – par amour pour Andros l'époux bien-aimé, pour demeurer ainsi non reconnue auprès de lui.

Il y a : la langue du silence sans quoi pas de langue, celle de Cyre qui a fait vœu de retrait des mots et qui n'est plus que souffle…

Toutes ces langues parlent *en langue* à la langue du récit sans correspondre à ses attendus. Car : comment nommer, désigner, appeler « cela », ce mouvement : attraction, fascination, penchant, appel, « vocation »?

« Les mots sont étroits, la réalité s'en évade », dit le narrateur (*MS* : 12). Laisser libre cours est la seule chance. De vaguer : entre la « gratitude d'être au monde » et le « refus de lui appartenir » (*MS* : 243) ; entre la « page rétive » et le verbe dénoué (*ibid.*). L'écriture est vouée aux enjambements : nomade, la prose romanesque migre du côté du Poème, avance par strophe, versement à la ligne, hyperbate qui passe le point, passe le trait, passe le pas.

Il importe de ne pas conclure, ne pas finir. De s'infinir. Les figures sont figures de l'excès, de l'excessive recherche. Chaque nom en titre le degré (« degré », c'est aussi une « marche » d'escalier). Andros (génitif de *Aner*), c'est le degré de l'humain, l'homme, l'adulte. Thémis (droit, loi), nom mythologique du dieu de l'ordre et de la justice, c'est la loi, l'autorité qui fait droit au récit. Athanasia (de *Thanatos* : mort, sommeil) est l'immortelle, la sentinelle (« Je l'imagine vivante, dit le narrateur, portée, quoi qu'il advienne, vers l'avenir », *MS* : 242). Elle monte la garde, transmute l'amour en amour. Marie la pécheresse, nomade au désert, « squelette blanc, aussi épurée que le désert » (*MS* : 242), Marie transgresse la transgression. Quant à Cyre, l'enfant par excellence (*infans* : qui ne parle pas), la mutique, elle transcende la mort par la voix. Du chant, « les sons filent sans la césure des mots. Ils entraînent et relient entre eux les choses, les lieux, les créatures » (*MS* : 82) : « Cette musique limpide résorbe [...] la cassure de la mort » (*ibid.*).

Le récit passe et repasse par chacun de ces degrés, ce qui ne dessine pas une progression logique et linéaire mais des reprises centrifuges. Ainsi le texte de Thémis *opère*-t-il, continûment : il coupe, écarte, raboute, décale, articule l'inarticulable, et parvient à composer *une transvertébration* des éléments aporétiques de la narration :

> Je me demande parfois ce qui reste d'une longue vie. Quel reliquat subsiste au creux de mes paumes ? L'amitié de quelques-uns, la permanence d'un ineffable espoir ? En dépit de multiples amours, l'intensité d'un petit nombre ; d'un seul peut-être ?
>
> En vérité, pour ma part, je crois n'avoir aimé qu'Athanasia ; qui n'en aura jamais rien su ! [...]
>
> Serait-il vrai d'ajouter que ce sentiment, nourri de songes, m'a sans doute plus enrichi et guidé que bien des amours qui se sont accomplies ?
>
> À quelque temps de l'ultime échéance, que reste-t-il encore ? Peut-être l'insoluble question, celle qui m'assaille depuis l'enfance et qui ébranle les fondements de notre existence, de nos civilisations ? Ce battement répété, ces « pourquoi ? », ces « comment ? » qui se heurtent au silence.
>
> Appel, demande auxquels cette non-réponse même procure comme une sorte d'apaisement. (*MS* : 102)

Le chemin d'écriture, tout travaillé de l'aporie, de la *non-réponse* fondatrice, mute en poïèse, et le nomadisme en herméneutique. Les langues dans la langue du récit ne se répondent pas, mais elles s'entendent : elles se font l'une à l'autre tympan, où elles battent, rebondissent, poursuivent. Elles ne s'entendent pas mais elles sont d'intelligence : font des liens, et des déliaisons qui sont encore une relation – une façon de relater.

Elles se croisent, elles forment des croisées, des rayons qui font tourner la roue de la pensée sur les hauteurs sublimes.

Ces stases entre les descriptions de scènes sont des moments de tenue du son, des points d'orgue où le personnage-narrateur de roman se désiste. Dès le commencement, il avait averti : « De moi, je parlerai à distance, comme d'un étranger, d'un témoin, parfois mêlé à l'action » (*MS* : 12).

Cette désistance, ce parti pris d'étrangèreté confère au texte d'Andrée Chedid toute sa puissance : j'entends, son *en-puissance* qui est tout autre chose que le devenir, le futur, le développement à venir. L'en-puissance est une force ascendante qui soulève, qui enlève à soi, et non pas la traction-avant qui propulse au-devant de soi.

Le récit du nomadisme de l'être, de « l'exil-intérieur » (*MS* : 242) trame par le double passage à l'horizontale – le sens de l'action qui intrigue – et à la verticale – la venue de l'événement qui surprend et interrompt, surhumain, inhumain, porte aux limites sublimes. On retrouve là la polysémie du titre : les « marches de sable » désignent à la fois le pas en avant et les degrés d'une montée. Cependant que l'oxymore – avancer-construire-écrire sur du sable – souligne la vanité de l'entreprise : sauf à penser un avancer-immobile, l'avancer-écrire paradigmatique d'une progression de dimension spirituelle.

De fait, les scènes sont présentées à la manière des tableaux d'un retable, isolément, sans lien direct entre eux. C'est le retour du nom qui fait continuité, et le parcours du narrateur.

Tout est affaire de narrateur et de temporalité.

Le narrateur. Il est lui-même nomade. Il n'est pas fixe, mais son mouvement n'est pas question de focalisation, ni de point de vue ou d'identification. Son nom de Thémis dit la mesure : mais la mesure ici n'est jamais la même ! Le narrateur expose (montre) sa fonction qui est une fonction *fonction du récit*. Autrement dit, la fonction du narrateur des *Marches de sable* est d'être relation. Il ne tient qu'au fil des phrases qui relient et relatent selon de mouvants repères.

Je le disais en commençant : il n'est pas ouvert une fois pour toutes le récit. Il faut rouvrir l'ouverture, reprendre des marques, refaire lien depuis des points d'intersection, des points d'incandescence, des points de fuite…

Ainsi de cette reprise en deuxième partie de l'œuvre :

> De ces femmes je parlerai longuement. Je les ai vues arriver, je les ai vues – au bout de neuf jours – repartir. Très vite, après ce départ, leur destin se dénouera dans le sang, la mort, mais aussi la vie.
> À travers elles, plus tard à travers d'autres, j'ai recomposé leurs existences. […]
> De ces trois femmes que séparaient l'âge, le milieu, la localité et que rien ne devait normalement réunir, j'ai retracé avec passion, le chemin imprévu qui les a, pour un temps, rassemblées. […]
> Lorsque toutes trois auront quitté cette forteresse, mon propre séjour tirera vers sa fin. On aurait dit que mon rôle consistait à me trouver ici, à ce croisement ; et qu'avec leur départ ma fonction s'arrêtait.

> Et même, à la réflexion, il me semble que ce que j'étais venu chercher auprès de Macé se trouvait inscrit dans le tissu de leurs trois vies.
>
> Après leur départ, Macé lui-même me conseillera de me retirer. « Ta vocation, me dira-t-il, est ailleurs que dans ce lieu tourné vers l'absolu. » (*MS* : 100-101).

Tel est le dispositif de *ponctuation* narrative qui organise les allers retours du récit nomade depuis certains points de convergence qui sont aussi points de départ. Car la relation est variable non pas au plan des logiques narratives, mais variable sur l'échelle des intensités de voix et de tons – par effet de répétition, écart, cumul, différé.

Ainsi de cette acmé qui est point d'incandescence – neuf jours au désert, toutes solitudes rassemblées chez le moine Macé – d'où le récit rayonne et respire. Passion et absolu. C'est depuis ce promontoire narratif que les étapes du texte se relient et se relisent.

Or, ce point d'intensité ne se trouve pas au début du livre : il se tient en son milieu ; lorsqu'après l'annonce de l'arrivée des neuf jours, l'arrivée arrive : « À présent, j'attends que Macé m'appelle. Je tempère mon impatience, et laisse monter en moi les images du passé. [...] J'allais bientôt apprendre la suite, de la bouche même d'Athanasia » (*MS* : 111).

Or cela qu'il dit qu'il va apprendre, c'est ce que déjà il a écrit sur les 110 pages que nous venons de lire.

En ce point de rencontre, la narration se dévoile à la fois analepse *et* prolepse : *par rapport au* début du livre (« J'ai connu... »), nous sommes en relation d'analepse avec les éléments racontés ; *par rapport au* milieu du livre, nous découvrons que nous étions en relation de prolepse. Les variations du récit s'attachent aux pas de l'écriture et de la lecture, telle une anamorphose, dont un seul point permet de réunir toutes les lignes – avant qu'elles ne repartent dans le déplacement généralisé des traits.

Où l'écriture anachorète nous enseigne cela :

1. qu'il n'y a de départ qu'à partir deux fois ;
2. qu'il n'y a de retrait (de ce qui se retire) qu'à repasser deux fois le trait : re-trait du deuxième trait ou du second passage ;
3. que le double trait du retrait a sa grammaire : celle du futur antérieur, qui est *et* futur *et* passé ;
4. que ce n'est pas ici le savoir qui importe (nous « savons » déjà) mais le poids des choses et des mots, leur pesée, pensée, impact, écho qui n'en finissent pas de tourner en phrases ;

5. que ce n'est pas le savoir qui l'emporte mais le cheminement, et donc pas son terme téléologique ; et qu'il faut par suite avoir toujours déjà anticipé la fin. Plus exactement, inscrire la narration à l'enseigne de la fin des fins du récit.

Dans le tableau des étapes au seuil du texte, qui affiche les retours et degrés, Thémis le narrateur revient quatre fois – où vacille la question de la mesure. Comme dire *au juste ?* à quel *titre ?* à quel *à juste titre* – s'il en est ?

Quant à la temporalité. La table des matières à l'entrée présente trois sabliers aux trois étapes du récit qui sont les trois parties du livre, pointant avec la durée *aussi* la verticalité du passage intérieur. Le sablier du commencement qui n'a pas encore coulé ; le sablier intermédiaire à mi-parcours, également vide et plein ; le sablier de la fin où tout le sable a changé d'hémisphère. Rapporter la mesure du temps au sablier, c'est faire de la durée une affaire de retournements et de retours. C'est en faire un temps inchiffrable (pas comme le temps des horloges) : la marche du temps dans le sablier se dit en termes de : passé ou pas passé ; à demi-passé ou re-passé.

Façon de dire ce que le récit pointe à plusieurs reprises : l'anachorète, ce n'est pas l'espace qui est devant lui, c'est le passé.

Davantage : avec le sablier dont l'écoulement *re*commence à zéro à chaque retournement, le temps est simplement sans mesure. On se prend à penser – vertige, exorbitation, temps inhumain – tout le désert passé aux renversements du sablier…

Toute une vie grain à grain… Poussière de vie… C'est ce à quoi s'emploie le récit : passer le temps au van du texte. Et entre deux mots de la phrase surgissent soudain « douze années », « le grand fossé de l'absence » (*MS* : 111). Ou bien « quel éternel présent » et « quelle éternelle durée » (*MS* : 190) distendent l'égal espacement des lignes ? et quel jadis des corps ? « De quel jadis parle-t-on ? Quel jadis entraîne-t-on avec soi dans sa tombe ? » (*MS* : 83). Le récit se voue à la recomposition de trois vies de femmes, autant dire des années-lumière, feu, calcination.

L'énigme ne saurait être levée ; ce que le narrateur révèle cependant, c'est que l'écriture-nomade est relation d'amour. Ce qui inscrit le roman dans la torsion sans fin du paradoxe. Entre mirage et miracle, le double trait à l'œuvre, dès lors, ne permet plus qu'on oublie :
– que retrait appelle lien ; qu'on ne se trouve ni ne se perd seul. À propos de Marie, par exemple, qu'elle « cherche mon regard, comme s'il lui fallait traverser d'autres yeux pour venir à bout d'elle-même, et rompre, enfin, définitivement, avec sa propre personne » (*MS* : 126) ;

– que nomadisme, c'est se demander à l'autre, accepter de se recevoir de l'autre. Et inversement : nomadisme c'est la générosité narrative capable de la grâce de passagers reflets : « comme ce désert en péril de nuit qu'un soleil délirant embrase avant que la terre vorace ne l'engloutisse, mon imagination illumine Marie d'éphémères et chatoyants ornements » (*MS* : 127). La rend à sa séculière splendeur l'instant d'un regard, avant qu'elle ne redevienne poussière.

Le retrait à l'œuvre ne cesse de rappeler que nous sommes des créatures interrompues, et donne à lire l'interruption. Il dote le récit d'une énergie de rupture autant que de la force de reprendre les chemins de la création :

> Cela fait-il partie de mon récit ? L'imaginaire a-t-il pris le dessus, ou bien cela se passe-t-il vraiment, ici, dans cet instant ? Je ne sais plus. Soudain je ne sais plus, la frontière entre l'existence et le rêve s'est dissoute ; peut-être tiennent-ils d'une même réalité, peut-être ne cessons-nous jamais d'imaginer ? (*MS* : 246).

Le retrait, surtout, a cette vertu de déclarer que le texte de fiction dit *comme une vérité*, qu'il trace une *façon* de vérité. Andrée Chedid inscrit en exergue à son livre la citation du *Gorgias* de Platon : « Je te dirai comme une vérité ce que je vais te dire ». C'est la plus grande liberté que puisse avoir le récit : la liberté de l'autrement dire.

Et de fait, ni erratique ni fixée à demeure, que peut être la vérité sinon *comme une vérité*, nomade que l'écriture, dans le tremblement, se laisse le temps de reprendre et de façonner ?

Ainsi s'infinit le texte qui retourne aux sables et au grain de la page blanche. Étroit et fécond territoire que l'écriture, qu'enserrent largement le silence et les plages désertes, grosses du désir de poursuivre ; où puiser nourriture de récit à nouveau.

Désir de récit. Le dernier mot qui vient et suspend, interrompant momentanément l'écriture, est : « Elle, Athanasia… ».

Athanasia : le nom de l'amour-sentinelle.

Il monte la garde, veille aux nouveaux départs.

Nomads' Land

« [...] le nomade est celui qui ne part pas,
ne veut pas partir, s'accroche à cet espace lisse
où la forêt recule, où la steppe ou le désert
croissent, et invente le nomadisme comme réponse à ce défi[1]. »

L e parcours que l'on vient d'emprunter a mis en valeur la diversité des
acceptions possibles de la notion de nomadisme dans le champ de la
pratique littéraire, qui est aussi une pratique sociale, voire éthique et politique. L'exergue le suggère : à l'instar des nomades, les auteures dont nous
avons pu analyser les œuvres ou la situation dans le champ ne renoncent
pas à l'écriture, malgré des conditions de production parfois arides. Elles
s'accrochent à la page, refusent de quitter cette activité scripturale qui, pour
être viable et praticable, leur a imposé, comme un défi lancé à l'enfermement ou à l'exclusion, d'être en constant déplacement. Les nomadismes ne
semblent, en effet, exister qu'en fonction de frontières délimitées, que les
écrivaines vont, de façon plus ou moins radicale et subversive selon les cas,
tenter de fluidifier voire de traverser. Ils apparaissent ainsi comme autant
de stratégies déployées contre l'assignation à résidence identitaire dans le
champ littéraire. Il importe alors de revenir sur les variations que le concept
a subies au long de cette réflexion, dans la mesure où toute métaphore
employée dans le champ de la critique littéraire a contre elle le risque d'une
dilution des problématiques et d'un élargissement non opératoire des théma-
tiques. Il est donc loisible, pour clore cette réflexion, de recadrer les emplois
qui ont été privilégiés, tant par les écrivaines que par les critiques.

L'insistance sur la déambulation graphique et paginale suggère tout d'abord
à quel point écrire reste perçu, à l'ère du clavier, comme une progression dans
un *espace*. Celui-ci devient vite assimilé à un espace de vie, où la progression
se transforme, parfois dans un constant aller-retour, en franchissement de

---

1   Gilles DELEUZE et Félix GUATTARI, 1980, *Capitalisme et Schizophrénie 2 : Mille plateaux*,
    Paris, Minuit, coll. « Critique », p. 472.

frontières, élan vers le large ou plongée dans des profondeurs intimes, que les racines soient retrouvées ou au contraire arrachées.

Les parties de ce recueil ont en outre décliné la notion à partir de quatre terrains d'études différents. Tout en conservant sa définition globale de parcours régulier engageant la survie du sujet voire du groupe, le nomadisme se complexifie au fil des espaces symboliques traversés. Il a tout d'abord été question du *champ littéraire*. On sait à quel point les normes et valeurs symboliques qui lui sont attachées débouchent sur des états de fait, dont les écrivaines doivent prendre acte et qu'elles tentent de dépasser pour ne pas figer leurs productions dans une sédentarisation réductrice. Il nous semble qu'entre la problématique du bannissement et celle de l'assignation, qu'entre celle de l'exil et celle de la « migration », la déterritorialisation nomade est au cœur de nombreuses démarches d'écriture. Les écritures « migrantes », qui désignent au Québec les œuvres produites par des auteur(e)s ayant immigré dans un pays dont ils ou elles emploient la langue, témoignent ainsi d'une spécificité culturelle dite « périphérique ». Que l'on considère la richesse de la double appartenance culturelle et du bilinguisme ou la « schizophrénie » que génère parfois l'origine en partage, ces œuvres n'ont de cesse d'interroger une identité et une culture « nationale », de reconfigurer le centre et ses prétendues marges, de les relativiser. La migration s'avère une transgression constitutive du parcours nomade.

Cerner dans quelles conditions écrivent et publient les femmes était central pour notre propos, dans la mesure où le nomadisme est bien souvent une conséquence de ces conditions, parfois imposées, parfois voulues et délibérément assumées. Ce lien fondamental du nomadisme avec le *corps* situé et la *voix* incorporée de l'écrivaine menait logiquement, presque intuitivement, vers une réflexion sur l'énonciation, et sur la capacité de l'écriture à migrer d'un sujet à un autre, d'un « je » à un « tu », d'un singulier à un collectif, d'un genre (*gender*) à des genres plus troubles[2]. Genres grammaticaux, littéraires, narratifs ou socio-sexués apparaissent comme des catégories que les narratrices et narrateurs s'attachent à faire jouer ou à dissoudre, pour le plus grand dépaysement symbolique des lecteurs et lectrices.

Une fois ces transferts analysés, il devenait légitime de revenir sur les motifs privilégiés par un certain nombre d'écrivaines contemporaines : *exil* et *inhospitalité*, retour (impossible) au *foyer*, *identités* fluctuantes, *pays* se

---

2   Voir Judith BUTLER, 2006, *Trouble dans le genre*, trad. Cynthia KRAUS, Paris, La Découverte.

désarrimant, *déplacements* subis ou voulus, ont permis de montrer, par un retour indirect à la première partie, à quel point notre tournant de millénaire se caractérise par une *instabilité identitaire* foncière, souvent douloureuse, parfois jubilatoire. Refuser la catégorisation identitaire revient aussi à prendre position littérairement, philosophiquement et politiquement contre l'enfermement, par la mise en questions du monde, qui irrigue la vitalité d'une pensée nomade en constant déplacement.

Pour terminer, la notion se devait d'être explorée au niveau du rapport intime, vital et symbolique à l'*écriture*, exploration que nombre d'écrivaines thématisent elles-mêmes dans leurs récits, par des histoires à double niveau présentant des personnages *en marche* qui pourraient bien incarner la *sécrétion de soi par le déplacement ritualisé*. Le nomadisme, ce cheminement d'un point à un autre d'un je en perpétuelle (dé)structuration, se révèle *in fine* un concept particulièrement opérant pour définir la situation, toujours déplacée (à tous les sens du terme), de nombreuses écrivaines contemporaines.

Les auteur(e)s

André BENHAÏM est *Assistant professor* à l'université de Princeton (États-Unis), où il enseigne la littérature française du XXᵉ siècle et la littérature francophone, principalement de la Méditerranée. Il est l'auteur d'études sur Marcel Proust, Albert Cohen, Assia Djebar, Éric Chevillard, Joann Sfar, Émile Zola. Sa publication la plus récente est *Panim, Visages de Proust* (Presses universitaires du Septentrion, 2006). Il a codirigé *Écrivains de la préhistoire* (Presses universitaires du Mirail, 2004) et « Petits Coins. Lieux de mémoire » (*Revue des Sciences Humaines*, nᵒ 261, 2001). Il travaille actuellement à un essai sur les « Passages de la Méditerranée ».

Aline BERGÉ-JOONEKINDT est maître de conférences en littérature française à l'université Sorbonne Nouvelle-Paris 3 et membre de l'UMR 7171. Ses recherches portent sur les poétiques des littératures française et francophones contemporaines (poésie, roman, essai), les représentations et théories de l'espace (frontière, lieu, paysage, monde) et les rapports de la littérature avec les sciences humaines. Elle a notamment publié *Philippe Jaccottet, trajectoires et constellations – lieux, livres, paysages* (Payot, 2004) et coédité *Paysage & Modernité(s)* (avec M. Collot, Ousia, 2007).

Mireille CALLE-GRUBER est écrivain, professeure de littérature française à l'université Sorbonne Nouvelle-Paris 3 où elle dirige l'équipe « Centre de recherche en études féminines et de genres » et membre de la Société Royale du Canada depuis 1997. Elle a notamment publié *Assia Djebar* (adpf, 2006), *Assia Djebar ou la Résistance de l'écriture* (Maisonneuve et Larose, 2001), *Le Grand Temps : essai sur l'œuvre de Claude Simon* (Presses universitaires du Septentrion, 2004) et coordonné « La Différence sexuelle en tous genres » (*Littérature*, nᵒ 142, 2006). Elle a dirigé la publication des œuvres complètes de Michel Butor aux éditions de La Différence (2006-2007).

Dominique COMBE est professeur à l'université Sorbonne Nouvelle-Paris 3 et chargé de mission en francophonie. Il est notamment l'auteur de *Poétiques francophones* (Hachette, 1995), *Aimé Césaire : Cahier d'un retour au pays natal* (PUF, 1993) et de travaux divers de poétique sur les littératures francophones du monde arabe, de la Caraïbe et du Québec. Il est en 2007-2008 professeur invité à Oxford (Wadham College) pour un programme de recherche sur les littératures francophones.

Éliane DALMOLIN est professeure de Lettres Modernes à l'université du Connecticut aux États-Unis et corédactrice en chef de la revue littéraire *Contemporary French and Francophone Studies* (Routledge). Elle est notamment l'auteure de *Cutting the Body : Representing Woman in Baudelaire, Freud and Truffaut* (Presses universitaires du Michigan, 2000), et a codirigé un collectif sur le féminisme contemporain en France, *Beyond French Feminisms : Debates on Women, Politics, and Culture in France, 1981-2001* (Palgrave, 2002). Son dernier livre, *France from 1851 to the Present : Universalism in Crisis* (Palgrave, 2007), est une histoire culturelle de la France.

Régine DETAMBEL est écrivain. *Le Jardin clos* (Gallimard, 1994), *La Verrière* (Gallimard, 1996), *La Chambre d'écho* (Seuil, 2001) et *Pandémonium* (Gallimard, 2006) comptent parmi ses romans les plus aboutis. Ses ouvrages, traduits dans une dizaine de langues, témoignent de l'attention portée au corps jouissant ou souffrant. Elle a publié en 2007 un *Petit éloge de la peau* (Gallimard), et son essai intitulé *Le Syndrome de Diogène, un éloge des vieillesses* paraîtra en 2008 chez Actes Sud. Le site internet www.detambel. com recense l'ensemble de ses parutions.

Christine DÉTREZ est ancienne élève de l'École normale supérieure, agrégée de Lettres et docteure en Sociologie. Elle est actuellement maître de conférences à l'ENS-LSH et dirige le projet international et interdisciplinaire FSP France-Maghreb, « Écrire sous/sans voile : femmes, Maghreb et écritures ». Elle est l'auteure de *Et pourtant ils lisent (*avec C. Baudelot et M. Cartier, Seuil, 1999), *La Construction sociale du corps* (Seuil, 2002) et *À leur corps défendant : les femmes à l'épreuve du nouvel ordre moral* (avec A. Simon, Seuil, 2006).

Annie ERNAUX est écrivaine. Elle a notamment publié chez Gallimard *Les Armoires vides* (1974), *Ce qu'ils disent ou rien* (1977), *La Femme gelée* (1981), *La Place* (1983 ; Prix Renaudot, 1984), *Une femme* (1989), *Passion simple* (1991), *Journal du dehors* (1993), *La Honte* (1997), *Je ne suis pas sortie de ma nuit* (1997), *La Vie extérieure* (2000), *L'Événement* (2000), *Se perdre* (2001), *L'Occupation* (2002), *L'Usage de la photo* (2005), *Les Années* (2008).

Pierrette FLEUTIAUX est écrivaine. Elle a publié chez Actes Sud *Les Étoiles à l'envers, New York photoroman* en collaboration avec le photographe JS Cartier (2006), *Les Amants imparfaits* (2005), *Des phrases courtes, ma chérie* (2001). Sont notamment parus chez Gallimard *L'Expédition*, roman situé à l'île de Pâques (1999) et *Nous sommes éternels*, prix Femina 1990. Pour une bibliographie complète, voir son site www.pierrettefleutiaux.com.

Ancienne élève de l'École normale supérieure et agrégée de Lettres Modernes, Séverine GASPARI est P.R.A.G. à l'université de Nîmes. Elle rédige une thèse en littérature française du XXe siècle, « roman et autobiographie », sous la direction de J. Lecarme et J. Guérin.

Diana HOLMES est *Professor of French* à l'université de Leeds. Elle a notamment publié *Colette* (Macmillan, 1991); *French Women Writers 1848-1994* (Athlone, 1996); *Rachilde – Decadence Gender and the Woman Writer* (Berg, 2001); *A « Belle Époque »? Women in French Society and Culture 1890-1914* (avec Carrie Tarr, Berghahn, 2005); *Romance and Readership in Twentieth-Century France: Love Stories* (Oxford University Press, 2006). Ses recherches actuelles portent sur le roman populaire en France, et sur les romans de Nancy Huston.

Reader in French à Queen Mary University of London, Shirley JORDAN poursuit des études interdisciplinaires sur la littérature contemporaine et la culture visuelle (arts plastiques et photographie). Elle a publié *The Art Criticism of Francis Ponge* (Maney, 1999); *Contemporary French Women's Writing* (Peter Lang, 2004) ainsi que divers chapitres et articles sur notamment Christine Angot, Annie Ernaux, Marie Darrieussecq, Marie NDiaye. Elle prépare actuellement une monographie, *Private Lives, Public Display: Women and Exposure in Contemporary French Culture*.

Simon KEMP est *Lecturer in French* à l'université d'Oxford (St John's College). Il vient de publier un livre sur le pastiche du roman policier, du Nouveau Roman à la littérature contemporaine (*Defective Inspectors: Crime Fiction Pastiche in French Literary Fiction*, Legenda, 2006). Il travaille actuellement sur la forme du récit chez Marie Darrieussecq, Annie Ernaux, Jean Echenoz, Patrick Modiano et Pascal Quignard.

Née au Liban, vivant en France depuis 35 ans, Vénus KHOURY-GHATA, romancière et poète, est traduite en quinze langues. Elle a publié dix-sept romans, dont *La Maison aux orties* (Actes Sud, 2006) et *Sept Pierres pour la femme adultère* (Mercure de France, 2007), et dix-sept recueils de poèmes, dont *Quelle est la nuit parmi les nuits* (Mercure de France, 2004). Elle est lauréate de nombreux Prix, en particulier les Prix Apollinaire, Mallarmé et Baie des Anges ; elle a reçu le Grand Prix de Poésie de la Société des Gens de Lettres pour l'ensemble de son œuvre en 1993.

Audrey LASSERRE prépare une thèse d'histoire littéraire sur les récits fictionnels de femmes des années soixante-dix à nos jours (dir. M. Dambre, CERACC, UMR 7171). Dans cette perspective, elle a publié plusieurs articles, dont « La Disparition : enquête sur la "féminisation" des termes auteur et écrivain » (in *Le Mot juste*, PSN, 2006) et « Mon corps est à toi : écriture(s) du corps dans les romans de femmes de la fin du XXe siècle » (in *Émancipation sexuelle ou contrainte des corps*, G. Sellier et É. Viennot dir., L'Harmattan, 2006).

Armelle LE BRAS-CHOPARD est professeure des universités, agrégée de Science politique. Spécialiste de philosophie politique et d'analyse du discours, elle a publié plusieurs ouvrages sur le socialisme utopique, les théories de la guerre, la question du genre. Sont parus récemment *Le Zoo des philosophes : de la bestialisation à l'exclusion* (Plon, 2000 ; Prix Médicis Essai) ; *Le Masculin, le Sexuel et le Politique* (Plon, 2004) ; *Les Putains du Diable : le procès en sorcellerie des femmes* (Plon, 2006). Elle a également dirigé ou coédité plusieurs ouvrages, dont *Les Femmes et la Politique* (L'Harmattan, 1997).

Anne MAIRESSE est professeure de Lettres modernes et de Littérature comparée à l'université de San Francisco. Spécialiste de Paul Valéry, elle a publié *Figures de Valéry* (L'Harmattan, 2000) ainsi que de nombreux articles sur la poésie et la littérature contemporaines, dont des travaux récents sur Véronique Olmi et Ryoko Sekiguchi. Ses publications sont parues dans des revues françaises et américaines dont le *Bulletin des Études Valéryennes*, *Écritures Contemporaines*, *Modern Language Note*, *Nineteen Century French Studies*, *The Romanic Review*, *Contemporary French & Francophone Studies*.

Delphine Naudier est chargée de recherche au CNRS, rattachée au laboratoire « CSU » (Cultures et Sociétés Urbaines). Ses travaux portent sur les carrières et les œuvres des auteures dans le champ littéraire français depuis le début du xxe siècle, sur les engagements des femmes dans les mouvements féministes des années soixante-dix et sur les intermédiaires du travail artistique. Elle a codirigé l'ouvrage, *Genre et légitimité culturelle : quelle reconnaissance pour les femmes ?* (avec B. Rollet, L'Harmattan, 2007) et coécrit avec H. Ravet, « Création artistique et littéraire » (in *Femmes, Genre et Sociétés : l'état des savoirs*, M. Maruani (dir.), La Découverte, 2005).

Anne Simon est ancienne élève de l'École normale supérieure et chargée de recherche au CNRS (UMR 7171). Elle est l'auteure de *À leur corps défendant : les femmes à l'épreuve du nouvel ordre moral* (avec C. Détrez, Seuil, 2006) et *Proust ou le réel retrouvé* (PUF, 2000). Elle a coédité *Romain Gary écrivain-diplomate* (adpf, 2003), *Merleau-Ponty et le Littéraire* (PENS, 1997), et, en ligne, *Projections : des organes hors du corps* (2008), *Le Discours des organes* (2006), *Voyages intérieurs* (2005). Elle prépare actuellement un essai sur Proust et les philosophes du xxe siècle, et coordonne le groupe de recherche « Animalittérature ».

Table des matières

Champs littéraires

Voix/dévoiements

Régressions/progressions/transgressions

Géo/graphies

Cet ouvrage
a été achevé d'imprimer
sur les presses de Vasti-Dumas

Dépôt légal
juillet 2008
n° d'imprimeur : 08-07-0023